KB172944

김재홍 문학전집 ⑩

고월 이장희 평전

빈궁문학 또는 비극적 세계

한국문학속의 민중의식연구

현대불교시선

이상화 저항시의 활화산

국학자료원

김재홍 문학전집 간행위원회

위원장 : 이성천(경희대 교수)

위　원 : 유성호(한양대 교수), 김창수(인천연구원 부원장),

강동우(가톨릭관동대 교수), 남승원(서울여대 교수), 이수정(GIST 교수)

간　사 : 조운아, 김웅기, 최민지

일러두기

1. 전집은 단행본 발행연도를 기준으로 삼았으나, 학위논문인 『한용운 문학연구』는 1권에, 편저는 9권과 10권에 각각 수록했다.
2. 출판 당시 저자의 집필의도를 살리기 위해, 일부의 보완 원고는 그대로 두었다. 단, 내용이 중복된 것은 삭제하여 전집의 전체성을 유지했다.
3. 원문을 최대한으로 살리되, 의미와 어감을 해치지 않는 범위에서 현행 맞춤법에 따라 고쳤다.
4. 한문과 외국어는 괄호 안에 병기하는 원칙으로 하되, 필요한 부분은 노출하였다. 단, 제1권 『한용운 문학연구』는 원문 그대로 수록하였다.
5. 본문의 '인용' 부분은 필요에 따라 한글 표기를 했으며, 이외의 것은 원문에 충실하려고 노력했다.

古月 李章熙 評傳

金載弘 著

1993年
문학세계사

차 례

고월의 시 세계

고월의 생애

1. 프롤로그

고월은 이장희의 아호다. 본래 이장희의 본명은 이량희였으나 1920년 4월 7일 자로 이장희라 개명하고 그 후 필명으로서 이장희를 사용했다.

감각적 서정시인으로 알려진 고월, 그가 모태로부터 삶의 공간으로 뛰쳐나온 것은 20세기의 벽두인 1900년 11월 9일. 경상북도 대구시 중구 서정동 1가 103번지에서이다. 이곳은 「나의 침실로」, 「빼앗긴 들에도 봄은 오는가」 등으로 우리에 기억되는 상화 이상화의 집과 백여 미터 떨어진 위치이며 「첫날밤」으로 유명한 공초 오상순의 집과도 과히 멀지 않은 거리에 있었다.

고월은 본관이 인천인 아버지 이병학과 어머니 박금련의 셋째 아들로 태어났다. 당시 고월의 집안은 대구에서 이름난 부호가였으며 아버지 이병학 씨는 중추원 참의를 지내기도 했다고 전한다. 그런데 고월의 부친 이병학 씨는 대외적으로는 대구 명문가의 자손이요 중추원의 참의도 지낸 행복한 조건을 구비했지만 가정적으로는 순탄치 않았던 것으로 보인다. 그는 잇단 상처로 인하여 3번씩이나 결혼을 하지 않으면 안 되었다. 그리하여 슬하에 12남 9녀,

즉 21남매를 두게 되었고 그중 몇 명은 유아 시절에 먼저 세상을 떠나는 참척을 겪기도 했다.

첫째 부인 박금련은 바로 고월을 낳은 친어머니였다. 그는 3남 1녀를 낳고 고월이 다섯 살 된 1905년 남편과 자식을 두고 별세했다. 어린 자식과 살 수 없었던 부친 이병학은 그해 이강자와 결혼했으나 그도 5남 6녀를 두고 1923년 결혼한 지 18년 만에 사망하였다. 이리하여 두 부인에게서 탄생한 자녀는 8남 7녀, 이병학 씨는 1924년 둘째 부인이 또다시 사망한 이듬해 조명희와 세 번째로 결혼하였다. 그리하여 또 낳은 자녀는 4남 2녀, 이병학 씨의 자녀는 모두 12남 9녀가 된 것이다. 이와 같은 복잡하고 불우한 환경은 고월로 하여금 정상적인 정신의 성숙과 인격의 발달을 저해하는 커다란 요인이 되었다. 5세의 어린 나이부터 두세 차례로 바뀐 계모의 슬하에서 여러 이복동생과 함께 성장한다는 것은 많은 갈등과 불안을 겪어야만 하는 불행이었다.

참고로 고월의 가계도표를 제시하면 다음과 같다.

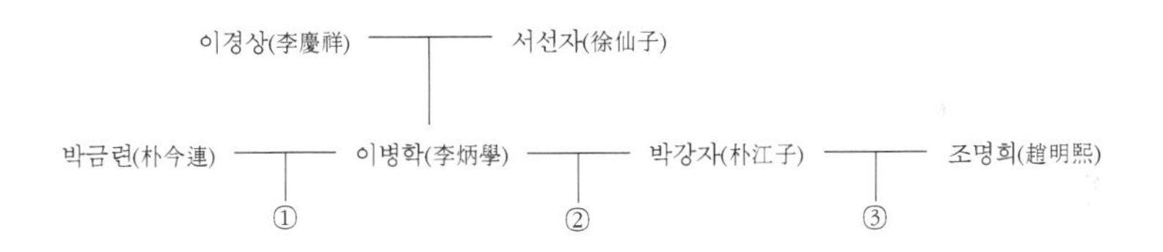

* 이어령: 『한국작가전기연구(하)』 (서울동화예술선서, 1980), 102쪽

① : 정희(挺熙), 상희(象熙), 장희(樟熙), 영희(榮伊(女))
② : 성희(聖熙), 정수(正守(女)), 임수(壬壽(女)), 수자(壽子(女)), 칠희(七熙), 돈희(敦熙), 간자(間子(女)), 달희(達熙), 운희(運熙), 덕자(德子(女)), 복자(福子(女))
③ : (철희(轍熙), 필희(弼熙), 일(一(女)), 복희(復熙), 환희(環熙), 행자(幸子(女))

2. 유년회상(mother complex)

출생 이후 몇 해 동안 어린아이는 의식적 자아를 소유하지 못한다. 정신생활이 거의 본능에 지배되는 동안 그들은 전적으로 부모에게 의존하고 있어 부모에 의해 만들어진 정신적 분위기에 둘러싸여 생활하게 된다. 그러므로 유년에 있어서 그들에게 부모는 이해의 관계를 초월하여 사랑으로 전인격적인 만남을 갖게 된다. 부모의 역할, 그중에서도 어머니의 역할이 상당히 중요한 시기(고월이 5세 되던 해)에 고월은 어머니를 잃게 되었던 것이다. 이 사실은 고월에게 있어서 유년의 강물이 정상적으로 흘러 성년의 바다로 이행하는 데 필요한 모성의 수원지를 상실하게 된 것이나 마찬가지다. 다시 말하면 그는 끊임없이 자양을 제공해 주는 사람의 수원지를 잃은 셈이며 정신적으로 뿌리를 내릴 수 있는 모성의 대지를 상실한 셈이다. 많은 고아들이 느끼는 불안은 다만 의식주를 제공해 줄 보호자가 없기 때문만은 아니다. 그들이 불안을 느끼는 것은 보다 원초적으로 영혼의 뿌리를 내릴 수 있는 정신적인 사랑의 대지를 마련하지 못한 데서 기인한다.

이렇게 볼 때 낳아 준 어머니를 잃고 두 번씩이나 바뀐 계모의 슬하에서 수많은 정신적 외상을 체험하며 유년을 보낸 고월이 정상적이고 건강한 발달을 이룩할 수 없었음은 쉽게 짐작할 수 있다.

고월은 어릴 때부터 신동이라 불릴 만큼 영리했다고 한다. 남달리 총명한 두뇌를 가진 그는 주위 사람들의 관심을 모으기에 충분했다. 주위 사람들은 그의 귀여운 태도에 이런저런 여러 가지 질문을 하면 그는 하나도 막힘이 없이 작은 입을 모아 옹알거리며 척척 대답하여 그들을 놀라게 했던 것이다. 그러나 이와 같이 영리한 고월에게 하나님은 예민한 감수성과 뛰어난 재능을 부여한 대신 모성의 안온한 품을 빼앗아 갔다. 어머니의 품속을 빼앗기고 대리로 주어진 계모의 품속, 그것은 아무래도 고월의 욕구를 완전히 충족시켜 주기에는 부족하였다.

어머니를 잃은 그 이듬해(1906년) 고월은 대구 보통학교에 입학하였다. 목우 백기만 씨의 「상화와 고월의 회상」에 의하면 고월은 그보다 두 해 하급반이었는데 자기 반의 급장이었고 번호가 1번이었으며 모필 글씨가 전교에서 1위로 정평이 나 있는 재주꾼이었다고 전한다. 그러나 대구 부호의 아들이며 공부 잘하고 재주 있는 고월은 항상 그것과는 달리 의복은 초라했고, 얼굴표정은 어두운 그림자로 가려 있었으며 영양 섭취를 제대로 못 한 해쓱한 모습이었다고 한다. 이것은 많은 형제 틈에 끼여서 부모의 관심을 제대로 받지 못하고 자라나는 복잡한 가정의 어린이 모습 그대로였다. 아이들은 그에게 '꿀봉'이라는 별명을 붙여 그를 "꿀봉! 꿀봉!"하며 야유했다고 한다. 백기만 씨에 의하면 '꿀봉'이라는 별명은 '꿀돼지'에서 착상한 신조어로 인색하다는 의미로 짐작되는데, 이것은 그가 부잣집 도련님이면서도 그것과는 판이하게 초라하고 인색해 보였기 때문으로 여겨진다. '꿀봉'은 그가 중추원 참의의 부잣집 아들이라는 외적 사실만 알았지 친구들이 그의 내부 세계를 제대로 이해하지 못한 데서 빚어진 당연한 별명일 것이며, 고월의 유년 시절의 모습을 상상해 볼 수 있도록 해주는 상징적인 표현이 된다. 유년기의 성격 형성 과정에서의 어머니의 상실과 대리모에 의한 모정상실은 이후 전 생애에 걸쳐 '모성결핍증(mother complex)' 혹은 이성에 대한 열등감(female complex)을 낳게 하는 근본 원인이 되었다.

3. 오티즘(autism)적 갈등

대구 보통학교를 졸업한 후, 고월은 일본으로 건너가 명문인 경도 중학에 진학하게 되었다. 아무리 계모 슬하에서, 많은 형제 틈에 끼여 관심을 받지 못하며 살았다 해도 고월은 본부인의 소생이었고, 영리했으며 또한 집안이 경제적으로 넉넉했으므로 일본으로 유학을 간다는 일은 그리 어려운 일이 아니었을 것이다.

그는 방학이면 경도에서 고향인 대구로 돌아오곤 했다. 가정의 환경이 못마땅하게 여겨질지라도 이국에서 느끼는 고독과 향수는 인간의 회귀본능에 의하여 피와 살이 섞여 있는 고국 지향성을 낳게 된다. 그러나 그의 생활공간은 지나치게 폐쇄적이었다. 고향에 돌아와도 일체 울타리 밖에 나가려고 하지도 않았으며 타인과 만나거나 정담을 나누려고도 하지 않았다. 어쩌다가 한번 외출을 하면 그는 초라한 옷차림에 초췌한 얼굴을 하고 옆구리에는 문학 서적을 한 권쯤 끼고 홀로 처마 밑으로만 다녔다고 한다.

1910~20년대 당대만 하더라도 초자아의 지배와 영향을 완전히 벗어나지 못하고 있던 유학자들은 '군자대로행'이라는 유교적 페르소나(Persona)에 압도되어 군자인체하기 위해 큰길로만 팔자걸음을 걸으며 다녔다고 한다. 그러나 고월은 전통적인 소인배나 여인들처럼 처마 밑만 의도적으로 찾아다닌 것이다. 이것은 고월에게 있어서 도덕과 체면의 지배를 받는 초자아나 페르소보다는 본능적인 연약한 성정 때문이었던 것으로 보인다.

백기만 씨의 이야기를 들어본다.

> 내가 고보(高普) 삼년이던 해의 여름에 그때 우리들이 상화 사랑에 모여 놀았고 문학 방면에 관심을 가지고 있었을 때인데 하루는 마군이 들어오면서 "방금 문학청년이 이리 지나 갔어" 하기에 문학청년이 누구냐고 물었더니 "왜 꿀봉이 모르나, 이병학이 아들"하고 껄껄 웃었다. 옆에서 한 사람이 "그래, 그 자식이 하긴 방학이라고 경도에 왔다는데 몇 번 보아도 서껄밑(처마밑)으로만 다니어. 그리고 고 모양에 유학생이랍시고 옆구리에 책은 꼭 끼고 다니겠지."하고 하였다.
>
> — 백기만, 「상화와 고월의 회상」, 『상화(尙火)와 고월(古月)』, (청구출판사, 1951)

인용문에서 보았듯이 고월은 철저하게 갑각류 같은 자아의 폐쇄적인 울타리를 만들고 그 속에서 닫힌 생활을 하였다. 즉, 그가 살아가는 삶의 공간은 자폐적인 공간이었던 것이다. 그는 현실과의 연관성을 일절 개의치 않고 자신의 폐쇄적 감정이나 욕구를 따라 내적 세계만을 응시했던 것이다. 이와 같은 삶의 한 측면에만 외곬으로 자신의 심적 에너지를 모두 쏟을 때, 우리는 불균형한 삶을 살게 된다. 융(C.G. Jung)이 말하는 초월과 통합의 기능에 의해서 본래 태아의 배원질 속에 감춰져 있던 퍼스널리티(personality)를 모든 면에서 실현하고자 해야만 균형 있는 삶이 가능한 것이다.

고월이 얼마나 소극적이며 내성적인 성격의 소유자로서 오티즘적 갈등을 겪고 있었는가는 다음의 일화가 입증해 줄 것이다. 그가 경도 중학을 다닐 때, 일본 옷을 파는 옷가게가 지나는 길에 하나 있었다고 한다. 그 옷가게에는 에이꼬라는 문학소녀가 살고 있었는데 그녀는 고월과 같은 반 학생의 동생이기도 했다. 그런 에이꼬를 고월은 짝사랑했던 것이다. 그 당시 고월은 학교의 교지에 시를 발표하는 등 자타가 공인하는 문학 소년으로 알려져 있었다. 그러므로 문학소녀인 에이꼬도 고월을 마음속에서 남모르게 눈여겨보기도 하였던 것이다. 그러나 고월은 지나치게 말이 없고 소극적이며 수줍어했으므로 에이꼬에게 말 한 번 제대로 하지 못하고 얼굴만 붉혔다. 무애 양주동은 고월의 이러한 성격에 대하여 다음과 같이 말하고 있다.

> 나는 그가 M이란 여성의 환영을 이상애 대상으로 삼고 고이고이 혼자 동경하고 혼자 애모하면서, 그것을 그의 예술적 영감의 원천으로 삼고 있음을 확실히 이해하였다. 군은 실제적으로 이성을 사랑하기에는 너무나 이상적이었고, 공상적이었고, 그의 정신과 상념이 너무나 공허, 담백하였던 것이다. 군은 여성을 연모한 것이 아니라 그 환영을 동경하였던 것이다.
>
> — 양주동, 「낙월애상」, 『상화와 고월』
> (청구출판사, 1951), 99~100쪽.

그러므로 고월과 에이꼬의 연정은 소년과 소녀의 동화적인 사춘기적 사랑으로 끝나고 말았다. 고월은 귀국하던 날, 에이꼬가 헤어짐이 안타까워 어쩔 줄 모르며 동동대는 모습을 보고 처음으로 생의 무상함을 절감했다고 한다. 그 후 에이꼬는 고월에게 있어서 영원한 여인으로서의 환상적인 영상이 되었다. 계모가 본래적인 모성 충동을 완전히 충족시켜 줄 수 없었듯이, 훗날 부모의 요구로 결혼한 여성도 에이꼬를 향한 리비도의 충동을 만족시켜 주지 못했던 것으로 보인다. 그러므로 그는 결혼 생활을 포기하고 별거한 채, 총각 행세를 하고 말았던 것이다.

이렇게 볼 때 잃어버린 어머니와 에이꼬는 고월이 시작 활동을 할 수 있는 원천이 되었다고 해도 과언이 아니다. 특히, 작품 「청천의 유방」이 전자에 대한 갈망이라면 「동경(憧憬)」은 후자에 대한 그리움이다. 그러나 후자에 대한 그리움을 형상화한 작품으로는 이것 이외에도 「실바람이 지나간 뒤」, 「봄하늘에 눈물이 돌다」, 「적은 노래」 등등이다. 특히 「동경」은 동경(東京)에 있는 에이꼬를 그리워한 대표적인 작품이다.

참고로 그 전문의 예를 들어 보면 다음과 같다.

여린 안개 속에 녹아든
쓸쓸하고도 낡은 저녁이
어듸선지 물가티 긔어와서
회색(灰色)의 쉶노래를 알외이며
갈대가티 간열핀 팔로
슷업시 나의 몸을 둘너주도다.

야릇도하여라
나의 가삼속 깁히도 가란저
가늘게 고달핀 숨을 수이고잇든
햴푸른 넷생각은
다시금 물거리며 늣겨울다.

아, 이러할째
무덤가티 잠잠한 모래두던우에
무릅을 쎠안고 실음업시 안즌
이 나의 거츠른 머리칼은
나무입을 스치는 바람결에
갈갈이 나붓기어라.

반원(半圓)을 크다란케 그리는
동(東)녁 한울끗에
조고만 샛별이 써잇서
성자(聖子)가티 느려선 숩넘으로
언제보아도 혼자일러라.

선잠에서 눈썬 샛별은
싸늘한 나의 썀가티 썰며
은(銀)빗진 미소(微笑)를 보내나니.

외써러진 샛별이어
내리봄이 어듸런가
쪽(藍)빛에 흔들리는 바다런가.
바다이면 아마도 섬이잇고
섬이며은 고은 쏫피는 수국(水國)이리라.
오, 이질수업는 머나먼 동경(憧憬)이어.

흐르는, 구름에 실려서라도
나는 가련다, 가지안코 어이하리,
얄밉게도 지금은
수국의 쏫숩으로 돌아가버린
그러나 그리운 넷님을 뵈올가하야

그러면 님이어,
혹(或)시 그대의 문을 두다리거든
젊어서 시들은 나의 혼(魂)을
긋없는 안식(安息)에 멱감케 하소서.

아 저두던에 울리도다.
마리아의 은은한 쇠북소래
저녁은 갈사록 한숨지어라.

—『신여성』 2호(1924. 12)

여기서 에이꼬는 "넷님"으로 표상되었으며 시들은 자신의 영혼을 "안식에 멱감게" 할 수 있는 유일한 구원자로서 제시되었다. 고월이 이처럼 하나의 여성에 끝까지 집착하는 것을 가능하게 한 것은 무엇일까. 그것은 고월이 에이꼬의 실상을 기억하고 있는 것이 아니라 아름답게 채색된 사춘기의 몽상적 환상을 사모하고 있기 때문이며, 현실을 무시한 채 그것과의 모순을 전혀 개의치 않고 오티즘적 공상 속에서 삶을 이끌어 갔기 때문으로 보인다. 병적인 자기 집착과 지나친 결벽증의 오티즘은 그의 성격을 단적으로 드러내는 특징이 된다.

4. 나르시시즘적 동일시

1918년경 고월은 경도중학을 수료하고 이어서 청산학원 신학부에 들어가 목사가 되려는 꿈을 가졌으나 부친의 완강한 반대에 못 이겨 입학을 포기하고 실의에 빠져 나날을 보냈다. 세상과 적당히 타협할 수 없었던 고월, 일체의 개성적 자아를 완강히 거부당했던 고월, 그러한 그가 신의 세계에 귀의하고자 했던 것은, 종교가 현실의 도피는 아닐지라도 그것이 속세와 어느 정도 격리된 공간에 머문다는 것을 가정한다면 그 정신적 지향의 필연성을 인정받을 수 있을 것이다.

사람세상을등진채오래ㅅ동안
권태(倦怠)와우울과참회(懺悔)로된무거운보퉁이를둘너매고
가상이넓은검정모자(帽子)를숙여쓰고,
때로호젓한어둔골목을허매이다가
싸늘한돌담에긔대이며
창(窓)틈으로흐르는피아노가락에귀를기우리고
추억(追憶)의환상(幻想)의신비(神祕) 눈물을기우더니라
—「봄하늘에눈물이돌다」, 『여명』 7호(1926. 6)

인용된 「봄하늘에 눈물이 돌다」는 바로 고월의 이러한 모습을 그대로 반영한 것이라 할 수 있다. 그는 세상 사람과 등을 지고서 권태와 우울과 참회의 늪에 빠져 어두운 골목만을 헤매며 추억과 환상과 신비의 눈물 속에서 살아갔던 것이다.

고월의 부친이 중추원 참의로 있을 때, 그는 일본인과의 교제가 빈번했다. 그러나 일어 실력이 부족한 그는 고월에게 중간 소임을 맡기고자 했으며 나아가서는 총독부 관리가 되기를 강권했다. 그러나 세상과 적당히 타협하기를 거부하는 고월은 아버지의 요구를 수락할 리가 없었다. 이것은 부친과 자식 간의 사고방식 갈등을 불러일으켰고 고월의 아버지는 그를 버린 자식으로 간주하는 막다른 데까지 다다랐다.

고월은 실상 어머니뿐만 아니라 아버지까지도 잃은 셈이 되었다. 그는 안식처를 영원히 상실하고 말았다. 한 가지 더 첨언한다면 고월은 어머니를 잃고 그 아니마(anima)상을 에이꼬에게 투사시켰으나 에이꼬와도 이별하지 않으면 안 되었다.

소극적이고 비사교적이며 자기중심적인 고월. 그는 부모나 이성 관계뿐만 아니라 교우관계에서도 뜻이 통하지 않으면 철저하게 배격했다. 고월과 교우의 범위가 모두 7~8명밖에 되지 않는다는 사실은 이것을 입증한다. 고월과 접촉을 하던 7~8명은 주로 『금성』 동인들인 양주동, 백기만, 유엽, 김영진,

현진건, 이상화, 오상순, 이경순 등이다. 그는 병적인 자기 오만에 유폐되어 있었지만 자신의 병적 성격을 깨닫지 못하고 세상을, 세상 사람들을 무작정 싫어하고 멸시하였다. 그가 빈번하게 사용하는 '속물'이라는 용어는 그의 병적 오만 즉, 병적 나르시시즘과 거기에서 빚어지는 염세증 내지 염인증의 심각성을 대변해준다.

> <속물(俗物)>이라는 문자는 장희(章熙)가 가장 많이 사용하는 술어(術語)요 또 독특한 개념을 내용으로 한 용어이다. 고월(古月)의 <속물>이라는 용어는 詩人 이외는 전부가 속물이다. 시인 중에도 고월의 시관(詩觀)에서 벗어나는 시인은 그 또한 준속물(準俗物)의 범주에 속하는 부류인 것이다. 나는 古月에게는 속물로 규정되어 있는 사람이다. 물론 相和도 빙허(憑虛)도 속물이다. 古月은 누구를 지칭할 때는 이름 밑에 속물이라는 문자를 붙여 안서(岸曙) 속물 그놈, 노산(鷺山) 속물 그놈이라고 하는 것이 통례였었다.
>
> 결국 세계 20억 인류가 19억 9천 9백 99만 9천 9백 99는 모두 고월에게 俗物의 대우를 받아야 할 인간들인 것이다. 그 중에서 오직 한 사람의 비속물(非俗物)이 있으니 이 비속물이 어떠한 개념을 내포하고 있는 존재인지 고월의 설명을 들어보지 못하였으나 내가 자의로 해석하여 이 비속물에 眞人이란 術語를 대치하고 이 한 사람의 진인은 곧 古月 李章熙인 것이다.
>
> — 백기만, 윗글, 위의 책, 121쪽.

고월은 세상에서 기쁨 혹은 재미라는 것을 몰랐고 호탕한 웃음이라는 것을 웃어 본 적이 없다. 언제나 불만으로 가득 찬 현실은 속물들이 우글대는 공간으로서 그가 안주할 만한 곳이 못 된다고 생각했다. 따라서 그는 의식적으로 외계와 자신을 차단하고 유폐된 자아의 깊숙한 어둠 속에 스스로를 가두고 환상 세계에서 위안을 구하고자 했던 것이다. 앞에서 지적한 바와 같이 그는 오티즘적 갈등에 깊이 침윤되어 있었던 것이다.

고월은 자신의 병적 나르시시즘을 자각하지 못했다. 이것은 그와 궤를 달리하는 사람들을 모조리 싫어하도록 했다. 오직 자기와 의기가 통하는 사람이거나 같은 취미를 소유한 사람들만을 상대했고, 이것이 극한 상황에 달하면 자기 이외의 누구도 허락하지 않고 목우가 말하듯 20억 인류의 19억 9천 9백 99만 9천 9백 9십 9명은 모두 속물로 취급해 버린 것이다. 그가 얼마나 병적으로 나르시시즘(Narcissism)적 동일시 현상을 나타냈는가는 다음의 일화에서 잘 드러난다.

한번은 목우가 고월을 데리고 어느 친구의 사랑으로 놀러 갔더니 그 방에는 4~5인이 모여 있었다고 한다. 그런데 갑자기 고월은 문을 열다 말고 닫아 버리더니 말없이 되돌아가 버리더라는 것이다. 고월의 예의 없는 행동에 언짢은 마음을 품고 있던 목우가 훗날 고월을 만나 그를 나무라며 그런 행동을 유발시킨 원인을 물었더니 "속물들하고 한자리에 앉으면 나는 두통이 나서 배기지를 못해"하고 대답하더라는 것이다. 사랑에 앉아 있는 4~5인은 분명 고월이 보았을 때, 자신과 동일시할 수 없는 속물로 보였음에 틀림없다.

또한 경도중학 시절의 에이꼬와의 만남도 그렇다. 만약 에이꼬가 문학소녀가 아니었거나 고월처럼 수줍은 성격이 아니었다면 그는 에이꼬를 자기 자신과 동일시할 수가 없어서 그녀를 사랑한다는 것은 불가능했을 것이다. 결국 고월이 그녀를 사랑한 것은 나르시스적 자기의 분신을 갈망한 병적 자기애(self love)로 해석될 수밖에 없다. 따라서 에이꼬와의 사랑으로 결혼이 이루어졌다 해도 그는 이기적 자기애로 인해 틀림없이 파경을 맞았을 것이라 추측된다.

경도중학을 마치고 귀국했을 때 고월의 부모님들은 그를 결혼시키기 위해 한 여자를 선택해주었다. 그러나 고월은 그 여성을 피하기만 하고 결혼식도 제대로 올리지 않았을 뿐만 아니라, 결혼 신고도 하지 않고 별거한 채 총각 행세를 하며 홀로 살았다. 그 여인은 고월이 자신을 싫어하고 피하는 이유가 신학문을 못 배웠기 때문인 것으로 이해하고 상경하여 덕성여중에서 공부를 했다는데, 이것은 그녀가 고월의 나르시시즘적 동일시 태도를 어느 정도 이해하고 자신도 고월과 같이 되고자 목표정위적 동일시(goal-oriented identification)의 태도를 보인 것으로 생각된다. 즉 그 여성이 신학문을 배우고자 한 것은 고월과 비슷하게 되고자 한 것이기 때문이다.

이처럼 부모가 택해 준 여성을 버린 채 홀로 총각 행세를 하며 살아간 고월은 마실 줄도 모르는 술을 마시며 곧잘 에이꼬의 이야기를 꺼냈었고, 일본으로 유학 가 있는 양주동에게 보내는 편지에 '나의 M이 있는 동경! 나는 그곳을 최근에 한 번 가보려 한다.'라고 M에 대한 그리움을 간절하게 실어 보냈다는 것이다.

고월의 병적 자기애는 그가 작품을 대하는 태도에서도 선명하게 드러난다. 그는 자신의 작품에 대해서만은 무척 자신을 가졌다고 한다. 목우 백기만 씨가 그의 시선과 태도가 너무 섬약하고 기개가 없음을 비판하면, 그는 누가 그를 욕질하고 짓밟아도 대항할 생각은 못 하고 피해 도망치면서도 얼굴을 붉히며 끝까지 자신의 작품을 옹호한다는 것이다. 고월은 자신의 작품과 시에 대한 생각을 가장 합당한 것으로 여기며 그 외의 것은 모두 속물들의 것으로 간주했던 것이다. 그가 좋아하는 시인으로는 R.M.릴케, 베를렌, 보들레르, 두보, 하기와라 사쿠타로, 예이츠, 변영로 등이 있다.

어쨌든 고월은 지나치게 내향적이고 자기중심적이며 비사교적이다. 외계의 빛을 일절 차단시키고, 항상 어둠의 골방 속에 칩거했다. 그러나 그는 심적 에너지를 과도할 만큼 편협하게 내부로만, 자기애로만 쏟으면서도 에너지의 흐름이 병적일 정도로 편협하다는 사실을 깨닫지 못하고 언제나 나르시시즘적 동일시의 태도만을 보였다. 외부와 차단하고 자기애에만 빠질 때, 그것이 열등 콤플렉스의 반동형성일 때, 인간의 정신은 새로운 에너지를 외계로부터 받아들일 수 없으므로 유폐 현상 내지 침체 현상을 일으키게 된다.

5. 박탈과 결여-어둠의 세계

고월은 성장 도정에서 여러 가지 박탈(deprive)과 결여(need)를 체험함으로써 심적인 외상을 누구보다도 심하게 입었다. 그에게 있어서 최초의, 그리고 가장 심각한 박탈은 어머니의 상실이다. 이어서 그는 사상적 대립으로 아버지마저도 박탈당하고 버린 자식의 취급을 받았다. 그는 부모를 모두 잃은 고아로서 생활을 계속한 셈이다. 또한 중학을 졸업한 이후 그는 신학부에 들어가 목사가 되고자 했으나 그러한 욕구 역시 부친에 의하여 좌절된바 있으므로 그의 욕구는 언제나 또 과도하게 좌절, 억압되었던 것이다. 더불어 자신의 가슴 속에 영원한 아니마상으로 간직하고 있던 에이꼬까지도 스스로의 성격적 결함과 환경의 차이로 인해 박탈당한 채 그는 좌절의 벌판에서 몸부림쳐야 되었던 것이다. 또한 부자간의 갈등은 부친으로 하여금 직업도 없는 고월에게 한 달에 생활비를 단돈 15원밖에 지불해 주지 않는 상황까지 이르렀다.

정신적으로 질곡과 경제적으로 궁핍을 거듭거듭 맛보며 살아간 고월, 생래적으로 예리한 감각과 내성적 기질을 타고난 그는 이와 같은 수많은 외상으로 인하여, 정상적이고 건강한 인격인이 되는 것을 저해 당했다. 그러므로 인간의 삶의 병적 모습을 반영해주는 고월의 외모는 자연히 나약하고 초췌한 '굶은 황새'나 '마른 거미' 혹은 '금붕어'의 모습으로 지속돼 갈 수밖에 없었다.

① 그는 오척육촌(五尺六寸)의 키에 골격은 그리 빈약한 것이 아니나 하도 말라서 팔다리가 길어 보이고 얼굴은 네모나고 넓적한 타입인데 눈은 더욱 크나 선이 단정하고 어딘지 고귀한 일면이 있어 대하는 사람에게 점잖다는 인상을 주는 얼굴이지만 앞으로 꾸부정한 몸맵시를 하고 옆을 보는 법도 없이 껑충껑충 걸어가는 꼴은 할 일 없이 굶주린 황새 같았다.

② 古月은 1년 남짓이 못 본 동안에 더 파리한 것 같아 보이었고, 그 기다란 팔다리나 어두운 표정이 나에게는 <거미!>같다는 인상을 주었다.

③ 살결이 고운 적황색 얼굴이다. 납작소롬한 얼굴인데 턱이 빠르다. 광대뼈가 약간 나온 듯하고 말할 때나 웃을 때 눈과 입을 이상스럽게 한다. 눈은 불안정의 일종, 수줍은 듯 굴리고 입은 자주 오므린다. 가늘고 검은 테 두른 타원형 안경을 쓰고 수염은 검고 머리는 길렀다.

이상의 ①~③은 얼굴을 중심으로 한 고월의 외양을 묘사한 글이다. ①에서는 그의 단정하고 점잖은 듯한 일면과 굶주린 황새처럼 걸어가는 빈약한 모습을, ②에서는 세월이 갈수록 더욱 어둡게 여위어 간 거미 같은 모습을, ③에서는 그의 신경증적인 얼굴의 모습을 일일이 자세하게 묘사했다.

고월이 서울에 와 있을 때 그는 장사동에 있는 부친의 서울 살림집 사랑방을 쓰고 있었으나 아버지로부터 받는 15원으로 생활을 해야 했으므로 방은 항상 냉방이었고, 방에는 실내 장식품은 물론 걸레나 비조차 없었다. 오직 방에는 뚜껑이 없는 잉크병과 철필 한 자루, 잡지 한 권과 원고지 몇 장만이 쓸쓸하게 흩어져 있었고, 불기운이라곤 조금도 없지만 아랫목이라는 데는 때 묻은 포대기가 을씨년스럽게 깔려있었다는 것이다. 이러한 방 안 분위기를 도저히 참을 수가 없어 목우와 빙허는 그의 방에 놀러 갔다가도 머무르지 못하고 고월을 데리고 함께 다시 빙허의 집으로 갔다고 한다. 고월은 식사만은 부친의 장사동 살림집에서 제공받았지만 그 외의 것은 전혀 제공받지 못했으므로 그 궁색하고 초라한 모습은 가히 형언할 수 없었다. 옷이라곤 입고 있는 때 묻은 양복 한 벌 뿐 겨울이 되어도 외투 하나 준비하지 못했다. 또한 차 한 잔 마음껏 마시러 가기가 힘들었다. 이렇게 궁색한 생활을 하는 가난뱅이 고월의 방을 빙허는 '장안 씨닉스 굴'이라고 호칭했고 주위 사람들은 그를 걸인 시인으로 생각했다. 쓸쓸하고 우울한 방에서 두문불출하고 좌절과 고독의 심연으로 빠졌던 고월을 목우는 다음과 같이 회상한다.

잡지책을 들고 보니 여백마다 철필인물화가 그려져 있었으니 이 우울한 방에서 방한을 위하여 양복을 입은 채로 포대기 위에 배를 깔고 엎드려 언 손을 불어가면서 철필 인물화를 그리고 환상을 하는 것이 고월의 유일한 도락이요, 소수방법(消愁方法)이었던 것이다.

— 백기만, 위의 책, 118쪽.

마치 궁핍한 시대의 화가 이중섭을 생각나게 하는 이 글은 섬뜩할 만큼 강렬한 인상을 준다. 가난하고 정신적으로 병든 시인 고월의 모습은 50년대의 비극적인 화가 이중섭의 모습과 오버랩된다는 점에서 여명기의 이 땅 예술가의 빈곤상과 절망적 예술혼을 읽을 수 있게 한다.

정신적으로나 물질적으로나 박탈과 결여의 상태에서 살아야 했던 고월, 그가 머물렀던 공간은 어둠의 세계였다. 불안과 훼손으로 가득 차 있는 것처럼 보이는 현실의 어둠을 박차고 자아를 새롭게 정립시킬 정신의 건강성과 힘을 소유하지 못했다. 다만 수동적인 태도로 어둠의 공간에 유폐되어 환상 세계를 그리는 것으로 위안을 구하고자 했다. 환상으로 현실을 극복한다는 것은 불가능하다. 그것은 일종의 도피요, 퇴행 과정에 지나지 않기 때문이다.

6. 취미와 시작 활동

1) 취미

고월은 세상과 세상 사람들을 싫어했지만 시와 음악과 미술만은 애호하였다. 경도 중학 시절 교지에 시를 발표한 이후 그는 계속 시를 쓰는데 열성을 쏟았고 스스로를 문학소년, 문학청년, 시인으로 자처하며 생을 마치는 날까지(비록 29세에 생을 마쳤다 할지라도) 시를 위해 살았다. 생활면에서는 완전히 무능력자인 고월. 그러나 그는 궁핍한 생활일지라도 때로는 좋은 노래가 듣고 싶다고 친구들에게 다방에 가기를 제안했으며, 미술 전람회에도 자주 들러 감상하곤 하였다.

가장 좋아하는 노래는 드보르작의 환상곡 「유모레스크」였는데 그는 곧잘 휘파람으로 이 노래를 부르곤 했다. 「유모레스크」야말로 환상의 세계에서 위안을 구하려는 고월에게 만족을 줄 만한 곡조라고 여겨진다. 또한 휘파람의 명수인 고월은 시상이 떠오르거나 시흥이 동할 때면 휘파람을 불었다고 한다.

한편, 그는 국악에도 관심을 가졌던 것으로 보인다. 그리하여 아악을 음악의 극치라고 찬사를 보내기도 했으며 속악도 춘향가, 심청가, 박타령, 육자배기에 이르기까지 관심과 흥미를 가졌으므로 이동백, 이화중선과 같은 국창들이 벌이는 연주회에 자주 가곤 했다는 것이다. 그런데 백기만 씨의 말에 의하면 고월은 전아정한(典雅靜閑)한 음악과 한 많고 멋거리 있는 가곡은 좋아했지만 「신고산」이나 「경복궁 타령」 같은 번잡한 신식 가곡은 아주 싫어했다고 한다. 이것은 고월의 편벽된 성격과 고집스러운 생활 태도에 비추어 볼 때 충분히 짐작이 가는 말이다.

앞에서도 언급했듯이 그는 회화, 조각 등 미술에도 어느 정도 관심과 소양을 가지고 있었으므로 좋은 전람회가 있으면 감상하러 갔고 나름대로 논평도 했다고 한다. 미술에 대한 식견뿐 아니라 그는 실제 그림도 잘 그렸던 것 같다. 목우와 빙허가 놀러 갔다 음산한 풍경과 몸을 움츠리게 하는 추위에 견디지 못하고 되돌아온 장사동 사랑에 놓여 있는 잡지의 여백마다 그려진 철필 인물화나 『금성』 동인지의 삽화를 고월이 그렸다는 사실로 미루어 볼 때 그러하다. 또한 그가 죽기 직전 두문불출하고 금붕어만 그렸음은 무엇을 뜻할까. 그는 아마도 미술에 대한 흥미 이상의 소질이 있었던 것으로 생각할 수 있다.

그러나 고월은 도박이나 기타의 모든 잡기, 오락 등에는 전혀 관심이 없었고 따라서 문외한이었으며 야구, 농구, 배구 등 어느 것 할 것 없이 스포츠에 대한 소질뿐만 아니라 흥미도 느끼지 못했는지 구경조차 간 일이 없었다. 그리고 유람이나 탐승 같은 데도 전혀 무관심하여 여행을 떠나는 일이라곤 없었다.

이렇게 볼 때, 고월의 취미는 그의 성격과 대응된다. 그는 세상과 타협하기나 잔재미를 느끼지 못하므로 스포츠나 여행에도 무관심했다. 그러나 고독과 정적, 명상을 즐겼던 고월은 시와 음악과 예술의 세계에 관심을 갖고 그들과 더불어 세상의 속물들과는 불가능했던 스스로의 영과의 만남의 장을 마련했던 것이다.

2)시작 활동

지금까지 발굴된 고월의 시작품은 총 34편이다. 여기에 유고 8편을 첨가할 수 있으나 목우의 말에 의하면 유고 8편을 묶어 출판을 기대하고 상화의 사랑방 천장에 숨겨 두었으나 상화가 가택 수사를 받는 바람에 고월의 유고 8편까지 몰수당하여 그만 사라지고 말았다.

고월이 시를 쓴 것은 경도중학 시절부터이지만 습작기를 벗어나서 그 시적 재질을 정식으로 인정받으며 문단에 데뷔한 것은 1923년 11월에 창간호가 나온 시 전문 잡지 『금성』 3호를 통해서이다. 『금성』 3호 때 목우 백기만은 고월을 추천하여 동인으로 가입시켰으니 그때가 1924년 5월이다. 이때 고월은 「실바람 지나간 뒤」, 「새 한 마리」, 「불놀이」, 「무대(舞臺)」, 「봄은 고양이로다」 등 5편을 발표하였다.

① 백철, 『조선신문학사조사』
천재의 시인이라고 평판이 있던 이장희는 『조선문단(朝鮮文壇)』을 통하여 등장한 시인으로서 모더니즘에 가까운 감각시를 발표했다.

② 조연현, 『한국현대문학사』
고월은 1925년 전후한 시기에 『朝鮮文壇』지를 통하여 문단에 등

장했다.

③ 학원사(學園社), 『문예대사전(文藝大辭典)』
그는 일본 교오또 중학교를 졸업하고 월간잡지 『朝鮮文壇』을 통하여 시단에 등장한 시인이다.

그러나 사실상 고월이 『조선문단』에 발표한 작품은 1926년에 쓴 것으로 되어 있으며 1927년 4월 『조선문단』 20호에 발표한 「가을ㅅ밤」 한 편이다. (이것은 실제로 『조선문단』을 검토한 결과임) 그러면 그러한 오류는 어디에서 연유한 것일까. 그것은 김학동 씨의 「사계의 감각과 그 회화성」을 보면 확실해진다.

이 오류의 주된 원인은 『朝鮮文壇』의 주간이었던 방인근이 1938년 6월 『조광』에 발표한 『朝鮮文壇』에 대한 회상기에서 '또 『朝鮮文壇』에 나온 시인으로는 조운, 이은상, 류도순, 이장희, 諸氏요....'라고 기술하였기 때문인 것으로 생각된다.

이와 더불어 백기만 씨의 「상화와 고월의 회상」에 나오는 일절은 고월이 처음으로 시단에 등장한 것이 『금성』 3호를 통해서임을 더욱 명백히 해 준다.

『금성』 제3호 때 나의 추천으로 장희가 금성 동인이 되었고, 동인이 된 후로 그는 더욱 시작에 열중하여 때때로 주옥편을 내어 양군의 찬사를 받았으나...

—백기만, 위의 책, 116쪽.

그런데 그 당시 『금성』 3호에 발표된 5편의 시 중에서 「봄은 고양이로다」는 우리에게 가장 널리 알려졌으며 우리 근대시 문학사에 감각시의 새로운 지평을 열어주었다. 그 후 『금성』지이외에도 고월은 『신민』, 『여명』, 『신여성』, 『생장』, 『조선문단』, 『여시』, 『문예공론』 등을 통하여 계속 작품을 발표하였다.(구체적인 것은 작품 연보를 참조할 것)

여기서 1929년 5월, 양주동, 방인근 등이 창간한 문예지 『문예공론』은 고월이 마지막으로 작품을 발표한 지면인데 「적은 노래」, 「봉선화」, 「눈 나리는 날」 등이 그곳에 실렸던 작품이다.

고월은 왜 시를 썼고 또 쓰려고 노력했을까, 더군다나 염세주의자인 그가 왜 작품을 굳이 발표하였는가? 한 마디로 이에 대한 대답을 제시하기란 힘든 일이지만 적어도 시를 쓰는 행위는 자신을 구원하는 유일한 길이었을 것이다. 오세영이 소월이 문학의 길을 걷지 않을 수 없었던 이유를 제시한 글은 고월에게도 적절한 시사를 준다.

> 소월이 문학의 길을 걷게 되었던 것은 어쩌면 그의 가장 환경과 성격에서 연유된 것인지도 모른다. 어려서 신동으로 불릴 만큼 총명했고…… 풍부한 상상력과 섬세한 감수성을 지녔던 아이, 그러면서도 불행한 환경에서 오는 한고 자기모순에 빠져 고민했던 저 내성적인 아이가 또 자신의 가정환경 이상으로 비극적인 시대를 살아가면서 어찌 시를 쓰지 않고 배겨날 수 있었을 것인가. 그가 시인의 길을 선택했던 것은 그러한 의미에서 오히려 당연한 일이었다. 말하자면 그에게 있어서 시 쓰는 행위란 하나의 운명이자 구원이었다.
>
> —『꿈으로 오는 한 사람』(문학세계사, 1981), 289쪽.

결국 고월로 하여금 시인의 길을 택하게 한 것은 본래적인 시적 재질뿐만 아니라 섬약한 감성의 소유자인 그에게 계속적으로 닥쳐오는 불행한 가정환경, 간접적이긴 하나 비극적 시대 상황 때문이었을 것이다. 그는 채워지지 않는 욕망과 그에 따른 좌절, 비극적 자기 소외의 감정을 G.바슐라르의 말대로 몽상 속에서 아니, 몽상을 통한 시 속에서 충족시키고자 했던 것이다. 시를 쓴다는 것은 자폐적 공간으로부터의 소극적인 탈출의 시도이며 자신이 '살아

있음'을 확인할 수 있는 유일한 길이었기 때문이다.

앞서 언급했듯이 고월은 자신의 시작품에 대해 대단히 자부심을 가지고 있던 시인이었다. 『금성』을 통해 데뷔한 이래 그는 더욱더 시작에 열중하였다. 양주동은 때때로 이러한 고월의 작품을 두고 찬사의 말을 던지기도 했으나 백기만은 그의 폐쇄적이고 섬약하며 우수에 찬 시를 비난하였다. "이 못난이야, 그렇게 소극적으로 퇴영적으로 살려거든 차라리 죽어 버려라, 뇌-란 뇌-란 詩ㅅ줄이나 적어 불건전한 씨앗을 시단에 뿌리지 말고"라고 폭언을 했던 것이다. 그러면 시를 모르거나, 자신의 시관과 동일하지 않으면 모두 속물로 취급했던 고월은 "시는 푸라치나 선(線)이라야 한다. 광채(光彩)없고 탄력성 없고 자극성 없는 굵다란 철사선은 詩가 아니다"라고 주장하며 그 유별난 고집을 꺾지 않았던 것이다.

고월은 남을 위해 시를 쓴 시인이 아니다. 비록 그의 시가 타인에게 영향을 줄 수는 있을지라도 그는 그것을 의식하고 시를 쓰지 않았다. 오직 자기 자신의 구원을 위해서, 시적 편견을 위해서 시를 썼던 것이다. 강한 자존심과 고고벽, 내성적이며 비타협적인 성격, 시에 대한 자신감……. 이러한 것들이 고월이 남에게 미완성의 작품을 절대로 보여주지 않았으며 발표 지면이나 명성에도 관심을 두지 않았던 이유일 것이다.

7. 영원의 나라로

비록 고월이 자기중심적이고 과도하게 자존심을 내세우는 괴팍한 성격을 지녔다 할지라도 결벽하고 자폐적인 그에게는 일면 따뜻한 인간미가 있었고 순수함과 착함이 있었다. 무애의 고월에 대한 회상기에 의하면 그는 술도 마실 줄 모르면서 언제나 술 잘하기로 정평이 나 있는 주당 동인(금성 동인)들을 따라다니며 안주만 집어 먹는다고 주로 웅군(熊君)에게 핀잔을 받으며 '안

주호주'라는 별명을 듣고 심지어는 모자를 벗겨 땅에 굴려도 그저 빙그레 미소만 띠는 너무도 외롭고 약하며 온순한 성격의 소유자였다. 또한 그는 무애가 동경으로 떠날 때, 역에 홀로 전송 나와 끝내 아무 말도 없이 홀로 구내를 왔다 갔다 하더니 출발의 벨이 울리자 문득 무애가 앉은 자리의 창밖에 와서 포켓으로부터 1원짜리 얇은 위스키 한 병을 꺼내 창으로 불쑥 밀고 말없이 사라질 정도로 숨은 인간미도 있었다. 이 얼마나 애틋한 우정인가.

이러한 고월은 죽기 2~3년 전부터 심한 신경쇠약에 걸려 있었다. 그럼에도 불구하고 부친의 서울 장사동 살림집 사랑에서 외롭게 지내던 그는 자살하기 3~4개월 전, 고향인 대구로 내려왔다. 그동안 무슨 생각에 잠겼는지 고월은 자기 집 행랑채에 머물면서 좀처럼 외출을 하지 않아 100여 미터 근방에 사는 상화도, 상화의 사랑에 곧잘 모이는 사람들도 그가 대구에 내려갔는지 전혀 몰랐다고 한다. 다만 죽기 3~4일 전 평소 친하게 지내던 공초 집을 찾아갔는데 마침 그가 외출하고 없었다는 것이다. 공초를 만나지 못하고 쓸쓸한 발길을 돌리지 않을 수 없었던 그 당시 고월의 모습을 공초는 다음과 같이 술회하고 있다.

> 어느 날 고월이 피골이 상접한 채 초췌한 모양으로 당시에 나의 남산동 여관을 찾아왔더란 것이다. 여관 주인의 말이 한 달 전에 동래가고 없다 하니 안색이 돌연 창백해지며 어깨를 툭 떨어뜨리고 멍하니 한참동안 말도 없이 서 있다간 눈에 눈물이 글썽글썽해 가지곤 힘없이 발길을 돌리더란 것이다. 주인은 하도 이상하기에 문밖에 나서 황혼 가운데 사라져 가는 그의 뒷모양을 멀리 바라본즉 곧 쓰러질 듯해서 마음이 몹시 안됐더란 것이다.

그 병약하고 초라한 모습으로 공초의 집을 찾아간 것은 자신을 죽음의 계곡으로 내던지기 전에, 아니 스스로가 주체할 수 없는 절망과 좌절 끝에 자살을 결심하고 뜻이 통했던 지우를 한번 마지막으로 보고자 했음일 것이다. 그러나 고월은 죽고 말았다. 2~3일간 방에서 나오지도 않고 배를 깔고 엎드려 금붕어만 그리더니 1929년 11월 3일 오후, 그는 극약을 먹고 자살한 것이다. 금붕어가 무엇을 상징하는지는 확실히 알 수 없지만, 추측건대 어항처럼 밀폐된 공간에 갇혀 있는 무기력한 모습의 고월 자신을 의미하는 것 같다. 혹은 물(모성)을 그리워하는 본능적 욕구에서 그것을 그렸음도 하다. 뒤늦게야 고월의 집안 식구들은 그가 음독자살을 꾀했다는 사실을 발견하고 부랴부랴 의원을 불렀으나 이미 때는 늦었고 설상가상 고월은 입을 꽉 다문 채, 의사의 진료를 거부했다. 부친 이병학 씨는 평소에 버린 자식으로 생각했던 고월이었지만 자식의 참혹한 죽음을 앞에 두고 나도 함께 죽는다고 땅을 치고 울었다. 그러나 고월은 무심하게도 죽음만을 기다리는 사람처럼 아무런 반응도 없었다. 그는 한마디의 유언도, 유서도 남기지 않은 채 조용히 세상을 하직하였다. 속물들이 우글대는 세상을 떠나 그가 언제나 꿈꾸던 환상의 세계로, 영원의 나라로 찾아간 것이다.

고월의 장례식은 성대했다. 고월의 죽음에 대해 이상하리만큼 조용한 상갓집에 대해 불만을 품은 백기만 등 친구들은 참상이라 남몰래 화장을 하려고 했다는 고월의 큰조카를 불러 장례일은 융숭히 해야 한다고 설득을 했다. 친구들의 말을 따라 집안에서는 장례식을 성대히 거행했는바, 대구의 인력거를 총동원하여 호상 인력거만도 오십여 대가 되었다고 한다. 고월의 장지는 대구시 동북방 오리쯤에 있는 신암동의 선산이었다.

마치 50년대 이중섭처럼 철필화로 금붕어 그림을 그리며 처절한 고독의 시를 쓰며, 궁핍한 시대에 빈곤한 목숨을 이어가던 고월 이장희…….

마침내 「봄은 고양이로다」를 노래하던 초기 시단의 연약한 샛별 하나가 영원한 하늘로 호동그란 눈빛을 남기고 애처로이 사라져 간 것이다.

고월의 시 세계

- 폐쇄적 자아 또는 감각주의

1. 프롤로그

1920년대의 한국 시단은 페시미즘과 센티멘털리즘 그리고 오티즘적 환상의 정조가 범람하던 시기다. 다시 말하면 시인들은 막연한 주관적 감정에 사로잡혀 우수와 고독, 눈물과 그리움, 좌절과 동경에서 빚어지는 감정 중심의 시를 썼던 시기다. 그들은 주관적 감정에 지나치게 압도되어 객관적 현실의 실상을 드러낼 여유조차 갖지 못했다. 고월 이장희 역시 그러한 1920년대의 시대적 특징을 벗어난 시인은 전혀 아니었다. 그도 역시 1920년대를 풍미한 감상과 환영, 퇴폐와 허무의 무드에 여지없이 결박당한 시인이었기 때문이다.

고월은 천성적으로 심약한 기질과 병적 성격을 타고났었다. 더구나 어려서 어머니를 잃고 계모의 슬하에서 수많은(12남 9녀) 이복형제들과 자랐으며 아버지와의 심각한 사상적 대립으로 인하여 마침내 버린 자식처럼 취급되기도 하였다. 또한 불만족한 결혼으로 부부생활을 제대로 하지도 못했으니 그러한 주변적 상황의 어려움은 고월을 압박할 수밖에 없었던 것이다. 그럼에도 불구하고, 고월의 시에 있어서 몇몇 편은 그의 예리한 통찰력과 직관, 감각적 형상 능력에 의하여 한국시사에 순수·감각시의 새로운 가능성을 암시하는 한 계기를 마련했다.

앞에서도 언급했듯이 1920년대 한국시는 격정과 감상과 영탄의 분위기에 싸인 심정적인 시로서 '어떻게'(기교 혹은 방법(comment)) 쓸 것인가 보다는 '무엇을'(내용(pourguoi)) 쓸 것인가에 관심을 기울였다. 고월은 바로 이러한 때에 1920년대의 심정적인 관념시를 1930년대의 모더니즘의 감각시로 연계시키는데 한 모멘트를 제시한 시인으로 볼 수 있다.

2. 억압된 리비도와 자기학대

우리가 고월의 생애나 시를 대할 때 가장 먼저 관심을 갖게 되는 것은 그가 끊임없이 리비도의 충동을 억압하며 살았다는 점에 있다. 여기서 리비도란 성적 에너지만을 의미하지 않는다. 리비도라는 심리학 용어를 처음으로 사용한 프로이트는 그것을 초기 저작에서 성적 에너지라고 규정했지만 후기에 이르러서는 삶의 본능(life instinct)에 의하여 사용되는 본원적 에너지의 형태를 뜻하는 것으로 사용했다.

본고에서 논의의 대상으로 삼고 있는 고월의 시는 삶에 있어서 억압된 그의 리비도를 해방시키고자 하는 정신적 파산의 구원책으로 쓰여졌다 해도 과언이 아니다. 물론 시인의 생애와 시를 동일한 연장선상에서 파악할 수는 없다. 작품은 그 나름대로 하나의 독자적인 세계를 형성하는 완결태이며 시인의 생애는 그것을 좀 더 정확히 분석하는데 보조적인 역할을 할 따름이기 때문이다. 그러나 고월에게 있어서 그의 생애는 그의 시와 분리할 수 없이 긴밀한 상관관계를 형성하고 있다. 그러므로 고월의 시를 두고 우리는 다음과 같은 한 가설을 세울 수 있다. '한 편의 시는 시인의 내적 세계의 발현이며, 그의 내면세계를 진솔하게 드러내 준다'라고. 시는 시인의 사상과 감정의 언어적 구현이다.

우선 시인의 리비도는 욕망의 대상을 박탈당함으로써 억압된다. 이때, 그는 억압된 리비도의 긴장을 경감시키기 위한 1차적 과정(primary process)을 수행한다. 1차적 과정이란 프로이트의 용어로서 긴장을 경감시키기에 필요한 대상의 기억 표상을 낳는 과정이다. 즉 지각의 동일화(An identify of Perception)가 일어나는 과정으로서 Id가 기억 표상을 지각 그 자체와 동일한 것으로 생각하는 것이다. 이것은 목마른 나그네가 상상으로 물을 보는 것과 동일하다. 이러한 특징을 가장 선명하게 표상하고 있는 작품은 「청천의 유방」이다.

어머니 어머니라고
어린마음으로가만히부르고십흔
푸른하늘에
다스한봄이흐르고
또, 흰볏을노으며
불눅한유방이달녀잇서
이슬매친포도송이보다더아름다워라
탐스러운유방을볼지어다
아아 유방으로서달콤한젓이방울지려하느나
이때야말노애구(哀求)의情이눈물겨우고
주린식욕(食慾)이입을벌이도다
이무심한食慾
이복스러운유방.....
쓸쓸한심령이어 쏜살가티날러지이다
푸른하눌에날러지이다

— 「청천(青天)의 유방(乳房)」, 『여명』 1호(1925. 6).

이 작품에서 작자가 박탈당한 것은 "어머니"이다. 그는 현재 어머니를 결여하고 있는 욕구불만의 상태이다. 유년 시절에 있어서 어린이가 가장 먼저 자신의 리비도를 투사시킬 수 있는 대상은 어머니이다. 사내아이는 어머니에게 애착을 품고 아버지를 적대시하는 무의식의 메커니즘을 지니고 있다. 우리는 이것을 오이디푸스 콤플렉스(Oedipus complex) 혹은 어머니 콤플렉스(mother complex)라고 부를 수 있는바, 이 작품에서 대상의 박탈 및 결여로 인한 억압된 리비도의 긴장 상태는 "주린식욕", "무심한식욕" 나아가서는 "쓸쓸한심령"으로 표현돼 있다. 이러한 긴장 상태를 해소시키기 위해 작가가 1차적 과정의 대상으로 선택한 것은 "푸른하늘"에 달려있는 "불눅한유방"과 "탐스러운유방"이다. 목마른 사람이 상상이나 환상 속에서 물을 보듯이 "애구의정"에 눈물겨운 작자는 푸른 하늘에서 어머니를, 그리고 어머니의 "탐스러운 유방"을 꿈꾼 것이다. 그는 하늘(어머니)과 온전한 일체감을 획득할 수 있기를 갈망한다. 그 일체감의 획득은 쓸쓸한 심령이 하늘에 날아짐으로써("쓸쓸한심령이어 쏜살가티날러지어다/푸른하눌에날러지어다")만이 가능하다. 그리고 탐스러운 어머니의 유방에서 방울지려 하는 '젓'을 먹음으로써만 가능하다. '젓'이야말로 어린아이가 억압된 리비도를 해소시킬 수 있는 생명의 원천이며 분리된 두 개의 인격이 하나로 이어질 수 있는 목숨의 원형질이다.

이러한 해석을 좀 더 타당하게 하기 위하여 우리는 고월의 생애를 참조할 필요가 있다. 고월은 5세의 어린 나이에 불행하게도 어머니를 상실하였다. 그는 정신의 뿌리를 내리고 살아갈 대지(모성애)를 잃은 것이다. 다시 말하면 영혼의 휴식처이며 삶의 근원지인 에덴의 공간을 상실한 것이다. 계모의 슬하란 아무래도 본능적인 애정이 결핍되기 쉽다. 그런 애정의 한계 지대에서 리비도의 충족이란 실로 불가능한 일이다. 그러나 억압된 리비도는 그 긴장이 경감되기를 끊임없이 소망하는바, 그것은 고월로 하여금 푸른 하늘에서 어머니를, 그리고 어머니의 유방을 보게 한 것이다. 작품 「봄하눌에눈물이돌다」에 이르면 '어머니의 탐스러운 유방'은 '마리아의 빛나는 가삼'으로 변주된다.

동경(憧憬)의비들키를놉히날려라,
흰구름조으는하늘깁히에
마리아의빗나는가삼이잠겨잇나니
크달은사랑을늣기는봄이되어도
봄은나를버리고겻길로돌아가다

— 「봄하늘에눈물이돌다」에서 1926.6『여명』7호.

이 작품에서 "하늘깁히에" 있는 "마리아의빗나는가삼"은 고월의 억압된 리비도를 충족시킬 수 있는 기억 표상으로 「청천의 유방」의 어머니의 "탐스러운 유방"과 등가적인 역할을 하고 있다. 한편 "동경의비들키"를 날리는 행위는 "쓸쓸한 심령"이 쏜살같이 "푸른하늘에 날러지"기를 바라는 것과 관련되며 "비들키"는 욕망의 대상과 나를 온전한 합일의 상태로 이어주는 매개물로서 어머니의 '젖'과 대응된다.

어린이가 성장함에 따라 어머니에 의한 소원 충족의 욕구는 이성에게 투사된다. 다시 말하면, 어머니에게 투사되었던 리비도는 그것의 실현이 불가능하다는 사실을 깨닫게 됨으로써 점차 대리모로서의 누이에게로 그리고는 마침내 이성에게로 전이되어 정점을 이룬다. 리비도가 이성에게 투사된 고월의 대표작은 「동경」인 바, 이 계열에 속하는 것으로는 「실바람지나간뒤」, 「불놀이」, 「봄하늘에눈물이돌다」, 「하일소경」, 「적은노래」 등이 있다.

여린 안개 속에 녹아든
쓸쓸하고도 낡은 저녁이
어듸선지 물가티 긔어와서
회색(灰色)의 꿈노래를 알외이며
갈대가티 간열핀 팔로
끗업시 나의 몸을 둘너주도다.

야릇도하여라
나의 가삼속 깁히도 가란저
가늘게 고달핀 숨을 수이고잇든
핼푸른 녯생각은
다시금 물거리며 늣겨울다.

아, 이러할째
무덤가티 잠잠한 모래두던우에
무릅을 껴안고 실음업시 안즌
이나의 거츠른 머리칼은
나무입을 스치는 바람결에
갈갈이 나붓기어라.

반원(半圓)을 크다란케 그리는
동녁 한울슷에
조고만 샛별이 써잇서
성자(聖子)가티 느려선 숩넘으로
언제보아도 혼자일러라.
선잠에서 눈썬 샛별은
싸늘한 나의 썀가티 썰며
은(銀)빗진 미소(微笑)를 보내나니.

외써러진 샛별이어
내리봄이 어듸런가
쪽(藍)빛에 흔들리는 바다런가.
바다이면 아마도 섬이잇고
섬이며은 고은 쏫피는 수국(水國)이리라.
오, 이질수업는 머나먼 동경(憧憬)이어.

흐르는, 구름에 실려서라도
나는 가련다, 가지안코 어이하리,

얄밉게도 지금은
수국(水國)의 쏫숩으로 돌아가버린
그러나 그리운 녯님을 뵈올가햐야

그러면 님이어,
혹(或)시 그대의 문(門)을 두다리거든
젊어서 시들은 나의 혼을
씃없는 안식(安息)에 멱감케 하소서.

아 저두던에 울리도다.
마리아의 은은한 쇠북소래
저녁은 갈사록 한숨지어라.

―「동경(憧憬)」 전문 1924. 12『신여성』12호.

인용된 작품 「동경」에서 "녯님"은 작자의 억압된 리비도와 충동을 완화시켜 줄 수 있는 대상이다. "녯님"은 바로 '어머니'(「청천의 유방」)나 '마리아'(「봄하눌에눈물이돌다」)의 또 다른 표현이다. 현재 작자는 "갈갈이 나붓기"는 심정이며 "언제보아도 혼자"인 "외써러진 샛별"이다. 그는 자신의 욕망을 충족시킬 대상을 상실했으므로 "젊어서 시들은 혼"일 수밖에 없다. 2연의 "나의 가삼속 깁히도 가란저/가늘게 고달핀 숨을 수이고 있던"은 리비도의 억압된 상태를 표상하며 "햴푸른 녯생각은/다시금 꾸물거리며 늣겨울다"는 리비도의 솟아오름을 의미한다. 여기서 "가슴"은 리비도의 저장소이며 "녯생각"은 내용물이다. 이것이 꾸물거리며 솟아오르는 것이다. 이 솟아오르는 리비도를 "쏫피는 수국"처럼 화해의 공간으로 만들 수 있는 것은 "녯님"과의 해후이다. '님'과의 만남은 그로 하여금 전체의 삶을 살게 하는 유일한 방법이다. 다시 말하면 "씃업는 안식에 멱감"을 수 있는 첩경인 것이다.

고월의 생애를 비추어 볼 때, 여기서 "녯님"은 에이꼬라고도 생각할 수 있다. 그가 경도중학 시절에 사모했던 문학소녀 에이꼬는 고월의 가슴에서 지워지지 않는 영원한 아니마상이었다. 고월은 이 소녀가 내부 깊숙이 자리 잡고 있었으므로 부모가 택해 준 여인과도 별거를 했고, 마실 줄도 모르는 술을 마시면 곧잘 에이꼬의 이야기를 꺼내곤 했다. 양주동 씨의 고월에 대한 회상기는 이 사실에 대해 다음과 같이 적고 있다.

> 언젠가 군의 짧은 서신 가운데, 동경 가 있는 M이란 여성을 그리워하노라 하면서, <나의 M이 있는 동경 나는 그곳을 최근에 한 번 가보려 한다>는 의미의 일절이 있었던 것을 기억한다.……<중략>……나는 그가 M이란 여성의 환영을 (이상애)理想愛의 대상으로 삼고 고이고이 혼자 동경하고 혼자 애모하면서 그것을 그의 예술적 영감의 원천으로 삼고 있음을 확실히 이회(理會)하였다. 군은 실제적으로 이성을 사랑하기에는 너무나 이상적이었고, 공상적이었고, 그의 정신과 상념이 너무나 공허, 담백하였던 것이다. 군은 여성을 연모한 것이 아니라, 그 환영을 동경하였던 것이다.
>
> —양주동 「낙월애상」『상화와 고월』,
> (청구출판사, 년도), 99~100쪽

이렇게 볼 때 작품 「동경」의 6연에서 "흐르는 구름에 실려서라도/나는 가련다, 가지안코 어이하리"는 바로 M이 있는 동경으로 가고자 하는 것으로 해석할 수 있으며, 그가 가는 동경은 억압된 리비도를 충족시켜 줄 수 있는 "수국의 옷숩"에 이르는 길이다. 한편 「동경」이란 시의 제목은 M이 있는 '동경'과 동음이의어로서 2원적인 의미의 모호성을 동반하며 한층 시적 효과를 배가시켜 주고 있다.

고월은 리비도의 충동을 '불놀이'를 통해 형상화하기도 한다. 이 점은 주요한의 「불놀이」에 드러나는 시적 특성과도 관계를 지닌다.

불노리를
실음업시 질기다가

앗불사! 부르지즐쌔
벌서 내손가락은
밝아케 되엿더라.

봄날
비오는 봄날
파라케 여윈 손가락을
고요히 바라보고
나모르는 한숨을 짓는다

— 「불놀이」 전문 1924. 5 『금성』 3호

여기서 불은 리비도의 충동, 즉 이드를 상징한다. 한편 물(비)은 리비도의 충동을 억압하며 그것과 대립하는 초자아를 암시한다. 리비도의 강한 충동을 느끼는 작자는 불놀이를 하다가 그만 손가락에 외상을 입게 된다. 불놀이에 열중하고 있는, 즉 리비도가 충동을 느끼고 있는 그 당시에는, 작자는 손가락의 외상을 입은 것에 주의를 기울일 여유가 없다. 그러나 비 오는 봄날, 즉 초자아가 이드의 충동을 억압하여 평정을 되찾은 날, 그는 좌절과 슬픔을 느끼지 않을 수가 없다. 그것은 초자아의 견지에서 본다면 자아의 리비도가 과격한 것에 대한 부끄러움이며, 이드의 견지에 본다면 리비도의 충동이 억압되었기 때문이다. 비는 물의 심상 중에서도 초자아를 대표하는 이미지라고 할 수 있다. 왜냐하면 그것은 하강의 이미지를 지니고 있는 것으로서 흥분된 상태를 억압하고 오염된 세계를 정화하기 때문이다.

한편, 고월의 억압된 리비도는 가장 이상적으로 리비도의 해방 및 조화가 이루어진 전원 상징(natural symbol)에 의해 보상되기도 한다.

① 쓸쓸한 정서(情緖)는
카-텐을 잡아늘이며
창넘어 비소리를 듣고있더니
불현듯 도까비의 걸음걸이로
몽롱한 우경에 비틀거리며
뜰에 핀 선홍의 진달래꽃을
함부로 뜯어 입에물고
다시 머-ㄴ 버드나무를 안고돌아라

—「비오는 날」 전문 1925. 6 『여명』 1호

② 봄날허무러진사구(砂丘)위에안저
은실가티고은먼시내를바래보다가
물올은풀입을깨물으며
외로운위로삼아시읇기도하더니만
그마저도얼슨연스뤄인저는옛쑴이되엿노라

—「봄하눌에눈물이돌다」 에서 1926. 6 『여명』 7호

③ 들과 하늘은 서로비최어
푸른빗치 바다를 이루었나니
이속에 숨쉬는 모든 것의 깃븜이어

홀로 밧길을 거니매
맘은 개로리가티 저저버리다.

—「들에서」 에서 1926. 11 『신민』 9호.

인용시 ①의 "쓸쓸한 정서"는 「청천의 유방」 에서 표출된 '주린 식욕'이나 '쓸쓸한 심령'과 같은 정서이다. 또한 「비인집」 의 '몽환의 침실'과도 그 궤를 같이한다. 여기서 "쓸쓸한 정서"가 커튼을 잡아 늘이는 행위는 욕구불만의 상징적 표현이며 "뜰에 핀 선홍의 진달래꽃"을 뜯어 입에 무는 행위는 리비도의

해방이 자연스럽게 이루어진 전원 상징에 의해 작자의 억압된 리비도를 충족시키고자 하는 본능에 기인한다. "뜰에 핀 선홍의 진달래꽃"은 바로 리비도가 만개한 상태, 즉 충족이 이루어진 상태를 의미한다. 한편, 작자가 빗소리를 듣고 또한 리비도의 충동을 체험하는 것은 비가 하늘과 땅으로 상징되는 태극의 변증법적인 합일을 가능케 해주는 것이기 때문이다.

인용시 ②에서는 "선홍의 진달래꽃"을 뜯어 입에 무는 행위가 "물올은풀입"을 깨무는 행위로 대치되어 나타난다. 풀잎이 물오른 상태는 진달래꽃이 피어 있는 상태와 대응 관계를 형성한다. 리비도가 억압되어 외로운 작자는 "물올은풀입"을 깨물음으로써 그것을 보상받으려 한다. '뜯어 입에 무는' 행위와 '깨무는' 행위는 다분히 마조히즘의 변형된 특성을 드러내는바, 프로이트가 말하는 구순영역에서 입으로 깨물고 물어뜯는 공격 본능에 속하는 마조히즘적 피학성이 자리 잡고 있는 것으로 보인다.

결국, 작자가 현실의 결핍 때문에 소망하는 이상 세계는 꽃이 만개한 상태이며, 풀잎이 물오른 상태이다. 그리고 이것은 인용시 ③에서 명확히 드러나는 바와 같이 "들과 하늘은 서로비최어/푸른빗치 바다를 이루"는 상태이다. 그런 상황 속에서만이 그의 숨 쉬는 생명은 기쁨의 노래를 부를 수 있을 것이다. 그러나 그것은 어디까지나 소망으로서의 세계일 뿐, 현실은 억압된 리비도와 마조히즘적 자기학대로 가득 차 있는 것이다.

3. 우울과 폐쇄적 자아

고월의 시는 대타적 세계를 위해서 쓴 것이 아니다. 그는 타인의 삶에 관심을 갖거나 적극적으로 뛰어드는 개방적 성격을 지니지도 못했으며, 그들의 삶을 너그러이 포용할 만큼 관용의 미덕을 지니지도 않았다. 오직 그는 자기 자신을 위해 시를 쓴 철저하게 이기적인 시인이며 닫힌 공간에서 자폐적인 심정을 노래한 어둠의 시인이다. 그러므로 우리가 그의 시를 논할 때 '문학과 역사'니 '문학과 사회'니 하며 문학의 역사의식 내지 사회의식을 운운하는 것은 타당성을 확보하기가 어렵다. 고월은 지나치게 편협성을 보여주는 내적 인격의 소유자이다. 인간이 사회적인 동물이며 동시에 자아 성찰의 존재라는 측면에서 볼 때 그는 말할 것도 없이 후자 쪽이다. 자기중심, 비타협, 비사교, 고고, 고독, 정적, 탐미, 우울, 신경질, 편벽, 고답 등등이 바로 고월의 성격이요, 그의 시 세계를 특징지어 주는 주된 요소다.

이처럼 닫힌 공간에 유폐된 고월의 생활과 그러한 생활에서 산출된 대부분의 시는 주로 우수의 색조로 채색돼 있다. 이것은 아마도 닫힌 공간에서 폐쇄된 생활을 하는 사람들의 공통된 특성일 것이다. 한 이론가가 「바슐라르의 상상력과 미학」에서 언급했듯이 내가 세계를 향해 몸을 열고, 세계도 또한 나를 향해 몸을 엶으로써 우리는 전적인 승일의 상태에서 최고의 열락을 맛볼 수 있는 것이다. 아름다움은 아름다움이 아니라 아름답게 함이며, 이 세계는 우리 자신이 세계에 대한 사랑과 포용을 기본 축으로 아름답게 해야 하는 것이다. 그럼에도 불구하고 고월은 세상과 세상 사람을 사랑할 줄 모르는 염세증 내지 염인증에 빠져 있었다. 그에게 있어서 세상은 속물들이 우글대는 혐오스러운 공간이었다. 그는 고독과 편견의 높은 성을 쌓고 그 속에서 솟아오르는 리비도의 충동을 해방시키지 못한 채, 우울과 절망의 시편을 써내곤 하였던 것이다. 그러면 구체적인 작품 분석을 통해 그의 시적 특성을 살펴보기로 하자.

> 날마다 밤마다
> 내가삼에 품겨서
> 압흐다 압흐다고 발버둥치는
> 가엽슨 새한머리.

나는 자장가를 부르며,
잠재이랴하지만
그저 압흐다 압흐다고
울기만합니다.

어늬 듯 자장가도
눈물에 썰구요

—「새한머리」 전무 1924. 5 『금성』 3호

위 작품에서 상대적인 두 가지 축을 이루는 심상은 "새한머리"와 "나"다. 그리고 "눈물"은 "새"의 분신이며 "자장가"는 "나"의 또 다른 표현에 불과하다. 결국 작품의 미적 긴장 체계를 형성하는 것은 아프다고 우는 "새"와 잠재우려고 애쓰는 "나", 다시 말하면 "압흐다 압흐다고 발버둥치는" 이드와 "자장가를 부르며,/잠재이랴하"는 초자아의 갈등과 상충이다. 그러므로 "새"와 "나"는 전체로서의 나 속에 내재된 두 가지 측면의 심리적 메커니즘으로 해석할 수 있다.

한편, 이 작품을 끝까지 읽은 독자는 누구를 막론하고 우울과 센티멘털리즘의 분위기를 맛보게 된다. 이것은 "어늬 듯 자장가도/눈물에 썰구요"라는 끝부분서 단적으로 드러나듯이 무력해진 초자아 때문이다.

인용시 「새한머리」는 필자가 임의로 선택해 본 것에 불과하지만 고월의 어느 시를 대해도 거기에는 한결같이 우울과 애상의 그림자가 짙게 내재해 있다. 고월이 이처럼 우울의 분위기에 유폐된 가장 큰 원인은 "녯생각"으로 표상돼 있는바, 감상과 우울, 그리움과 눈물 등 과거 지향적이고 패배적인 사고에 기인한다. 왜냐하면 소원 충족과 전체적 삶이 가능했던 이상향인 에덴에로의 회귀는 차단되었고, 그것은 단지 시인의 상상력을 통하여 이념적인 것으로 꿈꿀 수 있을 뿐이기 때문이다. 이와 마찬가지로 고월에게 있어서도 시공과 생사가 분리되지 않은 전체의 삶이 가능했던 것처럼 느끼는 과거는 실현 불가능한 유토피아에 불과하다. 따라서 과거의 상상력의 패배주의를 구축하고 있는 시인에게는 우울과 절망의 색조가 동반될 것이 당연하다.

① 지금은
그리운 녯날생각만이,
시들은 꼿
싸늘한 몬지

—「실바람 지나간뒤」에서 1924. 5『금성』3호

② 야릇도 하여라
나의 가삼속 깁히도 가란저
가늘게 고달핀 숨을 수이고잇든
햴푸른 녯생각은
다시금 쑤물거리며 늣겨울다.

—「동경」에서 1924. 12『신여성』12호

③ 그는 가을바람에 우는
녯생각의 그림자—ㄹ러라

—「연」에서 1925.10『신민』6호

④ 잠못니루는 나는
흰벽을 바라보며
녯생각에 잠기나니

—「적은 노래」에서 1929.5『문예공론』1호

인용시 ①~④에서 공통으로 드러나는 것은 "녯생각"이다. 작자는 "녯생각"으로 인하여 우울과 번민의 포로가 된다. 그러면 "녯생각"의 주체는 무엇인가. 한 마디로 단정 지을 수는 없지만 고월의 생애를 참조해보면, 무의식적 측면에서는 '어머니'일 것이요, 의식적인 측면에서는 '에이꼬'일 것이다. 사실

그는 의식이 싹트기 이전인 유년에 어머니를 잃었기 때문에 어머니와의 행복한 기억은 무의식 속에만 내재해 있을 것이다.

심리적인 에너지를 지향 없는 과거와 내부 세계로만 쏟고, 외부 세계로부터 새로운 에너지를 받아들이는 입구를 차단시키면 정신은 심적 에너지의 순환을 체험하지 못하므로 침체되고 만다. 고월이 바로 그러한 경우인바, 그의 침체된 우울의 몸부림은 마침내 죽음의 냄새를 맡는 극한 상황에 도달하게 된다. '무거운 묵시에 늣겨' 우는 고월의 '고달퓐 영'과 '거츠른 몸'은 '주린 식욕'을 채울 수가 없어서 마침내 '몰올은 풀입'을 깨물음으로써 그것을 보상받으려 한다. 그러나 그것이 불가능하다는 사실과 건강한 자연에 비하면 자신이 '더러운 몸'임을 인식하고 드디어 그는 '죽음의 비린내'를 맡게 된 것이다.

> 갈대 그림자 고요히 흐터진 물가의 모래를 사박 사박 사박 사박 건일다가
> 나는 보앗슴니다 아아 모래우에
> 잣버진 청개고리의 불눅하고 하이안 배를
> 그와 함씌 나는 맛텃슴니다
> 야릇하고 은은한 죽음의 비린내를
>
> 슬펴하는 이마는 하늘을 우르르고
> 푸른 달의 속색임을 들으랴는듯
> 나는 모래우에 말업시 섯더이다.
>
> —「달밤모래우에서」 전문 1925. 10 『신민』 6호

인용시 「달밤모래우에서」에 드러난 바와 같이 고월은 "잣버진 청개고리의 불눅하고 하아안 배"를 보고 "야릇하고 은은한 죽음의 비린내"를 맡게 된다. "잣버진 청개고리"는 바로 고월 자신일 수 있는바, 여기서 우리가 주목할 것은 죽음의 비린내가 "야릇하고 은은"하다는 것이다.

그는 죽음의 비린내가 야릇하기 때문에 그 세계에 대한 호기심과 유혹을 느꼈을 것이며 그것이 무엇보다도 은은하기 때문에 죽음의 세계 내지는 환상의 세계를 스스로 선택했을 것이다. 그것은 그의 정신 속에 있는 죽음 충동의 본능이 촉발된 것으로 해석될 수 있다. 그러나 2연을 보면 또한 삶의 본능적 충동이 대립됨으로써 이 작품은 인간의 2원적 모습인 모순자적 속성으로서 갈등의 양상을 드러낸다. 2연의 하늘과 달은 고월로 하여금 '닫힌 공간' 내지 '우울의 공간'에서 벗어나게 할 수 있는 구원의 표상이다. 그리고 하늘은 어머니의 상징물이며 달은 가슴 속에 자리 잡고 있는 아니마상(에이꼬)이라는 추측이 가능하다. 그런데 하늘이 어머니를 상징한다는 것은 그의 작품 「청천의 유방」에 나오는 "어머니 어머니라고/어린마음으로가만히 부르고십흔/푸른 하눌에"라는 구절을 유의하면 그것이 명확해진다. 또한 달이 고월의 아니마상을 상징한다는 것은 여성의 생리 주기가 달의 생성, 소멸과 그 기간을 같이 한다는 점과, 달과 대응되는 태양이 남성을 상징한다는 것과 대비해 볼 때, 그 설득력을 지닐 수 있다.

결국 고월은 죽음 충동이 촉발되는 순간에 구원의 대상을 찾고자 하는 삶의 본능을 억압하지 못한 채, 그 갈등 속에서 다만 하늘과 달을 우러러본 것이다. 이와 같은 사실은 고월의 죽음에 대한 일화와 밀접한 관계를 갖는다. 즉, 고월의 자살 행위는 그가 죽음의 비린내를 "야릇하고 은은"하게 느낀 데서 비롯한 것이며 죽기 전 그가 지우인 공초 오상순의 집을 찾아간 것(평전 참조)은 하늘을 우러르고 달의 속삭임을 들으려는 듯 모래 위에 말없이 서 있던 삶의 본능적 측면의 한 단면이다.

작품 「연」에 이르면 고월이 죽음을 예견하고 있었다는 점과 자신의 현재적인 삶을 죽음처럼 파악했다는 사실이 더욱 명백하게 나타난다.

애닯다
헐버슨 버들가지에

어느때부텀인지
연 한아 걸녀잇서
낡고 지처 가늘엇나니
그는 가을바람에 우는
넷생각의 그림자-ㄹ러라

—「연」 전문 1925. 10『신민』6호

이 작품에서 "연"은 작자의 감정이 이입된 대상이다. 그것은 곧 고월 자신으로 대치 가능하며, 이 작품의 실마리는 연이 나뭇가지에 걸려 "낡고 지처 가늘"게 되었다는 점에서 찾을 수 있다. 여기서 연은 생명의 근원지를 상실한 것으로 묘사돼 있다. 연이 역동적인 삶을 살 수 있기 위해서는 근원지로부터 실이 끊어지지 않고 계속 공급돼야만 하는데, 고월의 연은 생명의 수원지인 어머니의 '탐스러운 유방'에서 흘러나오는 '젖줄'을 상실한 채 나뭇가지에 걸려 있다. 따라서 나뭇가지에 걸린 연은 죽음 그 자체를 의미하며 고월의 현실상이자 미래상이다. 작자는 이드와 이드 충족의 대상 사이에 개재하는 심각한 불연속성을 죽음으로 파악한 것이다. 요컨대 닫힌 공간에 유폐된 고월은 고독과 우수, 좌절과 자학의 포로가 되어야만 했고, 그것은 마침내 고월을 자살이라는 극한 상황까지 몰고 간 것이다.

4. 참회와 눈물 또는 패배주의

고월이 겸허한 마음과 기도의 자세 그리고 기다림을 진솔하게 드러낼 때는 그가 대체로 자연의 신성한 조화로움의 상태에 압도된 경우이다. 그는 항상 자아를 인간사와 대비시키지 않고 자연사와 대비시킴으로써 겸허와 기다림의 자세를 터득하게 된다. 이것은 고월이 지나칠 정도로 염세증 내지 염인증에 빠진 것과 표리관계를 이룬다. 왜냐하면 인간이 염세증과 염인증을 느낄 때, 돌아갈 곳은 자연과 신의 세계밖에 없기 때문이다.

이 겨울의 아츰을
눈은 나리네

저눈은 너무 희고
저눈의 소리 또한 그윽함으로
내 이마를 숙이고 빌가하노라

님이어 설은 비치
그대의 입설을 물들이나니
그대 또한 저눈을 사랑하는가

눈은 나리어
우리 함끠 빌때러라.

—「눈은나리네」 전문 1927.6 『신민』 26호

이 작품에서 대응 구조를 이루는 것은 '눈'과 '나' 즉 '자연'과 '인간'이다. 눈은 작자의 시각에 너무 희게 보이고 그의 청각에 너무 그윽한 아름다움으로 들린다. 눈은 시각적 이미지와 청각적 이미지가 공감각적 조응을 이룸으로써 자연은 최고의 미적 세계로 미화된다. 따라서 작자는 자연의 신성함과 아름다움에 압도되어 "이마를 숙이고 빌"려하는 겸허한 자세로 돌아가게 된다. 그의 비는 행위는 작품 「쓸쓸한 시절」에 이르르면 '고요히 생각'하는 명상으로 변주된다. "비-ㄴ들에/마른잎 태우는 연기/가늘게 가늘게 떠오른다//그대여/우리들 머리 숙이고/고요히 생각할 그때가 왔다"라는 「쓸쓸한 시절」의 구절과 같이 '빌고' '생각하는' 행위는 '죽음의 비린내'를 맡으면서도 "하늘을 우르르고/푸른 달의 속색임을 들으라는" 삶에 대한 향성의 진솔한 표출이다.

이것은 삶의 부정적 측면인 우수와 좌절이 아니라 그것이 긍정적으로 변화된 참회와 기다림의 모습이다. 한편 작자가 순응과 기다림의 자세를 갖게 된 근본적인 동인이 직접적으로 표현된 작품은 「눈」이다.

고맙어라
눈은 싸우에 액김업시 오도다
배꼿보다 희도다
너무나 아름다운 눈이길래
멀니 신성한 것을 이마에 늣기노라
아아 더러운 이몸을 어이하랴
고요한 속에
뉘우침만이 타오르다 타오르다

— 「눈」 전문 1926.11 『신민』 19호

「눈은나리네」의 자매 편과 같은 작품 「눈」에서도 대응 관계를 이루는 것은 역시 '눈'과 '더러운 몸'으로 표현된 '자연'과 '인간'이다. 자연의 훼손되지 않은 전체성, 그것에서 느끼는 완전함과 신성함 앞에서 작자는 "뉘우침"을 맛보게 된다. 이렇게 볼 때 자신은 "시들은 꼿"이며 "싸늘한 몬지"이며 "사그라진 촉불"이다.("시들은 꼿/싸늘한 몬지/사그라진 촉불이/깃드린 제단을/고이고이 감돌면서/울음석거 속색임니다 "(「실바람지나간뒤」))

그는 제단을 통하여 훼손되지 않은 전체성으로서의 삶이 실현되기를 소망하는 것이다. 제단은 샤머니즘의 측면에서 보면 소멸되었던 것이 생성으로 변전되는 매개체로서의 성격을 지닌다. 그러나 오탁번의 지적대로 이러한 류의 작품들은 특정한 어떤 종교적 색채를 담고 있는 것은 전혀 아니다. 어딘지 명상적이고 초현세적인 어조나 분위기가 그에 닮았을 뿐이다.[1)]

결국 고월의 이와 같은 류의 시는 '뉘우침'이 '고요한 생각'으로, 그것이 다시 '비는' 행위로 변화된다. 그러나 삶의 본원적 욕구가 유발하는 것으로 보

1) 오탁번, 「고월시의 양면성」, 『어문논집』 14·15, (고대국어국문학연구회, 1973), 218쪽.

이는 이 참회와 경건함의 표출은 '죽음의 비린내'를 맡는 시인의 배면에 숨어 있는 죽음 충동에 따른 패배주의적 성향의 한 유로(流露)에 불과한 것으로 보인다.

5. 객관화와 감각세계의 지향

고월의 시가 지닌 특징적 장점은 자아가 배후로 조용히 소멸하고 그 대신 객관화된 사물이나 현상이 표면에 제시되는 시편들이 다수 발견된다는 점에 있다. 앞에서 살펴본 것처럼 고월 시는 자아가 직접적으로 시의 표면에 표출되거나 혹은 그 내용이 지나치게 감상과 우울에 침윤된 경우가 대부분이었다. 그의 시는 건강한 미적 긴장과 탄력을 획득하지 못하고 진부한 감상주의로 떨어지고 만 것이다. 그러나 고월의 시에서 나약한 니힐리즘과 센티멘털리즘의 측면이 강하게 드러남에도 불구하고 그와는 달리 사물과 대상에 대해 직관적 시각으로 객관적인 묘사와 섬세한 감각을 잘 형상화한 시편이 다수 발견된다. 즉 주관적인 정서의 직접적인 서술 및 토로가 아니라 그것을 벗어나서 외계의 풍경이나 사물 및 현상을 객관적 상징물로 하여 내적 정서를 표출하는 것이다.

우선 이러한 방법에 의하여 산출되는 시는 사상화와 같은 즉물시의 형태로 나타난다.

> 지는 햇비츨 바든 나무가지에
> 잘새들 나라들어 우짓더니만
> 어느듯 그소리도 긋처버리고
> 넓은 들에 그림자 깁허지누나.
>
> 저긔 산비탈의 적은 마을과

언덕에 늘어섯는 나무나무는
모다 구름과 함께 희미하여라
아아 이 날도 벌서 저물엇는가.

—「저녁」 전문 1927.8 『신민』 28호

이 작품은 어떤 뚜렷한 주제를 제시하는 것이 아니라 저녁 무렵에 느끼는 막연한 아쉬움을 '나무' '잘새' '들' '마을' '언덕' '구름' 등의 객관적 상관물의 조응을 통해 형상화한 것이다. 일종의 풍경화와 같은 건강성이 드러난 작품으로서 이와 같은 계열의 작품에는 「저녁」, 「녀름인밤 공원에서」, 「봉선화」, 「봄철의 바다」, 「눈나리는 날」, 「고양이의 꿈」, 「겨울밤」 등이 있다.

둘째로는 작자의 감정이 직접적으로 나타나지 않고 오브제를 설정하여 표출되는 경우가 있다.

① 쓸쓸한 정서(情緖)는
카-텐을 잡아늘이며
창(窓)넘어 비소리를 듣고있더니
불현듯 도까비의 걸음걸이로
몽롱한 우경(雨景)에 비틀거리며
뜰에 핀 선홍(鮮紅)의 진달래꽃을
함부로 뜯어 입에물고
다시 머—ㄴ 버드나무를 안고돌아라

—「비오는 날」 전문『여명』 1925.6 『여명』 1호

② 애닯다
헐버슨 버들가지에
어느때부텀인지
연 한아 걸녀잇서
낡고 지처 가늘엇나니
그는 가을바람에 우는

넷생각의 그림자— ㄹ러라

—「연」 전문 1925.10『신민』6호

①에서 작자는 시적 주체를 이루는 추상적인 "정서"에 감정을 이입시켰고 ②에서는 구체적인 "연"에 자신의 감정을 이입시켰다. '쓸쓸한 나는'이라고 표현하지 않고, "쓸쓸한 정서"라고 표현함으로써 '나'를 작품의 배후에 숨기는 것이다. 비록 그 내용이 감상적이고 영탄적이라 할지라도 작품은 시적 객관성을 지향하는 것이다.

이것은 '내'가 직접적으로 독자와 만나는 것이 아니라 '나'의 상징물과 독자가 만남으로써 간접적인 거리감이 주는 시적 상징성을 발휘하기 때문이다. 이 계열에 속하는 작품으로는「겨울밤」,「비인집」,「실바람지나간뒤」,「새한머리」,「고양이의 꿈」,「귓드랑이」 등이 있다.

마지막으로 우리가 고월의 시를 논하는 경우 간과할 수 없는 특징이 있다. 그것은 바로 예리한 직관과 우수한 감각적 형상 능력이다. 서론에서도 잠시 언급했듯이 그는 1920년대 한국 시단의 주정적인 내용 편중의 시를 1930년대의 감각적 모더니즘시 로 연계시키는데 암시적 역할을 담당한 시인이다.

비록 그의 시가 섬약하고 기개 없는 우울의 시 세계를 형성하고 있지만, '시는 푸라치나 선이라야 한다. 광채 없고 자극성 없는 굵다란 철사선은 시가 아니다'라는 독특한 시관을 가지고 항상 '광채 있고 탄력성 있고 자극성 있는 푸라치나 선'을 만들기에 고심했다 .

한 마디로 고월은 무엇을 쓸 것인가 보다는 언어를 어떻게 처리할 것인가 하는 방법의 문제를 안고 부심하기 시작한 1920년대의 개성적 시인의 한 사람이었다.

고월 시의 이러한 특징에 대해 "아마도 감각의 비유로서는 시사적으로 높이 평가될 것이며, 만해도 이에는 미치지 못했고 뒷날의 지용(芝溶), 광균(光

均)의 선구가 되었다고 할 것이다"라는 정태용의 지적도 한 시사가 된다.[2] 이러한 특징을 가장 뚜렷하게 보여주고 있는 작품은 그의 대표작 「봄은 고양이로다」 이다.

꽃가루의가티 부드러운 고양이의 털에
고흔봄의 향기(香氣)가 어리우도다.

금방울과가티 호동그란 고양이의 눈에
밋친봄의 불길이 흐르도다.

고요히 다물은 고양이의 입술에
폭은한 봄졸음이 떠돌아라.

날카롭게 쭉빼든 고양이의 수염에
푸른 봄의 생기(生氣)가 뛰놀아라.

—「봄은고양이로다」 전문 1924. 5 『金星』 3호

고양이는 고월의 시에 가장 특징적으로 등장하는 시적 대상이다. 혹자는 고월의 고양이가 보들레르의 그것과 상관관계 하에 존재한다고 말하기도 하나, 어쨌든 초기 시단에서 거의 시적 대상으로 선택되지 않던 마성(魔性)의 고양이가 고월의 시에는 빈번하게 등장한다. 그것은 때로 작자의 감정이 이입된 상징물로서, 아니면 단순한 묘사의 감각적 대상으로서 나타난다.

「봄은고양이로다」는 후자에 가깝다. 여기서는 봄과 고양이의 이미지 사이에 등가의 섬광적인 조명이 이루어지는데 이것은 이 작품을 다른 것과 구별 짓는 가장 큰 특징이 된다. 대체로 우리는 봄 하면 진달래, 개나리, 종달새, 고향 등등의 정감적인 대상 및 상황을 연상하게 된다. 그러나 고월은 그와 같은 평범한 연상 작용을 거부하고 시인으로서의 강한 직관에서 비롯된 독특한 연

2) 정태용, 「현대시인연구」, 『현대문학』 29호, 1957. 5.

상 작용을 거쳐 봄을 고양이 속에, 고양이를 봄 속에 융합시킨다. 이것은 우리에게 감각적인 경이감을 불러일으킨다.

「봄은고양이로다」에서 고월이 느끼는 봄은 여러 가지로 제시되어 있다. 즉 "고흔봄", "밋친봄", "폭은한 봄", "푸른 봄"이 그것이다. 그러면서 이러한 봄은 각각 "부드러운 고양이의 털", "호동그란 고양이의 눈", "다물은 고양이의 입술", "쏙빼든 고양이의 수염"과 긴밀히 대응되어 있다. 한편 1연과 2연, 3연과 4연은 그 이미지에 있어서 대조를 이룬다. 1연과 3연이 다소 감각적, 정지적이라면(고흔봄, 폭은한 봄) 2연과 4연은 관념적, 동태적 이미지다.(밋친봄, 푸른봄) 정지적 이미지와 동태적 이미지가 대칭 구조를 형성한 것이다.

그러므로 우리는 일견 고양이에게서 느끼는 봄의 서정적 감각만이 단조롭게 나열된 것 같은 이 작품을 자세히 읽어보면 긴장된 리듬감과 구조의 생동감을 느낄 수 있다. 고양이의 털에 어리는 봄의 향기(정지적)→고양이의 눈에 흐르는 미친 불길(동태적)→고양이의 입술에 떠도는 봄졸음(정지적)→고양이의 수염에 뛰노는 푸른 생기(동태적)의 교차로 고양이를 탁월하게 묘사해준다. 고양이 속에서 봄이, 봄 속에서 고양이가 조화롭게 융합되는 모습과 함께 그들이 생생하게 살아 움직이는 것을 감지할 수 있다.

그러나 직관적 지각의 작용으로 이루어진 이 작품은 지극히 평면적이고 단편적이 것이라는 비난을 벗어나기가 어렵다. 1920년대 한국 시단에서 이만큼 언어를 교묘하게 다루고 신선한 감각적 이미지를 형상화한 예의 작품이란 실로 찾아보기 힘든 일이지만, 이 작품들은 지속적인 체계와 사상을 형성함으로써 우리를 감동시킬 수 있는 그 '무엇'이 전혀 결핍돼 있다. 다시 말하면 감각적 비유의 날카로움과 섬세함은 한 장점이지만 그것은 어디까지나 하나의 단편적인 가능성의 제시에 불과한 것이다.

「봄은고양이로다」 이외에도 비유에 의한 감각적 형상 능력을 예리하게 드러낸 작품으로는 「겨울밤」, 「겨울의 동경」, 「하일소경」, 「들에서」, 「버레우는 소리」 등이 있다. 대표적인 구절을 예로 들어보기로 한다.

① 눈비는개엿으나
흰바람 보이듯하고
싸늘한 등불은 거리에 흘러
거리는 푸르른 유리(琉璃)창
검은 예각(銳角)이 미끄러진다.
—「겨울밤」에서 1925. 5『생장』

② 녹설은 무쇠가튼 둔중(鈍重)한 냄새가 잠겨 흐른다.
그러나 가다가는 알은 소리 은은한 전차(電車)가 물오른 풀입가튼
샛죽한 신경(新經)을 들어내고
—「겨울의 모경」에서 1926. 1『신민』 9호

③ 운모(雲母)가티 빗나는 서늘한 테-블.
부드러운 얼음, 설탕, 우유(牛乳)
피보다 무르녹은 딸기를 담은 유리잔(硫璃盞)
—「하일소경」에서 1926. 8『신민』 16호

④ 고흔 해빗츤 내리부어
풀닙헤 물방울 사랑스럽고
종달새 구술을 굴니듯 노래불러라
—「들에서」에서 1926. 11『신민』 19호

⑤ 저녁에 빗나는 냇ㅅ물가치
버레 우는 소리는 차고도 쓸々하여라
—「버레우는 소리」에서 1929. 1『신민』 45호

예시 ①은 겨울밤의 풍경을 묘사한 것이다. 여기서는 청각적인 심상의 바람이 시각적인 이미지의 '흰 바람'으로 전이되었을 뿐만 아니라, 등불에서 싸

늘한 촉감까지도 느낄 수 있다. 또한 등불이 거리에 비친 것을 '흐른 것'으로, 그 흐른 모습을 "푸르른 유리창"으로 비유하고 있으며, 거리에 내리는 어둠을 "검은 예각이 미끄러져간다"고 표현하고 있다. 이 점에서 새삼 고월의 감각적 형상력과 비유의 예리함이 엿보인다.

작품 ②는 '겨울의 모경'을 그리고 있다. 여기서 고월은 "녹설은 무쇠가튼 둔중한 냄새"에서 보는 바와 같이 냄새로부터 시각(녹슬은)과 촉각(무쇠)의 무게(鈍重)를 느낀다. 또한 전차로부터 '은은한 알는 소리'를 듣고 거기서 "풀입가튼 샛죽한 신경"을 포착함은 시인의 예리한 감수성을 드러내고도 남음이 있다. 또한 ③의 "부드러운 얼음"이나 "무르녹은 딸기"와 "유리잔"의 조응, ④의 '구슬을 굴니듯 종달새가 노래 부른다'는 청각의 시각과 그리고 ⑤의 "버레 우는 소리가 차고도 쓸쓸하"다'는 청각의 시각화 내지 정서화는 고월의 시적 기교를 말해 주는 동시에 가능성을 암시해 준다.

이상에서 살펴본 바와 같이 고월은 시에서 자아의 내적 세계를 그리고 토로하는 한편 자아를 시의 배후로 소멸시킴으로써 주관적 감정을 외계의 사물이나 풍경 및 현상으로 감각적인 전치를 시키는데 우수한 능력을 발휘했다. 따라서 작품은 사상화와 같은 즉물시가 되거나 작자의 감정이 이입된 객관적 상관물을 다루는 감각적 기교의 우수한 면을 보인다. 그는 대상에 대한 날카로운 통찰력과 시적 직관, 감각적 형상 능력에 의하여 우리 근대시문학사에 감각시의 한 가능성을 암시하기 시작한 개성적 시인이었던 것이다.

6. 에필로그

지금까지 필자는 고월의 시 세계를 ①억압된 리비도와 자기 학대 ②우울과 폐쇄적 자아 ③참회와 눈물 또는 패배주의 ④객관화와 감각 세계의 지향 등으로 파악해 보았다.

고월은 스물아홉의 짧은 생애를, 그것도 자아의 늪에 자폐되어 불우하게 살다가 후손도 없이 스스로 죽음을 선택한 초창기 시단의 대표적인 불우한 시인의 한 사람이다. 그의 생애는 오로지 시 속에 묻혀서, 그것도 몇 편밖에 안 되는 시를 쓰며 가난하고 외롭게 사는 것으로 일관되었다. 따라서 지금까지 고월의 시에 대한 연구는 제대로 진척되지 못한 게 사실이다. 이에 대한 이유로는 물론 여러 가지가 있을 것이다.

그러나 무엇보다도 최근까지만 해도 그의 시가 『상화와 고월』에 실린 11편밖에는 발굴되지 않아 양적으로 빈곤했다는 점을 들 수 있다. 또한 비사교적이고 내향적인 성격으로 인해 문단 활동에 적극성을 띠지 않았을 뿐만 아니라 타인과의 만남도 지극히 제한된 범위에 불과했던 것도 한 이유가 된다. 아울러 그가 불우하게 살다가 그것도 10년에도 못 미치는 창작 활동 끝에 스스로 죽음을 선택함으로써, 시인적 천재성을 보여 준 김소월이나 탁월한 사회, 사상적 업적으로 빛나는 한용운, 그리고 지조 있는 삶으로 인해 끝내 옥사한 윤동주나 이육사의 찬란한 명성에 가리워져 있을 수밖에 없었던 것도 한 이유가 되는 것으로 보인다.

이제 34편이나 발굴된 고월의 작품은 면밀하게 분석되고 타당하게 평가되어야 한다고 본다. 우리는 그의 불우한 생애와 편벽된 성격 혹은 대표적인 작품 한두 편만을 가지고 감각적으로 뛰어난 기교시를 썼느니 순수시를 썼느니 하는 부분적인 언급으로 전체를 대신하는 듯한 태도를 지양해야 할 것이다. 이제까지 어둠 속에 묻혀 있던 한 고독한 인간, 한 아웃사이더 예술가의 생의 비극성과 함께 그의 시도 새롭게 분석 평가되고 시사적 위치도 드러나야 할 것이다.

시인 연보

1900년 11월 9일, 경상북도 대구부 서성정 1정목 103번지(혹은 105번지라 되어 있으나 잘못)에서 당대 대구의 손꼽히는 부호이자 전에 중추원 참의를 지낸 이병학과 박금련의 사이에서 셋째 아들로 태어남(박금련은 이병학 사이에서 3남 1녀를 낳았음).

이장희의 처음 이름은 양희이었으나 그가 20세 되던 해인 1920년 4월에 개명한 호적에는 장희(樟熙)로 고친 바 있고 뒤에 작품을 쓰기 시작한 1923~1924년 사이에는 장희(章熙)로 줄곧 썼는데 이것이 필명이 되었음. 아호는 고월(古月).(혹 근자 孤月 · 苦月 · 若月 등을 그의 아호의 하나로 보고자 하는 일이 있으나 그는 아호로서 古月만을 썼을 뿐임)

아버지 이병학은 장희의 생모 박금련이 1905년 사망한 이래 박강자, 조명희 등을 맞아들여 12남 9녀를 슬하에 두었는데 이들 중 유아 때에 사망한 7남매(3남 4녀)를 제외하면 모두 9남 5녀의 14남매가 살아있다.

장남 이정희, 차남 이상희, 삼남 이장희, 장녀 이영이.(이상 박금련 소생) 사남 이성희, 차녀 이정수, 삼녀 이임수, 사녀 이수자, 오남 이칠희, 육남 이돈희, 오녀 이윤자, 칠남 이달희, 팔남 이운희, 육녀 이덕자, 칠녀 이복자.(이상 재취부인 박강자 소생) 구남 이철희, 십남 이필희, 팔녀 이일, 십일남 이복희, 십이남 이경희, 구녀 이행자.(이상 3취부인 조명희 소생)

이장희는 아호 고월 이외에 어렸을 적에 '꿀돼지', '꿀봉', '박쥐'와 같은 별명이 있었다고 함.

1905년 생모 박금련 사망함. 둘째 부인 박강자가 들어와 1923년 8월 사망하기까지 이병학 사이에서 11남매를 둠.

1906년 대구보통학교 입학.

1912년 대구보통학교 졸업.

1913년 일본에 건너가 경도중학에 입학함.(하나 근자 조사하여 확인 결과 이장희가 경도중학에 입학 내지 졸업한 사실이 없다고 함)

1918년 일본에서 귀국. 일설에는 일본 청산학원을 지망하려다가 실패했다는 설이 있으나 그 근거는 극히 희박함.

1924년 5월 문예 동인지 『금성』 3호에 이장희(李章熙)라는 필명으로 시 「실바람 지나간 뒤」, 「새한머리」, 「불노리」, 「무대」, 「봄은 고양이로다」 등 5편을 처음으로 발표함. 이 가운데서 「봄은 고양이로다」는 그가 첫 번째로 발표한 시 작품 중에서 대표작으로 평가받는 작품이다. 또한 이 잡지에 톨스토이의 소설 「장구한 귀양」을 번역하여 실음.

12월 여성전문지 『신여성』 2권 12호에 시 「동경」을 발표하였는데 혹 일설에는 이 작품의 모티브는 이장희가 일본 경도에 체류하였을 때 알고 지냈던 소녀 에이꼬에게서 찾은 것이라 함.

이해 9월에 이병학은 세 번째 부인 조명희를 맞아들임. 이 슬하에서 또다시 4남 2녀의 자녀를 둠.

1925년 『신여성』(3권 2호, 1월호)에 시 「석양구」를, 종합 문예지 『생장』(5호, 5월호)에 시 「고양이의 꿈」, 「가을밤」을 발표하고 시사 종합지 『여명』(1호, 6월호)에 시 「청천의 유방」과 「비오는 날」을, 『신민』(5호, 9월호)에 「사상)」, 「비인 집」을 발표함. 계속하여 『신민』(6호, 10월호)에 「달밤 모래우에서」와 「연」 등을 발표함.

1926년 『신민』(9호, 1월호)에 시 「겨울의 모경—도회시편—」을, 『여명』(7호, 6월호)에 「봄하눌에 눈물이돌다」와 『신민』(16호, 8월호)에 「하일소경」을, 『신민』(19호, 11월호)에 「들에서」와 「눈」을 발표함.

1927년 『조선문단』(20호, 4월호)에 시 「가을ㅅ밤」을, 『신민』(26호, 6월호)에 「눈은 나리네」, 「봄철의 바다」를, 『신민』(28호, 8월호)에 「저녁」을 발표함.

1928년 『여시』(1호, 6월호)에 시 「저녁」, 「녀름ㅅ밤 공원에서」를 발표함.

1929년 『신민』(45호, 1월호)에 「버레우는 소리」, 「귓드람이」를, 『문예공론』(1호, 5월호)에 「적은 노래」, 「봉선화」, 「눈나리는 날」을, 『중외일보』(11월 14일)에 「어느밤」을 발표함. 그리고 발표연대 및 게재지 미상의 「여름밤」, 「쓸쓸한 시절」을 남겼음. 11월 3일 오후 3시경, 이장희는 대구부 저성정 1정목 103번지 본가의 머슴이 거처하던 작은 방에서 극약을 복용하고 한 장의 유서나 한 마디의 유언도 남기지 않고 세상을 떠남.

그의 장지는 선산인 대구부 신암정으로 정해져 유해가 안치되었었으나 지금 현재 그의 묘소는 찾을 수가 없음.

빈궁문학 또는 비극적 세계 인식

金載弘 著

1984年

문학세계사

차 례

빈궁문학 또는 비극적 세계 인식

1

나도향은 보통 요절한 작가, 천재성이 발견되는 작가로 불린다. 작품 활동을 한 것이 1920년경부터 1926년까지 불과 6~7년 내외의 짧은 기간임에도 불구하고 그의 작품에 관해서는 여러 편의 논문, 평론이 발표된 바 있다. 그의 작품은 장편 『환희』(1922. 11. 21~1923. 3. 21, 『동아일보』 연재) 외에 20편 정도의 단편이 있으며, 그 외 「화염에 싸인 원한」, 「피 묻은 편지 몇 장」 등의 작품이 있는 것으로 알려져 있으나 대부분 미정고라서 확실치 않다. 이외 「그믐달」, 「계급 문학 시비론」, 「쓴다는 것이 죄악 같다」, 「하고 싶은 말 두엇」, 「벽파상에 일엽주」 등의 수필 내지 잡문이 발견된다. 이렇게 볼 때는 나도향을 대형 작가 또는 완숙한 작가로 볼 수는 없을 것이다. 오히려 나도향은 성장형 작가 또는 미완성의 작가로 부르는 것이 적당할지 모른다. 그러나 작품량이나 활동 기간이 많지 않음에 비해서 그가 제기한 문제는 그렇게 단순하지 않은 것 같다. 특히, 그가 견지한 현실성과 낭만성의 적절한 조화에의 의지는 카프가 융성하게 대두하던 시기에 하나의 문학적 교훈이 될 수도 있기 때문이다.

비록 그의 이러한 시도가 완성된 영역 또는 원숙한 깊이에 도달하지 못한 것이 사실이라 해도 그가 추구한 현실에 토대를 둔 미적 세계의 구축은 초창기 작단 형성에 있어서 충분히 의미를 지닐 수 있는 것으로 판단되기 때문이다.

지금까지 나도향의 소설은 대체로 세 가지 관점에서 연구돼 온 것으로 보인다. 첫째로 그의 작품의 전반적인 것을 탐구하면서 낭만주의 등 문예사조적인 측면을 주로 탐구한 경향이 있다. 백철, 조연현, 김우종, 채훈, 이인복, 윤홍로 등의 작업이 그 대표적인 예가 된다. 두 번째는 사회사적 관점에서의 논급이 있는데 임종국의 『한국문학의 사회사』(정음문고, 1974)가 그 한 예가 된다. 세 번째는 정신분석학적 입장에서의 연구인데 전문수의 『나도향 소설 연구』(계명대 석사 논문, 1979)가 그 한 예가 된다. 최근에 이르러 나타나기 시작한 연구 논문으로는 석사 학위 논문을 주목할 수 있는데, 한상각의 『나도향 소설의 문학적 성향에 관한 연구』(경희대 석사 논문, 1975), 김경희의 『나도향 연구』(연세대 석사 논문, 1977), 한점돌의 『나도향 소설구조와 그 배경 연구』(서울대 석사 논문, 1981), 박영길의 『나도향론』(인하대 석사 논문, 1982) 등이 그것이다. 특히, 한점돌은 나도향 문학의 전반을 분석주의적 측면과 역사주의적 측면을 고려하여 종합적으로 고찰함으로써 총체적 이해에 도달하고자 노력하였다.

2

나도향의 소설은 전체적인 면에서 몇 가지 특징을 지니는 것으로 이해된다.

먼저 사건 전개가 대체로 평면적인 구성으로 이루어져 있다는 점이다. 입체적 구성이나 병렬적 구성보다는 시간 순서에 따르는 이야기 전개로 짜여진 것이다. 그리고 사건 전개의 모티브는 생의 우발적 충동이나 우연성에 의지하는 경우가 많다. 이 점은 그의 작품들이 쉽게 읽히는 재미가 있으면서도 다소 구성의 작위성이 눈에 거슬리게 되는 요인이 되기도 한다.

전반적인 구조는 상승에서 하강으로, 환상의 창조에서 급격한 몰락으로 이르는 낭만적 아이러니(romantic irony)를 바탕으로 짜여 있다. 이것은 현실과 이상의 양면으로 이루어진 인간의 삶과 세계의 실상을 파악하는 데 효과적인 장치일 수 있는 것이다. 따라서 대부분의 결말이 불행한 것으로 처리된다. 현실 도피거나 아니면 죽음에 귀결되는 경우가 많은데, 이것은 나도향의 기본적인 세계 인식의 태도인 비관적인 세계관 혹은 부정적인 세계 인식의 태도에서 연유한 것으로 이해된다. 나도향의 작품은 몇 가지의 계열로 묶을 수 있는데, 하나는 낭만적 성향이 두드러지는 것이고, 다른 하나는 자연주의적 요소가 드러나는 것이며, 또 다른 하나는 계급주의적 경향성이 드러나는 것이다. 초기작은 대체로 환상적, 감상적, 낭만주의적 성향을 보여준다. 「젊은이의 시절」, 「별을 안거든 우지나 말걸」, 「옛날의 꿈은 창백하더이다」, 「17원 50전」 등이 그것인데, 특히 이 계열에서는 우발적인 생 충동이 강하게 드러나며 환상적인 처리가 두드러진다. 이 부류들은 많은 경우 자전적, 신변적 테두리를 크게 벗어나지 않고 있다. 특히 수식의 과잉이나 감정 편향성, 그리고 영탄적인 문체는 중요한 약점이 아닐 수 없다. 자연주의적 성향과 계급주의적 성향은 서로 혼합되어 나타난다. 「행랑 자식」, 「자기를 찾기 전」, 「전차 차장의 일기 몇 절」, 「계집 하인」, 「벙어리 삼룡이」, 「물레방아」, 「꿈」, 「뽕」, 「지형근」 등 후기의 작품이 대부분 그에 해당된다. 여기에선 우선 대상이 '행랑 자식', '하녀', '창녀', '머슴', '벙어리', '소작인', '노동자' 등과 같이 하층계급에로 이행을 보인다. 현실의 어두운 면에 대한 관심이 인간의 위선성, 추악성과 결부되어 비관적 현실 인식을 강하게 표출하는 것이다. 대체로 이들 소설들은 ①타고난 것으로서의 운명 문제(신분 계층과 미추 문제) ②본능의 문제(사랑과 양의 충동) ③가정환경 문제(결손 가정) ④현실 문제(가난) 등을 취급하고 있다. 따라서 '매질', '술타령', '노름', '섹스', '폭력' 등 원초적, 본능적인 문제가 주로 다루어지게 된다. 특히 가난에서 오는 성(性)의 도구화, 상품화 경향과 황금 만능주의는 이 소설들이 근본적인 면에서 인간의 야수성, 추악상을 환경적인 것과 관련시켜 파악하려는 자연주의적 인생관과 맞닿아 있음을 말해 주는 것이 된다. 여기에서 계급주의적 성향이 문제가 된다. 그의 여러 소설들이 하층 빈민 내지 소외자들을 대상으로 한 것은 분명히 계급주의적 작가 의식의 한 반영일 수 있다. 그러나 그것은 어디까지나 소재, 제재에 나타나는 현상일 뿐, 이 작품들의 근본 목표는 빈부의 갈등과 대립 혹은 계급 투쟁에 있는 것이 아니라는 점에서 계급주의 문학으로 단정할 수는 없다. 다만 당대 작단의 한 주류이던 계급적 편향성에 어느 정도 영향을 받는 것은 부인하기 어려운 실정이다. 이 점에서 나도향의 작품 세계는 대체로 다음 세 가지의 층위로 형성되어 있음을 확인할 수 있을 것이다.

> 낭만주의적 성향→환상/사랑 문제…초월성·격정성·탐미성—감상주의
> 자연주의적 성향→성(性)/돈 문제…현실의 암면·야수적 인간관—본능적 인생관
> 신경향파적 성향→신분/계층 문제…사회 구조의 모순·부조리—부정적 세계관

그런데 나도향 소설에서 대표작으로 평가되는 것은 「벙어리 삼룡이」, 「물레방아」, 「뽕」 등으로 볼 수 있다. 이들이 흔히 대표작으로 운위되는 것은 무엇 때문일까.

이 점을 밝혀내는 것이 나도향 문학의 비밀을 드러내는 것일 수 있다. 흔히 나도향을 천재형 작가로 부르는 것도 실상은 이러한 문제와 관련되는 것이기 때문이다. 이 점은 이 작품들이 현실 문제를 다루었기 때문만은 아니다. 또한 본능이나 관능의 문제를 목표로 했기 때문만도 아니다. 그것은 이러한 현실 문제와 본능 문제가 함께 다뤄지면서 이것이 예술적인 상징성을 획득했기 때

문인 것으로 이해된다. 「벙어리 삼룡이」에서는 '벙어리'가 시대상을 암유하면서 '불'이라는 분노 혹은 울분의 상징성을 획득함으로써 예술적 형상성을 성취하기 때문이다. 「물레방아」에서도 '물레방아'가 농촌의 현실에 밀착해서 인생의 덧없음과 함께 성적 에로티시즘을 상징적으로 드러내 주고 있기 때문이다. 「뽕」의 경우에도 '뽕'이 먹이(밥)의 대명사로서 '님도 보고 뽕도 딴다'는 식의 상징적 포괄성을 획득하고 있기 때문인 것이다. 다시 말해서 현실 문제를 다룸으로써 긴장을 잃지 않으면서도 본능 문제를 다룸으로써 생생한 생명력을 확보하고 이것들을 상징을 통해서 미학적인 형상의 아름다움을 성취했기 때문인 것으로 풀이된다. 이 점에서 나도향의 문학은 그 시발점에서 생애사적 불운(요절)으로 인해서 개화하지 못하고 낙화한 미완의 문학, 형성의 문학에 해당되는 것으로 볼 수 있다.

이렇게 볼 때 나도향의 소설은 1920년대 초기 작단의 형성 과정에서 우리 문학이 겪을 수밖에 없었던 갈등과 고민을 첨예하게 드러내 준 것으로 보인다. 그의 소설이 전반적인 면에서 완성형 소설은 아니며, 또한 대가적인 풍모를 보여주는 것도 아니다. 그러나 그의 소설들은 이 땅 소설사의 형성 과정에 있어서 주제와 방법의 긴장을 통해서 소설이란 무엇인가, 또 무엇이어야 하는가를 보여주려고 노력한 것으로 이해된다. 그의 세계가 확실히 어느 한 가지 경향으로 묶여지지 않은 사실이 그러한 고민을 반영한 것으로 해석되기 때문이다. 소설이 현실의 문제, 보다 생생한 생명의 문제를 다루어야 하면서도 미학적 형상성을 획득해야 한다는 소중한 깨달음을 요약적으로 제시해 준 데서 그의 소설사적 의미가 드러난다. 분명히 그가 초창기 문단에서 가장 불행한 작가의 한 사람임에는 틀림없지만, 한 떨기 피다 만 야생화로서 그가 남겨놓은 은은한 벼 향기는 우리 문학에 쉬 사라지지 않을 것이 확실하다.

본고에서는 그의 전체적 작품 세계를 짐작할 수 있는 다음 작품들을 통해서 그의 문학적 특징을 개관해 보기로 한다.

젊은이의 시절

1) 작품 개관

이 작품은 『백조』 창간호(1922. 1)에 발표된 도향의 처녀작이다. 도향의 처녀작에 대해서는 여러 설이 있다. 이 「젊은이의 시절」을 처녀작으로 보지 않고 「출학」(『배재학보』 2호, 1921. 4)을 처녀작으로 보는 경우도 있으며, 『신민공론』에 수록된 「추억」(1923. 1) 을 꼽는 사람도 있다. 그러나 「젊은이의 시절」로 보는 이유는 그것이 발표는 1922년에 됐지만 실제적으로 탈고된 날짜가 1920년 10월 27일로 밝혀져 있기 때문이다. 이것은 당대에 있어서의 여의치 못한 발표 지면의 사정에 연유한 것이 확실하기 때문에 이를 감안하여 「젊은이의 시절」을 처녀작으로 보고자 하는 것이다.

이 작품은 젊은 날의 감상과 방황, 그리고 그에 대한 좌절과 몽환을 다룬다는 점에서 다분히 자전 소설의 범주에 놓인다. 어려서부터 감상적인 성격의 소유자였던 철하는 음악가 지망생이다. 그러나 실업가인 아버지의 반대로 뜻을 이루지 못한다. 이때 누이 경애가 그를 이해하여 줌으로써 누이를 통해서 철하는 자신의 뜻을 펴보려 한다. 경애는 철하의 희망의 표상인 것이다. 경애에게는 영빈이라는 가짜 예술가가 애인으로 있었는데, 이 사람에게 속아서 정조를 유린당하고 끝내 배신당하고 만다. 그러자 경애는 영빈에 대한 배신감에 좌절하여 철하에게도 예술을 그만두라고 소리친다. 복수를 하러 가려던 철하는 경애의 만류로 그만두고 잠이 든다. 그는 꿈속에서 마왕이 주는 환락의 술에 도취되었다가 깬다. 이후 그는 울분과 좌절을 몽환 속에서 달랜다는 이야기가 대략적인 스토리인 것이다. 이 점에서 이 작품은 이상적인 가치 지향이 현실의 모순 또는 비리와 부딪치면서 파멸로 이르고 마침내 환상 속에 빠져드는 과정을 작품화한 것으로 보인다.

2) 작품의 구조와 특성

이 작품은 환상의 창조와 그것의 급격한 붕괴, 그리고 그에 따른 좌절을 다룬다는 점에서 기본적으로 로맨틱 아이러니(romantic irony)의 구조를 지닌다. 낭만적 아이러니란 세계에 대하여 가지고 있던 낭만적 동경과 환상적 기대가 급격히 좌절되는 데서 발생하는 돌발적인 아이러니를 말한다. 이 점에서는 실상 도향의 거의 모든 작품이 이러한 '희망→절망', '동경→좌절', '상승→하강'이라는 낭만적 아이러니의 구조를 바탕으로 짜여져 있음을 알 수 있다.

이 작품은 시간적 전개에 따른 평면적 플롯을 취하고 있으며, 또한 멜로드라마적인 성향에 비추어 본다면 감상의 플롯(sentimental plot)에 의지하고 있음을 알 수 있다.

시점(point of view)은 대략 전지적 시점을 취하고 있다. 그러나 그것이 주인공인 철하의 의식과 행동을 중심으로 전개된다는 점에서는 1인칭 시점에 가까운 선택적·전지적 시점이라고도 할 수 있을 것이다. 이것은 시점에 대한 분명하면서도 섬세한 배려가 이루어지지 않았음을 반영한 것으로 보인다.

성격 창조(characterization)의 경우 역시 섬세한 묘사가 이루어지지 않았다. 왜 예술을 하려고 하는지, 또 그것이 어느 정도 확고한 신념에서 우러나온 것인지 뚜렷한 인식이 없다. 그저 막연한 감정으로 치우쳐 있다. 음악이라는 예술이 어째서 주인공에게 그토록 지고한 가치가 있는지, 또한 누이의 실연(배반)이 왜 음악에의 길을 포기하게 되는 직접적 계기가 되는지 등의 인과 관계 해명이 제대로 되어 있지 않고, 애매모호한 감정의 연속으로 성격을 창조한다는 것은 중요한 결함인 것이다.

표현면에서도 거의 모든 페이지마다 '우울', '비애', '감상' 등 상투어가 나타나고 있으며, 영탄과 유치한 감정적 표현이 두드러진다. 특히 수식이 지나치게 많으며 비유를 과다하게 사용함으로써 문장이 불분명한 경우도 비일비재하다. 이것은 이 작품이 거의 습작 수준을 벗어나지 못하고 있음을 말해 주는 것이 된다.

3) 평가

이 작품에 대한 평가로는 "치졸한 감상적 표현으로 가득 찬 천박한 작품"(김우종), "애상적인 감상문으로서 감각적 특성을 보여줌"(조연현), "소설 자체보다도 문학사적 의미에서의 가치가 앞섬"(한상각) 등으로 요약할 수 있다.

대체로 이 작품에 대한 평가가 회의적·부정적임을 알 수 있다. 앞에서도 지적한 것처럼 플롯의 평면적 전개, 감상의 과잉, 성격 창조의 미숙성, 문장의 유치한 점 등으로 미루어 볼 때 작품 자체의 예술성은 매우 부족하다. 특히 예술 자체의 성취 과정에서 비롯된 갈등과 고뇌가 아니라 환경에 의한 우발적 좌절을 그렸다는 점에서 흔히 지적되는 예술 지상주의적이라는 평가는 잘못된 것으로 보인다. 도향의 처녀작으로서 도향 소설의 출발점을 보여주었다는 정도로 의미를 인정해야 될 것이다.

별을 안거든 우지나 말걸

1) 작품 개관

『백조』 2호(1922. 5)에 발표된 작품인데 백조 동인이던 노작 홍사용이 제목을 지어 주었다 한다. 달콤한 감상적 내용으로 인해 젊은 여성 독자들이 관심을 불러일으켰다고 한다. 이 작품 역시 복잡한 가정 구조에서 비롯된 애정 결핍을 보여준다든지, 여성(누이)에 대한 콤플렉스를 강하게 표출하고 있다는 점에서 신변 소설적 특성이 드러난 작품이다. 개략적인 스토리를 살펴보면 다음과 같다.

어렸을 적부터 따뜻한 정에 굶주려 왔던 주인공 D.H는 R이라는 손위 친구를 사귀어 형으로 부를 수 있게 되어 만족과 기쁨을 느끼게 된다. 그러던 중 누님에게서 소개받은 MP라는 여성을 사랑하게 된다. 또한 D.H는 기생인 설영과도 의남매를 맺게 되어 기쁨에 넘치게 된다. 그러나 기독교 신자인 MP와 신앙의 문제로 인하여 틈이 벌어지게 되고 낙담하고 만다. 한편 형님 아우 사이로 지내던 R도 MP를 사랑함으로써 삼각관계가 이루어지고, 다시 MP가 어떤 신사와 다니는 모습을 목격하고는 실의에 빠진다. 또, 실의를 알리기 위해 찾아간 설영마저도 출타 중이어서 더욱 서글퍼져서 집으로 돌아오고 만다는 내용이다. 다시 말해서 정과 사랑에 굶주려 있는 주인공이 R, MP, 설영 등을 통해서 구원을 얻으려 하지만 끝내 좌절하고 만다는 이야기인 것이다.

2) 구조와 특성

이 작품 역시 기대에서 좌절로, 희망에서 낙망으로라고 하는 낭만적 아이러니의 구조를 바탕으로 짜여져 있다. 플롯도 시간의 순차에 따르는 평면적 구성 방식을 취하고 있으며, 감상적 플롯에 의지하고 있다. 기본적인 흐름은 'R에 우정을 느낌→MP를 사모함→설영과 의남매를 맺음→R과 불화함→MP에 실망함→설영조차 만나지 못함'이라는 사건 전개로 이루어져 있으며, '외로움'에서 '울음(비탄)'으로라는 작위적인 구성에 바탕을 두고 있다.

이 작품은 문체가 매우 특징적인데 그것은 대체로 서간문 형식으로 되어 있다. 서간체의 회상 형식을 통해서 사건과 심리의 추이를 평면적으로 이어나간 것이다. 시점은 주인공 화자 시점, 즉 1인칭 시점으로 전개되며 이것은 이 작품이 신변 고백적인 특성을 지니는 데서 연유하는 것으로 이해된다.

3) 평가

대체로 이 작품도 센티멘털한 내용과 유치한 영탄적 표현으로 가득 차 있다는 점에서 우수한 작품으로 평가하기에는 어렵다. 소설의 특성인 치밀한 구성과 예리한 성격 창조 및 시추에이션의 설정이 어설프다고 하겠다.

옛날 꿈은 창백하더이다

1) 작품 개관

『개벽』 30호(1922. 12)에 발표된 작품이다. 「젊은이의 시절」, 「별을 안거든 우지나 말걸」 등의 작품과 마찬가지로 초기의 센티멘털리즘적 성향을 잘 보여준다. 이 작품 역시 도향의 신변 소설적인 내용으로 되어 있는데, 특히 가족 간의 갈등 양상이 자전적인 것과 상당히 관련된다. 대체적인 이야기는 다음과 같다.

주인공의 아버지는 할아버지와의 불화로 인해 따로이 궁색한 살림을 하고 있다.(무엇보다 이 점이 할아버지와 아버지가 갈등하던 도향의 가정환경과 유사하며, 그렇기 때문에 자전적인 요소가 강하게 드러난다) 할머니는 열렬하면서도 어느 면에서 맹목적인 기독교 신자이다. 아버지는 항상 술타령으로 소일하고, 가난에 찌든 어머니는 어머니대로 탄식으로 나날을 보낸다. 그러던 중 아버지와 어머니는 할머니 일로 다투게 되고, 화가 난 어머니는 친정으로 아들들을 데리고 도피하게 된다. 친정집에 이르기 직전에 어머니는 아들에게 전날에 있었던 자신의 부부 싸움을 입 밖에 내지 말라고 당부한다. 이러한 어머니의 태도 변화로 말미암아 주인공 '나'는 일시적으로나마 밝은 기분을 갖게 된다는 내용인 것이다.

이 점에서 이 작품은 현실도피적인 주제를 성격적 갈등의 문제와 연관 지어 파악하는 특징을 지닌다. 이 작품에서 아버지는 술로, 할머니는 신앙으로, 어머니는 친정으로 도피하면서 서로 갈등을 형성하는 것이 그것이다.

2) 구조와 특성

이 작품은 초기 도향 소설이 그러한 것처럼 신변 소설적인 특성을 지닌다. 시점에 있어서 '나', 즉 1인칭 시점으로 작품을 이끌어가는 것도 이와 관련된다. 문체가 회상 문체로 되어 있는 것은 이 작품이 지니고 있는 자전적인 특성을 말해 준다.

인물 유형에 있어서는 대체로 전형적 인물(typical character)의 유형에 속한다. 크게 변화하지 않고 술타령하는 아버지, 광신도 할머니, 생활에 찌든 어머니와 같이 인물의 전형성을 보이는 것이다. 한 가지 특징적인 것은 이 작품이 작가의 대부분의 작품에서 나타나는 비관적 세계 인식이 바탕을 이루는 것은 마찬가지이지만, 제한적이나마 해피엔딩으로 결말 지워진다는 점이다. 이 점에서는 희귀한 것이 아닐 수 없다.

3) 평가

이 작품이 해피엔딩으로 마무리 지어 있다고 해서 갈등이 해소된 것으로 보기는 어렵다. 오히려 이것은 갈등의 극복이나 해소가 아니라 도피이며 패배적인 요소를 지닌다. 등장인물들이 하나같이 현실 패배자들이며 현실도피적인 성향을 지닌다. 현실 또는 그것이 불러일으키는 갈등을 적극적으로 극복하려 하기보다는 문제의 핵심은 망각한 채 일시적 기분으로 진정시키려 하는 것이다. 이 점에서 작가 의식이 치열하지 못함을 알 수 있다. 이야기를 만들어 갈 뿐이지 창조적인 내용 구조로 밀도 있게 조직하거나 주제를 심화하지 못한 데서 우수한 작품으로 보기는 어려운 것으로 판단된다.

십칠월오십전

1) 작품 개관

이 작품은 『개벽』 31호(1923. 1)에 발표되었다. '젊은 화가 A의 눈물 한 방울'이라는 부제가 붙어 있는 이 작품은 젊은 날의 우발적인 충동을 형상화했다는 점에서 의미를 지닌다. 제목 자체가 「17원 50전」이라는 구체적인 화폐 단위로 표현했다는 점이 특이하다. 먼저 이 작품은 몇 가지의 중요 에피소드로 구성되어 있다. 친구 부인의 죽음과 월급의 삭감, 그리고 SO라는 여인에 대한 본능적 연민이 그것이다. 감상적이며 독립심이 많은 주인공 A는 친구 부인의 상사(喪事)에 참여하느라고 일주일을 결근한다.

그 때문에 20원씩 받던 월급을 다 받지 못하고 17원 50전만을 받게 된다. 본래는 그달 치 월급을 가지고 어린애의 모자를 사고 자신의 화구를 사려고 했었는데 결과적으로는 살 수 없게 된 것이다. 마침 우울하고 불쾌한 심정에 사로잡혀 있던 중 불구의 몸으로 가난하게 살고 있는 SO가 집을 쫓겨나게 된다는 것을 알고는 전액을 그녀에게 아무런 조건 없이 희사해 버리고 만다. 그러면서 한편으로 기쁘고 한편으로는 불안한 그림자가 남는다는 얘기로 되어 있다. 이 점에서 이 작품은 젊은 날을 지배하는 우발적인 생충동을 묘사한 작품으로 이해된다.

2) 구조와 특성

이 작품의 특성은 충동적인 연민과 불안의 정서에 바탕을 두고 있다는 점이다. 친구 부인의 죽음과 SO라는 여인이 집에서 쫓겨나는 두 가지의 사건을 기본 구조로 하고 이와 관련된 생충동의 모순과 비극성을 묘파한 것이다. 현실에 대한 인식이 담겨 있다는 점은 주목할 만하다. 친구 부인의 장례에 참여했기 때문에 일어난 결근을 기화로 월급을 깎였다는 사실은 그 자체가 현실 사회의 냉혹성, 비정성을 반영한 것이 아닐 수 없다.

그렇기 때문에 예술가인 젊은 화가 SO가 그러한 사회 현실의 냉혹성에 반감을 갖는 것은 당연한 일이다. 이러한 반감은 약자에 대한 연민의 정으로 표출된다. SO가 쫓겨나게 된 정황을 알고서 자기의 한 달 치 월급을 전액 쏟아 넣는 행위가 바로 그것이다. 이 점에서 이 소설은 어쩌면 값싼 동정심 혹은 천박한 센티멘털리즘의 표현이라는 부정적 반응을 불러일으키기 쉽다. 주인공의 선의의 행동은 냉철한 자기 성찰과 현실 인식에 근거를 두기보다는 우발적인 충동에 연유한다는 점에서 소년기의 미숙성 또는 센티멘털리즘을 노골화하는 것이다.

형식적인 면에서는 C 선생에게 보내는 일곱 가지의 편지로 구성되어 있다. 다시 말해서 서간 문체로서 고백적인 소설의 특성을 지닌다. 이것은 서간 문체가 감당하기 쉬운 감정적 호소력 또는 설득력을 강화하기 위한 소설적 장치로 풀이된다.

3) 평가

백철은 이 작품을 '냉혹한 현실을 예리하게 파악한 것'이라고 평했다. 작품의 표면적인 모티브와 그 결과를 중시한 소치이다. 이에 비해 김우종은 이 작품이 '낭만적 잔재가 남아 있다'고 지적하여 백철의 견해를 반박하였다. 무엇보다도 이 작품의 결함은 리얼리티의 결여에 놓여 있다. 친구 부인의 장례에 일주일씩 참여한다든지, 그러면서도 그에 대한 인과 관계 설정이 전혀 없다든지 하는 것이 우선 그것이다. 또한 연인 때문에 아무런 생각 없이 월급 전액을 희사해 버린다는 것은 천박한 센티멘털리즘 또는 경박한 영웅주의의 발현에 불과한 것이다. 다시 말해 사고의 성숙이 부족하다는 점이 이 소설의 중요한 결함인 것이다. 이렇게 본다면 이 작품은 현실의 냉혹성에 주목하면서도 그것을 좀 더 심화한 관점에서 깊이 있게 파악하지 못한 문제점을 지닌다.

여 이발사

1) 작품 개관

『백조』 폐간호(1923. 9)에 수록된 작품. 배경이 일본으로 설정되어 있고, 주인공이 가난한 유학생으로 되어 있다. 이것은 도향의 1차 도일시의 곤궁했던 생활의 한 단면을 엿보게 한다. 궁핍한 생활 때문에 오랫동안 이발을 못 한 주인공이 옷을 저당 잡히고 싸구려 이발관에 간다. 50전 중에서 20전은 이발료를 내고 나머지 30전을 어떻게 쓸까 행복한 고민을 하던 중, 여 이발사가 면도를 해주게 된다. 여성의 부드럽고 짜릿한 감촉과 미소에 유혹되어 공상을 펼치다가 나머지 30전을 모두 팁으로 준다. 여 이발사의 미소와 웃음을 자기에 대한 호감으로 생각하고 객기를 부린 것이다. 그러나 즐거운 공상 속에서 여 이발사가 웃은 것이 자기의 목덜미에 쑥으로 뜬 흉터 자리 때문이었음을 알고는 크게 실망한다는 이야기이다. 이처럼 일상사에서 흔히 빠지기 쉬운 착각과 환상을 예리하게 지적한 데서 이 작품의 특징이 있다. 감상적 센티멘털리즘이 어느 정도 불식되고 유머러스한 일상성이 제시되어 있다는 점에서 앞에서 본 작품과 다른 경향인 것이다.

2) 구조와 특성

이 작품은 앞에서 거론한 바 있는 낭만적 아이러니의 전형적인 예가 된다. 환상의 창조와 그것의 급격한 붕괴가 바로 그것이다. 그러나 이 작품은 앞에서의 작품들이 비관적인 세계 인식을 핵심으로 했던 것과는 사뭇 다르다. 결과적으로는 그러한 페이소스를 불러일으키지만 사건의 처리 과정이 매우 유머러스하다는 점에서 독특한 표현성을 지니는 것이다. 특히, 이 작품이 낭만적 아이러니의 속성인 충격(shock)과 유머(humour), 그리고 페이소스(pathos)

를 고루 갖추고 있는 점은 주목할 만하다.

또한 불필요한 등장인물의 제거에 주의를 기울였다든지, 명료한 플롯의 전개를 보여준 점은 이 작품이 어느 정도 성공한 단편으로 판단된다. 물론 시점이 3인칭 시점과 전지적 시점, 그리고 주인공 화자 시점 등의 혼동을 보여 준 것은 분명 약점이 아닐 수 없지만, 비교적 짜임새 있는 이야기 전개가 돋보이는 유니크한 작품인 것이다.

3) 평가

이 작품은 지금까지의 도향 단편이 보여주었던 눈물, 비애, 환상, 영탄 등의 홍수에서 어느 정도 벗어난 점이 돋보인다. 제한적이긴 하지만 현실을 그 자체로써 보려는 의식이 나타난 것으로 풀이된다. 개인의 주관적 환상과 현실의 분명함이 갈등과 대조를 이룬 것이다. 이 점에서는 소박한 낙관주의에서 벗어나 냉혹하고 비정한 현실에 대한 자각을 다루고 있다는 점에서 「자기를 찾기 전」과 내용상 유사한 점이 발견된다. 많은 평자들이 이러한 특성을 감상적 낭만주의에서 리얼리즘에의 전환으로 보기도 하지만, 그보다는 환상과 현실의 괴리가 빚어내는 생의 아이러니로 보는 것이 더 온당할 듯하다. 굳이 무슨 '주의'로 묶는 것이 적당치 않기 때문이다.

행랑 자식

1) 작품 개관

이 작품은 『개벽』 40호(1923. 10)에 발표된 작품이다. 먼저 지금까지의 작품들이 주로 『백조』에 발표됐었지만 이 작품은 『개벽』에 발표된 점이 주목된다. 『백조』가 환상적, 감상적 특성을 중심으로 한 문예 동인지였던 데 비해, 『개벽』은 경향적인 특성을 강조한 데 특징이 있기 때문이다. 따라서 작품의 내용, 주제가 『개벽』지의 경향과 부합되는 면이 있으리라는 것은 짐작할 수 있는 일이다. 그것은 빈궁한 계층에 대한 관심의 대두를 의미한다. 이 작품이 종래의 자전적 면모, 즉 신변담으로부터 객관적인 현실 주변으로 옮겨진 것은 나도향 문학의 한 전환을 보여준다는 점에서 주목되는 것이다.

박 교장의 행랑채에 사는 진태라는 소년은 눈을 치우다가 교장의 버선을 더럽힌 것 때문에 어머니한테 꾸지람을 듣는다. 또 삼태기를 잃어버렸다 해서 아버지한테 실컷 매를 맞게 된다. 그날 저녁 진태는 어머니의 은비녀를 전당포에 잡히고 쌀을 사 오다가 아버지와 부딪치는 바람에 그만 쌀을 엎지른다. 그래서 또 어머니한테 매를 맞게 된다. 하루에 몇 차례나 매를 맞은 진태는 울다가 잠이 드는데 꿈속에서도 억울한 일을 당한다는 이야기인 것이다.

이렇게 볼 때 이 작품은 신분상의 억눌림과 가난의 질곡이 테마가 됨을 알 수 있다. 행랑살이하는 한 가난한 가정에서 행랑 자식에게 일어나는 억울함과 울분이 담겨 있는 것이다. 자신의 실수 그 자체보다는 행랑 자식이라는 보잘것없는 신분 때문에 당하는 고통이 사실적으로 묘사됨으로써 나도향 소설의 한 전환점이 되는 것이다.

2) 구조와 특성

이 작품의 구성은 시간적인 전개로 짜여져 있다. '눈을 치움—교장의 발에 삼태기의 눈을 쏟음—버선을 더럽힘—어머니께 꾸중—삼태기 잃음—아버지께 꾸중—전당포—쌀 엎지름—어머니께 맞음—꿈속에서 억울한 일 당함'이라는 순차적 전개는 작가의 주관을 배제하고 객관적으로 일어난 일을 추적하는 데 적합한 구성 방식이다.

초기의 많은 작품들이 몽환적인 감정을 주관적으로 나열했던 것과는 달리 현실적인 관심을 비교적 객관적인 시점을 통해 묘파했다는 데서 의미가 놓여진다. 다만 우연성에 의지한 것은 바람직하지 못하다. 억울한 일을 당하는 것을 몇 번씩 중첩시키는 데 이 과정에서 우연의 남발, 즉 플롯의 작위성이 노출되는 것이다. 무엇보다도 문체에 있어서 진전이 주목된다. 영탄과 감상으로 가득 찼던 몽환적인 문체가 사실적인 문장으로 이행해 갔다. 수식이 많이 거세되고 비교적 사건 전개에 필요한 어휘만을 구사하려고 애쓴 흔적이 역력한 것이다. 따라서 초기 작품에서 기대나 욕구가 좌절된 주인공들이 눈물이나 꿈으로 도피함으로써 현실도피적 성향을 지녔던 것에 비해 볼 때 여기에서는 꿈에서도 억울한 일을 당한다는 내용으로 연결됨으로써 주제의 일관성을 견지하게 되는 데 특징이 드러난다.

3) 평가

이 작품은 현실성과 사실성의 획득이라는 점에서 나도향 소설의 본격적인 전환점이 된다. 소설의 주된 관심이 '나'의 문제보다 이웃 또는 사회의 문제로 상승된 데서 초기의 작품들과 확연히 구별된다. 신변 소설적인 유치함에서 벗어나 소설이 무엇인가, 또 무엇을 어떻게 다루어야 하는가 하는 데 대한 자각이 나타난 것으로 보인다. 아울러 '어떻게'의 측면, 즉 문장 표현이 간결하면서도 중심을 잃지 않음으로써 문예 미학적인 측면에서 성숙을 보여 준 것은 의미 있는 일로 판단된다. '신분'의 문제와 '가난'의 문제를 편견 없이 있는 그대로 묘파한 것은 나도향 문학의 한 성과가 아닐 수 없다.

자기를 찾기 전

1) 작품 개관

『개벽』 45호(1924. 3)에 발표된 작품이다. 「행랑자식」에서의 현실에 대한 관심이 여기서는 더욱 확대되어 나타난다. 초기의 환상적, 감상적 낭만주의 성향이 가시고 리얼리즘적인 지향을 보여준다.

주인공 수님이는 정미소에서 일급으로 살아가는 여직공이다. 그러던 중 정미소 직공 감독의 유혹에 넘어가 그의 아이 모세를 낳게 된다. 감독은 부채를 지고 도망가고 수님이 혼자서 모세를 기르며 희망을 간직하고 살아간다. 그러나 모세는 장질부사에 걸리고 만다. 하느님에게 모세가 회복되기를, 달아나 버린 모세 아버지가 돌아와서 자기를 사랑해주기를 기도하면서 수님이는 열심히 살아간다. 그러나 불행히도 모세는 죽고, 기다리던 모세 아버지도 협잡꾼이 되어 돌아오지만 끝내 배신하고 도망가고 만다. 이 절망의 순간에 수님은 새롭게 자기 자신을 바라보게 된다는 내용인 것이다. 즉, 현실의 비정함, 냉혹함을 깊이 깨닫지 못하고 소박한 희망으로 살아가던 수님이가 온갖 좌절 끝에 비로소 현실에 눈뜨고 자기를 발견하게 된다는 이야기 것이다. 현실 발견과 자아 발견이 함께 다루어진 것은 나도향의 작가 의식의 성장한 모습을 반영해준다.

2) 구조와 특징

이 작품도 일종의 낭만적 아이러니의 구조로 이루어져 있다. 환상과 믿음의 급작스러운 붕괴로 기본 플롯이 짜여 있기 때문이다. 그러나 이 작품은 그러한 아이러니를 통해서 세상 현실과 자아를 새롭게 발견하는 모습을 제시한다는 점에서 앞에서의 작품들과는 다른 양상을 보여준다. 주인공 수님이가 세상의 실상에 대해 무지의 상태에 있었을 때는 행복감과 미래에 대한 희망을 가질 수 있었으나 자아와 세계 사이에 가로놓여져 있는 깊은 간극을 깨달은 이후에는 오히려 절망에 사로잡히는 것이다. 이것은 이 작품의 구조가 사춘기의 소박한 감상주의로부터 성인의 현실적 인식 영역으로 이행함을 보여주는 구조로 짜여져 있다. 수님은 맹목에 가까운 이상주의자로서, 어머니는 이와 반대인 냉철한 현실주의자로서, 그리고 모세 아버지가 파렴치한으로 묘사된 것은 인물의 전형성을 무리 없이 제시해 준 것이 된다. 이 점에서 이 작품은 나도향의 문학에 있어서 몽환적인 낭만주의에 대한 청산의 기미가 역력히 드러난 작품으로 이해된다.

3) 평가

이 작품은 「행랑자식」이 '신분'과 '가난'의 문제를 객관적으로 서술한 데 비해서, 현실의 추악성과 위선에 대한 분노의 표정을 담고 있다는 데서 주목된다. 이것은 나도향의 작가의식이 현실과 사회에 대해 비관적 인식을 바탕으로 하고 있음을 말해 주는 것이 된다. 이러한 현실로의 관심 이행은 당대의 경향 문학의 영향권에서 이루어진 것으로 볼 수도 있지만, 기본적인 면에서 작가 의식의 성숙에 기인하는 것으로 보는 것이 옳을 듯하다. 백철은 이 작품에서 나도향의 전환을 읽을 수 있다고 강조한다. 필자는 평전에서 「여 이발사」부터 이 작품까지를 하나의 계열로 파악하고자 하였다. 이렇게 볼 때 이 작품은 작가의 현실 인식의 태도가 보다 분명해짐으로써 보다 성숙한 작가로서의 면모를 읽을 수 있다는 점에서 의미가 놓여진다. '가난'과 '운명'의 문제에 초점이 놓인 데서는 자연주의적인 인생관을 반영한 것으로 이해할 수도 있을 것이다.

전차 차장의 일기 몇 절

1) 작품 개관

『개벽』 54호(1924. 12)에 발표된 작품이다. 무임승차를 해야만 할 정도로 빈곤했던 한 시골 처녀가 도덕적, 윤리적으로 타락해 가는 과정을 전차 차장의 관점을 빌어 묘사하고 있다. 전차 삯 몇 푼이 없어 무임승차를 했던 소녀가 몸 파는 여인이 되어 외모는 화사해졌으나 도덕적으로 파멸해가는 구조를 드러낸다.

여기서 두드러지는 것은 경제적으로 여유가 생기는 것과 도덕적으로 타락해 감은 반비례하고 있다는 점이다. 이 점은 김동인의 「감자」를 연상할 수 있게 해 준다. 무엇보다도 이 작품이 『개벽』지에 실렸다는 점이 주목되는데, 1924년 12월은 한참 신경향파 문학운동이 일어나던 시기이다. 시골의 가난한 농민들이 소작을 파하고 도시 노동자로 흘러들어오면서 일어나는 계층 간의 분화 문제가 다루어진 것이다. 여기에서의 시골 처녀가 매춘부로 전락하는 과정은 도시 노동자층의 형성과 함께 대두된 성의 상품화 경향을 반영한 것이다. 따라서 이 작품은 「행랑자식, 「자기를 찾기 전」 등과 유사하게 빈민층을 대상으로 한 사회적, 현실적 관심의 작품인 것이다.

2) 구성과 특징

이 작품은 시점이 독특하다. 주인공 시점이 아니라 부인물(subCharacter) 화자 시점을 취하고 있다. 제한적 3인칭 시점이라고도 할 수 있는 것인데, '전차 차장'을 관찰자로 택한 것이 바로 그것이다. 그렇게 함으로써 서민층의 세대 풍속 묘사에 리얼리티를 부여할 수 있으며 객관적인 설득력을 획득할 수 있기 때문이다. 또 한 가지 특징은 대부분 찬양과 흠모의 대상이던 여성이 이 작품에서는 창부형으로 등장한다는 점이다. 여성에 대한 열등감, 즉 여성 콤플렉스(female complex)가 어느 정도 해소된 것으로 풀이된다. 여성은 천사의 이미지와 함께 창녀의 이미지를 갖고 있다는 점을 자각한 데서 이 작품의 의미가 놓여진다.

문체에서는 어느 정도 객관적인 묘사에 성공하고 있다. 전차 차장이라는 관찰자 시점이 필수적으로 객관적인 문장과 어울려진 결과인 것이다.

3) 평가

이 작품은 리얼리티의 확보라는 면에서 성과를 거둔 것으로 판단된다. 사회의 타락이 개인의 타락과 무관한 것일 수 없다는 환경론적 인식이 짙게 깔린 것이다. 시점의 적절한 활용도 돋보인다. '전차 차장'이라는 관찰자가 사회의 하층을 관찰하는 데는 매우 적절하고 설득력이 있기 때문이다. 흥분하거나 주관에 빠지지 않고 사건과 시종 객관적 거리를 견지할 수 있었던 것도 이 작품이 보여 준 장점이 된다.

벙어리 삼룡이

1) 작품 개관

『여명』 1호(1925. 7)에 처음 발표되었으나 나도향의 별세 후 『현대평론』 7호(1927. 8)에 '고(故) 도향(稻香)'이란 이름으로 재수록된 작품이다. 말하자면 나도향의 대표작으로 인정된 셈이다. 실상 1929년에 나운규에 의해 영화화된 사실도 이러한 평가를 뒷받침하는 자료가 된다.

오생원집 머슴인 벙어리 삼룡이는 늘 충직하게 일하였으므로 주인에게 귀염을 받는다. 그러나 오생원의 삼대독자인 아들은 항상 삼룡이를 구박한다.

그래도 삼룡이는 그것을 당연한 것으로 받아들인다. 그러던 중에 아들은 장가가고 새색시를 맞이한다. 이것이 비극의 시작이다. 사람들이 아들의 못난 모습을 거론할 때면 상대적으로 색시의 얌전한 행실이 들먹여지므로 아들은 자신이 비난받는 이유가 아내 때문이라고 생각하여 아내를 구타한다. 이럴 때마다 삼룡이는 색시를 감싸게 되고 마침내 동정이 연모의 정으로 발전하게 되는 것이다. 이런저런 이유로 삼룡이는 오해를 사게 되고 마침내 매를 맞고 쫓겨난다. 평생의 보금자리로 생각해 왔던 주인집, 연모해 마지않던 색시로부터 멀어진다고 생각하여 절망한 나머지 삼룡이는 주인집에 불을 지른다. 불 속에서 주인 아씨인 색시를 구해내지만 죽어가는 상태에 이른 아씨를 끌어안으며 평소에는 생각지 못하던 일종의 사랑의 성취감을 맛보며 죽어간다는, 다소 환상적인 이야기인 것이다.

이렇게 볼 때 이 작품은 '하인'과 '벙어리'라는 신분과 운명상의 열악성 때문에 사랑 한 번 해보지 못하고 죽어가는 하층 불구자의 인간 발견 과정을 드라마틱하게 묘파한 작품으로 이해된다.

2) 구성과 특징

이 작품은 실제 내용의 면에서는 장편적인 구성의 요소를 지니고 있지만 단편으로 처리된 특징을 지닌다. 기·승·전·결이 뚜렷하게 드러난다는 점에서 드라마틱한 요소가 담겨 있는 것으로 보인다. 이 작품 역시 낭만적 아이러니의 구조를 취하고 있다. 평온에서 불화로 상승에서 급격한 하강으로의 이른바 '파멸 구조'(한점돌의 지칭)로 이루어져 있는 것이다. 더구나 죽음으로 결말이 제시된 것은 주제 의식의 치열성을 반영한 것으로 보인다. 이것은 특히 살인, 방화, 약탈, 강간 등 당대 카프 소설들에서 발견되는 결말 처리와 방법상에서 유사성을 보여준다. 물론, 계급 투쟁의 문제로 초점이 모여 있는 것은 아니지만 적어도 그러한 흔적의 일면을 찾아볼 수 있다는 말이다.

무엇보다도 나도향 소설의 인물들이 대체로 단순한 성격을 지닌 평면적 성격을 많이 지녔음에 비해 이 작품에서 주인공 삼룡이가 입체적 성격을 지닌 것은 주목할 만한 일이다. 벙어리 삼룡이는 주인에게 순종하는 하인의 전형이면서도 분노하고 저항할 줄도 아는 또 다른 성격, 즉 입체적 성격을 지니고 있는 것이다. 처음에는 벙어리 삼룡이가 충직한 하인의 전형적 모습이지만 결말에 이르러서는 분노를 드러낼 줄 아는 폭력적 인물로 전이해간 데서 이 소설의 성격 창조의 개성적인 면이 드러난다.

또한 주인집 아들과 색시, 그리고 주인집 아들과 벙어리 삼룡이의 상대적 갈등과 이 세 사람의 삼각관계의 갈등은 이 소설의 극적 긴박감을 더해준다. 특히, 마지막에 '불'로서 분노와 저항심, 그리고 사랑의 정염을 함께 처리한 것은 크게 돋보이는 것이 아닐 수 없다.

3) 평가

이 작품에 대한 평가는 대체로 긍정적인 것들이 많다. '현실적으로 얻어질 수 없었던 사랑의 승리를 예술적 조형에 의해 증명'(김교선)했다든지, '줄거리의 개연성이 픽션으로서 낭만적이지만 리얼리티를 갖추고 있다'든지 하는 등의 평가가 그 한 예가 된다. 특히 이 작품은 신분 문제(머슴), 운명 문제(벙어리), 현실 문제(가난), 인간성 발견 문제(사랑의 자각, 자아 발견) 등을 포괄적으로 다루었다는 점에서 중요성이 놓여진다. 그리고 성격 창조의 입체성을 획득하였고, 극적 전개의 인과 관계에 타당성을 부여하였으며, 리얼리티를 확보하고 있다는 점, 그리고 상징적 매개물을 잘 이용('불' 처리 등)하였다는 점 등에서 작품으로서의 우수성이 드러나는 것으로 판단된다. 따라서 나도향의 대표작으로 보는 데 별 무리가 없을 것이다.

물레방아

1) 작품 개관

『조선문단』 11호(1925. 8)에 발표된 도향의 대표작 중의 한 편이다. 계급적 갈등의 요소가 드러나지만 이 문제보다는 인간 본능의 문제에 더 비중이 놓여 있는 것으로 보인다. 운명과 본능, 그리고 현실 문제가 복잡하게 얽혀서 작품의 긴장감을 더해 준다.

방원은 지주 신치규의 막실살이를 하는 사람인데 남의 아내인 지금의 처와 도망하여 살고 있는 사람이다. 그러나 방원의 처는 호강을 시켜 주겠다는 신치규의 유혹에 넘어가서 그와 내연의 관계를 맺게 된다. 신치규는 교활한 꾀를 내어 방원을 내쫓으려고 기도한다. 그러던 중 방원은 자꾸만 타산적으로 변해가는 아내를 구타하고 술을 마시고 들어 온다. 아내가 집에 없자 그를 찾아 나섰다가 물레방앗간에서 나오는 신치규와 아내를 발견하고는 신치규를 구타하고 마침내 감옥살이를 하게 된다. 출감해서 신치규와 아내가 동거함을 알고는 칼을 들고 복수하러 간다. 마지막으로 아내에게 같이 도망갈 것을 애원하지만 한 번 돈맛에 호강을 맛본 아내는 끝내 거절한다. 이에 격분하여 아내를 죽이고 자신도 자살하고 만다는 이야기인 것이다. 따라서 이 소설에 경제적인 빈궁의 문제에 따르는 계급적인 갈등과 함께 인간의 본능에 관한 리얼한 묘사가 두드러지게 나타난다. 인간의 야수성이 노골적으로 묘사된 것이다.

2) 구성과 특징

플롯 면에서 이 작품은 김동인의 「감자」와 유사한 구성으로 되어 있다. 특히 가난과 운명의 문제, 그리고 본능의 문제가 복합적으로 얽히면서 현실의 어두운 면모와 함께 인간의 추악성이 제시돼있다는 점에서 강렬한 주제 의식을 담고 있는 것이다. 마지막에 '죽음'으로 결말이 처리된 것도 유사하다. 김동인의 「감자」가 이해 1월에 같은 『조선문단』에 실려 있다는 점은 시사적인 일이 아닐 수 없다. 그러나 이 작품에서는 행위자 간의 관계가 삼각관계이고 행위자들이 프로타고니스트와 안타고니스트로 확연히 구별된다는 점에서 「감자」보다 능동적인 플롯을 취하고 있음을 알 수 있다. 가진 자는 가진 자대로 못 가진 자들을 수탈하고, 못 가진 자는 그들대로 가진 자를 이용하려는 본능적 계급 의식의 면모가 드러난다.

그러나 이 계급 의식은 그 자체에 초점이 놓여 있지는 않다. 빈궁의 문제만 하더라도 그에 대한 구체적인 언급이나 묘사가 제시돼있지 않다. 다시 말해 가난 자체가 고통의 핵심은 아닌 것이다. 오히려 본능적인 육욕의 문제와 물질의 탐욕이 빚어내는 인간성의 타락 및 추악상의 제시에 초점이 맞춰져 있는 것으로 보이기 때문이다. 마지막에 아내를 찾아가 같이 도망가자고 애원하는 것도 '아내'가 '인간'으로 필요해서보다는 본능적인 질투심과 성 충동의 필요에 기인하는 것으로 보인다. 계급 의식을 강조했다면 신치규에 대한 복수와 증오에 더욱 초점이 놓여야 하며, 따라서 신치규를 죽이는 일로 마무리 지어야 할 것이기 때문이다. 아내는 방원과 신치규 사이에 인간으로 놓여 있는 것이 아니라 성 본능을 충족시키기 위한 도구로서의 의미를 지니는 것이다.

3) 평가

이 작품은 운명 문제(신분), 본능 문제(성 충동), 현실 문제(가난) 등이 상승적으로 작용함으로써 나도향 후기 작품의 특징을 선명히 제시해 주었다. 특히 성 충동의 문제를 삶의 가장 중요한 국면으로 이해한 것은 나도향 문학이 사춘기에서 완전히 벗어나 있음을 입증해 주는 심증적 자료가 된다는 점에서 중요성이 드러난다. 무엇보다도 '물레방아'라는 상징성을 활용한 것은 탁월한 성과로 판단된다. 물레방아가 인생의 덧없음을 표상하는 동시에 성행위의 동작성을 암시해 주기 때문이다. 마치 「벙어리 삼룡이」에서 불이 분노와 사랑의 정염의 상징으로 활용됐던 것과 유사하게 「물레방아」에서도 '물레방아'가 인생과 성 본능을 표상한다는 점에서 이 작품의 문학적 향기가 단연 돋보이는 것이다. 계급 의식과 본능 문제를 다루면서도 그것이 추악하게 느껴지기보다도 낭만적으로 받아들여지는 것은 바로 이러한 문학적 상징을 활용했기 때문인 것이다.

꿈

1) 작품 개관

『조선문단』 13호(1925. 11)에 게재된 작품이다. 후기작 중에서 육감적, 본능적 체취가 덜 풍기는 작품이다. 그러나 임실의 죽음으로 결말 부분을 처리한 것은 다분히 운명론적인 세계 인식의 태도를 반영한 것이다.

부유한 과부의 외아들이자 주인공인 '나'는 19살이 되던 해 어느 날 하학길에 마름의 집에 들렀다가 마름의 딸 임실을 만나게 된다. 그날 이후 임실은 주인공을 사모하지만 신분의 차이를 앞세워 그것을 마다한다. 그런데도 임실은 자기의 혼처(늙수그레한 농부의 후실)를 거부하고 주인공을 사모하다가 상사병으로 죽게 된다. 임실이가 죽던 바로 그 날밤 그 시간에 임실은 주인공의 꿈속에 나타나 작별 인사를 하지만, 그것도 주인공은 거부한다. 그러나 주인공은 임실이가 죽었으며 그 시간이 꿈에 나타난 바로 그 시간임을 알고는 죄책감과 연민의 정에 괴로워한다. 그러던 어느 날 공동묘지를 찾아가 그녀의 무덤에 꽃을 놓은 뒤부터는 임실의 환영이 나타나지 않았다는 이야기이다. 비교적 사실적인 이야기이지만 전개 방식이 다소 환상적인 특성을 지닌다. 신분의 차이(지주 아들과 소작인의 딸)라는 전근대적인 관습의 차이 때문에 끝내 거리를 좁히지 못하고 끝난 임실의 짝사랑은 고대 소설의 한과도 통하는 것이며, 어쩌면 이것은 짝사랑에 번민하는 도향 자신의 갈등을 상징적으로 표현한 것인지도 모른다.

2) 구성과 특징

소설의 바탕이 되는 것은 신분 혹은 계층 간의 갈등이라는 현실 문제이지만, 이야기의 전개 방식은 사랑을 핵심으로 하기 때문에 환상적, 심리적인 특성을 지닌다. 현실 문제라는 사실성과 사랑 문제라고 하는 낭만성이 교차하는 작품이다. 현실적 갈등(신분의 차이)에 포인트를 두면서도 사랑의 갈등을 목표로 하기 때문에 다분히 비사실주의적 경향을 보여주는 것으로 이해된다. 특히 결말 부분에서 '꿈'을 삽입한다든지 마지막 부분에서 무덤에 꽃을 바친 이후로는 환영이 다시는 나타나지 않았다든지 하는 것은 고대 소설에서의 해원(解怨) 모티브와 관련지어 생각할 수 있을 정도로 환상적인 처리 방법인 것이다. 주술적 상징과 민간 신앙적 터부를 요소요소에 삽입한 것도 특이하다. (이 점에서는 윤홍로의 경우처럼 정신분석학적 분석 방법을 원용해 보는 것도 유익할 것이다).

3) 평가

후기 작품인 이 「꿈」에서 꿈이나 환상을 도입한 것은 초기 소설에서의 그것과 유사한 처리 방식이라는 점에서 관심을 끈다. 현실 문제를 다루지 못하고 꿈이나 환상으로 연결함으로써 일종의 현실 도피적인 양상을 보이는 것이다. 이 점에서는 도향이 프로 문학에 일종의 공감을 느끼면서도 전폭적인 지

지와 실천을 보일 수 없었던 것과도 관련된다. (평전 참조)

또한 결코 전투적, 저항적 강골을 지니기에는 너무나 섬약한 도향의 문학 청년적 기질에 연유하는 것일 수도 있다. 소재를 발견하는 뛰어난 능력이 있음에도 이것을 과감하게 형상화하는 실천 능력과 용기가 부족했던 것이다. 특히 「벙어리 삼룡이」나 「물레방아」처럼 상징을 적절히 사용치 못한 것도 실패의 원인으로 볼 수 있다.

'꿈'도 인생무상이라는 상징이 될 수는 있지만 그것 자체가 환상적이기 때문에 설득력이 부족한 것이 사실이다. 신분의 차이라는 현실 구조에 대한 투철한 부조리의 인식에 목표가 있는 것도 아니고, 사랑의 비극성 자체에 대한 탐구도 아니기 때문에 어정쩡한 결과에 이르고 만 것으로 판단된다.

뽕

1) 작품 개관

『개벽』 64호(1925. 12)에 발표된 도향의 대표작 중의 한 편이다. 도향이 죽기 얼마 전 발표된 이 작품은 경제적인 조건이 인간의 최대 최상의 척도임을 '안협집'이라는 여자를 통해서 드러내 준다.

정신이라는 인간적 요소가 거세되고 육체적인 것만이 영향력을 발휘하는 현실의 비리와 훼손된 윤리관이 제시된 것이다. 아편장이며 노름꾼인 김삼보는 집안은 돌보지 않고 떠돌아다니며 인생을 탕진한다. 그의 아내인 안협집은 남편의 무능과 무관심 속에서 몰래 몸을 팔아 생활을 하면서 남편의 노잣돈과 놀음 밑천까지 제공한다. 자신이 기르는 누에를 먹이려고 뽕을 훔치러 갔다가 뽕밭 주인에게 붙잡히지만 정조를 제공하여 풀려난다. 머슴 삼돌이도 안협집의 약점을 이용해 탐욕을 채우려 한다. 김삼보의 귀에도 이러저러한 소문이 들려 김삼보는 안협집을 닥달하여 실신시킨다. 그러나 안협집은 끝내 다시 일어나 공청 사랑에서 자면서, '목숨 다음으로 소중한 돈'을 모으고 억척스럽게 살아간다는 이야기인 것이다.

2) 구성과 특징

이 소설에서 가장 특징적인 것은 인물이다. 안협집은 '돈만 있으면 서방도 있고 먹을 것 입을 것이 다 있지'라고 생각하는 황금 제일주의자에 해당한다. 그렇기 때문에 그녀는 돈을 위해서라면 자신의 모든 것을 서슴없이 제공한다. 가난한 여자에게 자신의 모든 것이라면 정조밖에 더 있겠는가. 여기에서 안협집은 '열 오륙 세 적 참외 한 개에 원두막 속에서 총각 녀석들에게 정조를 빌린 것이나, 벼 몇 섬 돈 몇 원 저고리 한 벌에 그것을 빌리는 것이 분량과 방법이 조금 높아졌을 뿐이요 그 관념은 동일하였다.'라는 창녀적 인생관이 형성되는 것이다. 김삼보도 마찬가지이다. 자기에게 필요한 돈만 생기면 아내의 부정도 눈감아 버리는 이기적, 탐욕적인 무능자인 것이다. 삼돌이 또한 공짜로 안협집을 노리는 탐욕스런 인물로 묘사되어 있는 것이다. 이렇게 볼 때 이 작품은 물질과 본능에 따라 행동하는 야수적인 인간성을 묘사한 작품으로 생각할 수 있다. 또한 구성에 있어서는 「물레방아」나 「벙어리 삼룡이」처럼 비극적 결말을 취하지 않은 것이 특이하다. 그저 그런 속물적, 본능적, 야수적 인간상을 제시하는 데 목표를 두고 있기 때문으로 풀이된다. 인물들의 관심이 경제적 빈궁 문제 자체보다는 애욕적인 문제에 더 관심을 드러내고 있는 점이 바로 그것이다.

3) 평가

이 작품은 김동인의 「감자」와 여러 가지 점에서 유사성을 지닌다. 「감자」

가 비정상적 부부 관계를 바탕으로 송충이잡이, 감자 도둑질 등을 하면서 매춘행위를 하는 것이나 「뽕」의 그것이 서로 상관관계를 지니는 것이다. 그러면서도 전혀 인간적인 갈등이나 비탄을 드러내지 않는 것도 매우 유사하다. 이른바 인간의 야수성을 드러내는 자연주의적 인간관과 서로 통하는 것으로 볼 수 있다. 또한 경제적, 물질적인 척도가 정신적, 문화적 가치에 우선한다는 물질주의적 세계관을 드러내 준 것으로 해석할 수도 있을 것이다. 굳이 결말을 비극으로 처리하지 않은 것은 그러한 추악한 모습이 현실의 실상이라고 생각했기 때문인 것으로 풀이된다. 이 점에서는 도향의 또 다른 작품인 「지형근」이 대조된다. 그것은 몰락한 지주의 아들이 도시 노동자로 전락하면서 겪는 현실의 타락상 내지 추악상이 생생하게 드러나 있기 때문이다. 이 점에서 「뽕」은 후기 작품의 자연주의적인 인생관 내지는 물질주의적인 세계관을 선명하게 보여준 대표작이라고 생각된다.

참고 문헌

구인환, 「현진건과 나도향의 소설고」, 서울대 논문집 『인문·사회과학편』 20집, 1975.

김경희, 「나도향 연구」, 연세대 교육대학원 논문, 1977.

김영화, 「도향 소설 연구」, 제주대 논문집 7집, 1975.

김우종, 「나도향론」, 『현대문학』 95~6호, 1962. 11~12.

백 철, 「신문학 사조사」, 『백철문학전집·4』, 신구문화사, 1974.

윤홍로, 『나도향 작품집』, 형설출판사, 1978.

이인복, 「나도향론」, 『현대문학』 180호, 1969. 12.

이재총, 『한국현대소설사』, 홍성사, 1979.

임종국, 「한국 문학의 사회사」, 『정음문고』 32, 정음사, 1979.

전문수, 「나도향 소설 연구」, 계명대 대학원 논문, 1979.

채 훈, 「거듭된 오류와 새 입론」, 『문학사상』 9호, 1973. 6.

한상옥, 「나도향 소설의 문학적 성향에 관한 연구」, 경희대 교육대학원, 1975.

한점돌, 「나도향 소설 구조와 그 배경 연구」, 서울대 대학원 논문, 1981.

자 료

『개벽』, 『백호』, 『조선문단』 등 작품 수록 잡지.

한국문학 속의 민중의식 연구

— 민중시를 중심으로

金載弘 著

1990年

한국정신문화원

차 례

Ⅰ. 기초적 고찰

1. '민중'의 개념

'80년대 들어서 가장 광범위하게 쓰이는 말 중의 하나가 아마도 '민중'이라는 용어일 것이다. 민중종교·민중문학·민중문화·민중시·민중미술 등과 같이 문화예술의 전 영역에 걸쳐 사용되다시피 하고 있는 이 용어에 관해서 이미 다양한 논의가 있어왔다.

지금까지 민중에 관한 논의는 주로 문학 혹은 예술 분야에서 활발하게 이루어지고 있으나, 사회학·역사학·신학 쪽에서의 접근도 아울러 시도되고 있다. 그러나 거듭되는 논의에도 불구하고 '민중'의 개념 즉 '민중이란 무엇이며 또 누구인가'라는 점은 아직 명확하게 제시되지 않고 있는 실정이다. 이러한 논의의 어려움은 '민중'이란 개념 자체의 복합성에서 기인되는 것이지만, '민중'을 실천이념으로 끌어안고 그것을 운동 차원에서 파악하려는 속에서 자칫 빠지기 쉬운 '우상화' 현상과, 반대편에서 보여주는 민중 '불온시' 내지 '금기시'하는 태도 역시 올바른 논의를 어렵게 하는 요인들이다. 이 글에서는 위와 같은 일방적인 논의를 가급적 지양하고, 기왕에 민중 논의를 수렴하여 이를 근거로 현대문학의 흐름 속에서 드러나는 민중문학론의 전개 양상, 특히 시를 중심으로 개략적으로 훑어보기로 하겠다.

민중이란 무엇인가, 민중에 대응하는 서구어는 쉽게 발견되지 않는다. 민중이란 말이 흔히 mass(대중)이란 말과 유사한 듯하지만 양자는 구별된다. 민중이 우리 사회에서는 좀 더 자각적이고 적극적이며 행동적인 의미로 쓰이고 있음에 비해 대중은 단순히 양적인 의미로 사용되는 경우가 많기 때문이다. 또한 대중이란 말이 긍정적이라기보다는 부정적으로 사용되고 있기도 하다. 그것은 대중이 지니고 있는 무원리·무자각성 때문에 일종의 수동적 군중으로 파악되어 온 것이다. 그래서 대중문화가 가끔 이념의 정당화를 설득하는 수단으로 이용되기도 하며, 대중사회가 스스로 절대적인 지배를 자초하기도 한다.[1] 그런데 민중이란 말은 이와 같이 단순하며 부정적 의미의 양적 다수만을 뜻하는 것이 아니라 질적 개념이며 일종의 가치 지향적 의미를 띠고 있는 것으로 생각된다.

대중(mass)뿐만 아니라 '피플'(people), '파퓰러'(popular), '퍼블릭'(public), '시티즌'(citizen), '폴크'(Volk) 등등의 서구어들이 있지만, 어느 것도 민중이란 말과 엄밀하게 부합되는 것 같지 않다. 그것은 위의 용어들이 대체로 서구의 민주사회의 발전과정에 따라 그 개념이 점진적으로 확립돼온 데 비해, '민중'은 다분히 동양적 혹은 제3세계적 개념이라고 여겨지기 때문이다.[2]

그런데 민중의 개념을 좀 더 뚜렷이 하자면 지금까지의 논의를 살펴볼 필요가 있다. 민중의 성격과 개념을 규명하려는 작업은 여러 가지로 분류해 볼 수 있으나, 그 접근 태도에 따라 다음과 같이 나누어 보기로 한다.

첫째로, 정치·사회학적 관점인데 이 관점을 대표하는 사람은 한완상으로

---

1) 대중문화의 성격에 관해서는 박순영의 「대중사회와 대중문화」(『현상과인식』 2권 4호, 1978년 겨울호) 참조.

2) 언론인 송건호 역시 민중을 동양적 개념으로 받아들이고 있다. 「민중의 개념과 실체」(『월간대화』, 1976년 11월호) '좌담' 참조.

서, 그는 정치·경제·문화의 피지배 집단 혹은 소외계층을 민중이라고 파악하고 있다.[3] 따라서 민중에는 정치적 지배 관계에서 드러나는 민중과, 경제적 지배 관계에서 드러나는 경제적 민중, 문화적 지배집단에 대해서는 문화적 민중이 있게 되는 것이다.

둘째로, 경제학적 관점을 들 수 있는데 이에는 박현채의 견해가 대표적이다. 그는 민중이 경제적 의미에서 소외된 계층, 다시 말해 "경제적 관점에서 민중은 직접적 생산자이면서도 노동 생산의 결과, 즉 사회적으로 생산된 경제 잉여의 정당한 참여에서 소외된 광범한 사람들로 주로 구성된다."[4]고 하였다.

셋째, 이만열의 소론과 같은 역사학적 관점이다. 이 교수는 한국사의 흐름 속에서 민중의 개념을 도출해내고 있는데, '민중'을 "한국사에 보이는 민·농민·인민과 노비·노복·천민 등의 피지배 계층을 망라하는 어휘"[5]라고 풀이하였다. 한편 조동걸도 역사학적 관점에서 민중의 성격을 검토하고 있는데, 그는 '민중'을 근대사회와 더불어 형성된 사회계층이라고 전제하고 있다. 즉, 봉건사회에서도 신분적 계급에 따라 서민이 있었지만, 그것은 사회계층으로서 역사 발전에 추진력을 발휘할 만큼 조직적이지 못했음을 지적하고, 민중이 나타나는 것은 위와 같은 서민이 사회 구조상의 모순을 의식하고, 자기 위치를 자각하여 그 모순에 도전하는 계층으로 성장했을 때이며, 역사적으로는 봉건사회의 붕괴와 근대사회의 형성이 진행되는 시기라고 주장하였다.[6]

넷째, 지금까지 논의와 달리 민중을 성서 신학적 입장에서 파악한 학자들이 있다. '민중은 민족사를 열 주체'로 파악하고 있는 서남동(徐南同)은, 다음과 같이 민중의 성격을 규정했다. ①인간성이나 인간적이라는 말 대신 민중

---

3) 한완상, 「민중의 사회학적 개념」, 『문학과지성』 1978년, 가을호.
4) 박현채, 「민중과 경제」, 『한국민중론』(한국 신학 연구소, 1984) 226쪽.
5) 이만열, 「한국사에 있어서의 민중」, 유재천편, 『민중』 66쪽.
6) 조동걸, 「식민지 사회구조와 민중」, 『한국민중론』 180쪽.

이나 민중적이라고 쓴다. 민중은 집단적 개념이며 사회의 기본단위이다. ② 민중이란 말은 백성, 시민, 프롤레타리아와 구별된다. ③민중은 외세의 침략에 저항하면서 민족의 주체성을 찾으려고 투쟁한 제3세계의 세력이다.[7] 서남동이 민중을 백성, 식민, 프롤레타리아와 구별된다고 강조한 점은 주목될 만하다. 여기서 그가 백성·시민과 민중을 구별하는 데는 납득할 수 있었지만, 프롤레타리아와 민중이 어떻게 다른가는 충분히 해명하지 못한 듯하다. 김용복도 기독교적 전통과 관점에서 민중을 이해하고 있는데, 그는 "민중은 항구적인 영원한(종말론적) 역사의 실체"[8]이고, 또한 "민중은 역동적이고 변화하고 복합적인 살아있는 실체(mature)이기 때문에 그리 쉽게 설명되거나 정의될 수 있는 개념이나 대상이 아니다"라고 했다.[9]

다섯째로는 전서암(全瑞岩)으로 대표되는 불교적 관점의 민중 논의가 있다. 전서암 역시 김용복과 마찬가지로 민중은 다수이며 성격적으로 억압자 혹은 가진 자의 의도에 어느 정도 희생당하는 비특권 계층을 의미한다고 하고, 중생이 보살정신에 의해 적극적이고 행동주의적으로 나타나고 역사적 현실에서 구체화할 때 그것이 바로 민중이라고 하였다.[10] 김지하의 경우는 엄격히 불교적 관점이란 할 수 없지만, 불교의 중생관과 민중종교의 후천 개벽사상 등의 관점에서 민중을 바라보고 있다. 그는 "민중이란 살아 움직이고 있는 끊임없이 살아 움직이고 있는 생명체이므로 절대적 규정을 할 수 없다"[11]고 했다. 다만 그가 말하는 '생명의 세계관'에 입각하여 생동성 있게 인식하고 '실천하는 모색 과정 가운데서 민중의 실체가 역동적으로 드러날 수 있다'고 하였다.[12] 여기에서는 '생명'의 모호성이 문제로 남는다.

---

7) 서남동, 「'민중'(씨올)은 누구인가?」『민중』 87~104쪽.
8) 김용복, 「메시아와 민중」『민중』 105쪽.
9) 김용복, 「메시아와 민중」『민중』 106쪽.
10) 전서암, 「민중의 개념」, 『월간대화』 1977년, 10월호.
11) 김지하, 「생명의 담지자인 민중」, 『밥』(분도출판사, 1984) 129쪽.
12) _____, 같은글.

여섯째, 심우성,[13] 김열규,[14] 조동일 등에 의한 민속학적 접근이 있었다. 특히 조동일의 '민중·민중의식·민중예술'은 민중이란 말이 어떤 역사적 변천 과정을 거쳐 왔는가를 치밀하게 검토하고 있어서 주목을 요한다. 그는, 민중은 "소수의 집권층과 구분되는 다수의 예사 사람을 한꺼번에 지칭하면서 그 주체적 성향과 집단적 행동을 부각시키는 용어"로 정의하고 구체적으로 "사회 집단으로서의 민중은 원래 '농(農)'을 위시해서 '공상(工商)'이 포함되며 '사(士)'도 그 처지에 따라서 민중의 일원일 수 있다"고 하였다.[15] 이는 기왕의 민중 논의에서 한 발짝 나아간 것임에 분명하지만, 오늘의 현실에서 볼 때 얼마만큼 유효성을 지닐까 하는 것은 과제로 남는다 하겠다.

마지막으로 문학 비평적 관점에서의 민중 논의를 들 수 있다. 70년대 이후 본격적으로 전개된 민중을 둘러싼 논의가 세찬 기세로, 그리고 심각하게 이루어지고 있는 분야가 바로 문학비평 쪽이다. 이는 '민중'이란 용어를 본격적으로 제기한 쪽이 다름 아닌 문학 분야인 탓도 있지만, 시대정신의 중심 테마가 되고 있는 이 용어가 문학 이론, 비평이론의 깊은 영역에 침투해 있기 때문이다. 중견 비평가인 김주연은 민중이란, 그 실체는 대중이고 사실상은 지식인의 관념의 그림자라고 하면서 민중의 실체성에 대해 회의를 표하고 있다. 때문에 그는 '대중'의 실체를 인정하고 '민중'을 실체 아닌 방법 정신으로 인정함으로써 문학의 민주화를 향한 정직한 방법론을 개발할 수 있으리라고 전망하고 있다.[16]

이러한 논리는 발터 벤야민, 호르크하이머, 아도르노 등의 프랑크푸르트학파로 대표되는 '대중비관론'이 퇴조하고 콘 하우저(Konhanser) 같은 '대중낙

13) 심우성, 「민속문화와 민중의식」, 『뿌리깊은 나무』 1978. 6.
14) 김열규, 「한국민속과 민중」, 『한국의 민속문화 : 그 전통과 현대성』(한국정신문화연구원, 1979)
15) 조동일, 「민중·민중의식·민중예술」, 『한국설화와 민중의식』(정음사, 1985년) 305쪽.
16) 김주연, 「민중과 대중」, 『한국민중론』 38~39쪽.

관론'이 점증되고 있는 서구의 사조를 주된 바탕으로 하고 있는데, 한국적 상황에 대한 조명이 불충분한 듯하다. 그리고 '민중'을 지식인의 관념적 투영으로만 본 것 역시 문제점으로 남는다 하겠다.

이와 달리 염무웅은 이 시대가 다름 아닌 '민중의 시대'라 잘라 말하고, "민중은 그 역사의 실체가 자신을 민중으로 각성하는 정도에 따라 내용이 주어지게 될 말"[17]이라는 견해를 내놓았다. 또 "민중이 역사의 주인이라는 말이 아직은 역사적 현실의 표현이기보다는 가능성의 표현에 불과하다."[18]고 함으로써 민중이란 개념 속에 가치 지향적 요소가 짙게 드리워져 있음을 시사하였다.

한편, 백낙청은 '민중은 누구인가'라는 글에서, "민중을 소수의 지도자 또는 지배자가 아닌 다수의 국민 정도로만 풀이해 놓으면 그 이상의 정의가 필요없게 된다"고 하면서, 역사적 상황에서 민중이 실제로 처했던 위치를 면밀하게 살피면 민중의 실상이 드러날 수 있다고 하였다.[19] 이러한 소박한 관점이 오히려 설득력을 지닐 수 있는 것은 지금까지의 일부 논의가 민중 현실-과거에 처했던 상황을 포함하여-을 도외시한 채 개념적인 파악에 급급하여 민중의 성격을 올바르게 이해하지 못하고, 오히려 혼란만 불러일으킨 경우가 종종 있었기 때문이다.

이제 논의에서 민중의 윤곽이 어느 정도 드러났다고 할 수 있지만 여러 가지 합의되지 못한 문제점들이 남아 있다. 우선, 민중을 개념적으로 정의하는 것 자체가 불가능하거나 회의적이라는 의견이 있다. 여기에는 주로 종교적 관점에서 민중을 다룬 논자들이 포함된다. 그러나 결국 그들도 나름대로의 민중관을 피력하고 있으며, 사회과학 분야에서는 과학적 정의가 가능하다는 주장이 지배적이기 때문에 개념적 정의가 전혀 불가능한 것이라고 판단되지는 않는다.

---

17) 염무웅, 『민중시대의 문학』(창비사, 1979) 3쪽.
18) *Ibid.*, 4쪽.
19) 백낙청, 「민중이란 누구인가」

둘째로, 민중은 실체가 아니라 관념이거나 이념적 합의에 불과하다고 주장하는 이도 있다. 이는 김주연의 주장에서 드러나는 것인데, 자칫하면 지금까지의 민중 논의를 일거에 무화시키는 논리이다. 그는 "민중은 역사의 발전과정에서 오랫동안 소외당해온 피지배계층과 깊은 관계를 갖고 있는 사회적 연상으로서 떠오르고 있는 것"(가점 필자)[20]이라고 했다. 그렇다면 역사상 소외되어 온 피지배계층이란 현재에는 존재하지 않는, 그리고 한낱 '연상'에 불과한 것이 된다. 또 "시민혁명 이후 근대 자본주의 사회가 형성되면서 '민중'이라는 표현은 '시민'이라는 표현속으로 함축되었다."[21]고 주장하고 있으나 그것은 서구의 예가 아닌가. 그는 '대중'이란 말이 지닌 실체성과 소위 '대중낙관론'을 강조한 탓으로 민중이란 말이 지니고 있는 실체성을 부정해 버리고 있음이 지적된다. 대부분의 논의에서도 나타났듯이, 민중이란 실체를 지칭하는 동시에 거기에는 일종의 가치 혹은 이념이 부여된 개념으로 보는 것이 온당할 것이다.

셋째로, 민중을 자각된 주체로만 한정하느냐 아니냐는 문제이다. 이는 섣불리 단언하기 어려우나, 스스로 민중임을 자각하고 있지 못한 사람들도 일단 민중의 범위에 포함시켜야 될 것이라고 생각된다. 다만 민중 가운데서도 그 자각성 여부에 따라서 즉자민중(卽自民衆)과 대자민중(對自民衆)으로 나눈다거나,[22] 조동일처럼 '생활로서의 민중'과 '의식으로서의 민중'[23]으로 나누는 것은 가능할 것이다. 과거 허균은 민중을 '항민(恒民)', '원민(怨民)', '호민(豪民)'[24]으로 나누기도 했다. 다만 이러한 분류는 민중의 성격을 좀 더 분석적으로 파악하기 위한 것이어야지, 어느 민중이 참민중이라는 선민의식으

20) 김주연, 「민중과 대중」, 유재천편, 『민중』(문학과지성사, 1984) 77쪽.
21) *Ibid.*, 77쪽.
22) 한완상, 『민중과 지식인』(정우사, 1978) 15쪽.
23) 조동일, 『민중·민중의식·민중예술』(정음사, 1985)
24) 허균, 『허균전집』, 대동문화연구원영인, 권 11.

로 나아가서는 아니 될 것이다. 왜냐면 자각하지 못한 민중들의 몽매함 그 자체는 자각한 민중보다 심각한 소외의 결과일지도 모르기 때문이다.

넷째, 지식인도 민중인가 하는 문제이다. 이는 지식인 계층이 지닌 복합적인 성격에서 기인한다. 이 점에 대해 한완상은 지식인에는 지배 엘리트의 일부로 통합된 '지식기사'와 민중의 권익을 위해 노력하는 '지식인'이 있다고 하면서, '지식인'은 대자적 민중의 일부가 된다고 하였다. 또한 백낙청, 송건호, 박현채, 정창렬 등도 지식인을 민중의 일부로 보았다. 지식인이 매우 유동적인 성격을 지니고 있기는 하지만 지식을 반민중적으로 악용하거나, 민중을 억압하는 지배계층을 위해 직접·간접으로 기여하는 부류를 제외한 지식인, 즉 자신이 지닌 지식과 정보를 바탕으로 민중과 함께 사회적 모순을 시정하기 위해 노력하는 사람이라면 민중의 구성원으로 보아야 할 것이다.

마지막으로 민중을 계급적 개념으로 파악하고 이를 불온시하려는 태도가 있다. 이는 원형갑의 주장에서 드러나는바, 그는 "이론가로서의 마르크스가 내건 프로레타리아의 개념보다도 혁명 정치가 레닌의 그것에 훨씬 가까운 민중개념을 보게 되었다."[25]고 하였는데 이는 논란거리가 아닐 수 없다. 물론 여러 민중론 가운데에는, 민중이 겪고 있는 억압과 소외를 강조하는 가운데 사회주의적 계급개념과 중복되는 요소가 나타날 수도 있을 것이다. 그러나 대부분의 논의는 민족·시민·대중·인민 등등의 여러 유사개념을 포용하는 상위개념으로 파악하고 있는 것으로 보여지기 때문에, 민중개념을 그와 같이 좁은 의미로 받아들이는 태도는 납득하기 어렵다. 이제까지의 논의를 정리해 보자면, 우선 '민중'이라는 개념은 계급·민중·시민·대중 따위의 유사 개념을 포괄하는 유개념이라는 것과 '민중'이 곧 실체는 아닐지라도, 일종의 가치 혹은 이념이 부여된 실체라는 점을 전제로 하여,

---

25) 원형갑, 『월간문학』 1986년 2월호의 토론 참조.

① 민중은 민족을 구성하는 다수이며 민족사의 주체라는 점.
② 민중은 역사적으로 정치·경제·문학적 피지배계층 혹은 소외계층으로 존속해 왔다는 점 등을 제시할 수 있다.
③ 사회집단으로서의 민중에는 노동자, 농민을 근간으로 하여 구성되며, 지식인도 포함시킬 수 있다는 점 등을 제시할 수 있다.

여기에서 보탤 것은 민중의 개념 속에 포함되어 있는 당위적 명제인데, 이는 ②상태의 회복을 지향하는 것이 될 것이다.

이처럼 이 시대의 중심 어휘가 되고 있는 '민중'이라는 개념을 소박하게 평가하자면, 이제까지 막연한 상태로 언급되던 소외계층의 모습을 좀 더 구체적인 모습으로 파악해 보려는 노력의 일환에 다름 아닌 것이다. 따라서 우리는 민중개념을 지나치게 편협된 관점으로 파악하려는 태도는 그것이 어느 쪽이든 경계하여야 할 터이지만, 그 개념이 지닌 긍정적인 부분은 적극적으로 수용해야 될 것이라고 여겨진다.

2. 민중의식

민중문학이 무엇인가를 설명하기 위해서는 민중의식이 선결과제이다. '의식'은 단순한 감정이 아닌 일층 명료한 정신 현상을 지칭하는 것이다. 한편, '의식'은 서구어 conscious처럼 '어떤 일이나 대상에 대한 비교적 자각적인 생각'인 것으로 생각해 볼 수 있다. 역사의식에서의 의식이 역사에 대한 올바른 생각을 의미하는 것으로 받아들여지고 있다는 것이 그 예이다. 그런데, '군인의식' '선구자의식'이라고 할 경우에는 군인 혹은 선구자라고 스스로 느끼는 생각과 군인·선구자가 마땅히 가져야 하는 생각이라는 의미가 동시에 부여된다. 민중의식이란 말도 이와 같은 차원에서 이해할 수 있다. 즉, 민중의식이란 민중이 스스로 민중이라고 느끼는 생각이며, 마땅히 가져야 될 생각이라고 하는 것이다. 그러면 민중이 마땅히 가져야 할 생각이란 무엇인가. 그것은 물론 민중이 처하고 있는 현실에 대해 바르게 생각하는 것이 될 터이다.
그런데 모든 민중이 그러한 의식을 가지고 있다면 민중의 생각은 모두 민중의식이라고 부를 수 있겠지만, 현실적으로 모든 민중이 이 같은 민중의식을 갖고 있지 않기 때문에 문제가 생겨난다. 즉, 같은 민중의 생각임에도 불구하고 어떤 것은 민중의식이라 하고, 어떤 것은 민중의식이 아니라고 해야 될 것이기 때문이다.

참된 민중의식이 무엇인가를 알아보기 위한 방편으로서 민중의 각성 여부에 따라 갈라볼 필요가 있다. 민중을 갈라보는 것은 허균의 '호민론'에서도 발견된다.[26] 허균은 백성을 세 부류로 나누었는데, 항민·원민·호민이 그것이다. 항민이란 무식하고 천하며 자기 이익이나 권리를 주장하려는 의식이 없는 우둔한 민중이고, 원민이란 수탈당하는 계급이란 점에서는 항민이나 마찬가지인데도 스스로 착취 받고 있다는 사실을 깨닫고 그를 못마땅하게 여기는 민의 무리라고 했다. 이와 달리 호민은 자기가 받고 있는 부당한 대우와 사회의 부조리에 과감하게 도전할 수 있는 무리라고 했다. 허균이 말하는 호민은 바로 각성된 민중이고 항민은 각성되지 못한 민중이다. 원민은 요즈음 말로는 '소시민'에 해당한다고 할 수 있는데, 그 각성이 분명하지 못하거나 잠재적인 상태에 놓여 있는 경우가 되겠다.

한편, 한완상은 민중을 '즉자민중'과 '대자민중'으로 갈라보았다.[27] 그가 말하는 즉자적 민중이란 "자기가 민중이란 자의식을 갖지 못한 채 기존 구조의 틀 속에서 숙명적으로 살아가는 사람들로서, 자기들이 억울하게 지배당해 왔음에도 불구하고 그것을 가슴 아프게 생각하여 극복하려고 애쓰지 않는 민중"이며, "자기가 부당하게 빼앗겨 왔고 눌러 왔고 차별당해 왔음을 깨닫는

---

26) 허균, Ibid.,
27) 한완상, 『민중과 지식인』 (정우사, 1978) 15쪽.

다. 그리고 이 깨달음을 지연시켜준 지배세력의 허위의식의 정체도 날카롭게 꿰뚫어 볼 줄 안다. 그뿐 아니라 잘못된 기존 질서를 변화시키기 위하여 행동에 나설 줄 아는 이들이 바로 대자적 민중"이라고 한다. 조동일의 '생활에서의 민중'이라는 말과 '의식에서의 민중'이라는 말을 사용한 것은 이와 같은 맥락에 있다. 이렇게 볼 때 민중의식이란 허균의 '호민', 한완상의 '대자민중' 그리고 조동일의 '의식에서의 민중'이 가지는 의식으로써, 당연히 모순이나 부조리를 비판하고 그것을 극복하려는 의지를 가리키는 것이라고 규정할 수 있겠다. 그러나 이러한 의식에는 이르지 못하였더라도, 민중 자신이 생활하면서 느끼는 꾸밈없는 감정 역시 넓은 의미의 민중의식에 포함시킬 수 있으리라고 본다.

3. 민중문학의 내용과 형식

박현채는 민중문학이란 '민중에 의하여 만들어지고 민중에 의해 읽혀지고 노래 불려지고 전파되는 것이어야 하며, 민중을 위해 만들어지고 민중의 생활감정을 반영한 것이어야 한다'[28]고 했다.

이는 민중문학의 개념이라기보다는 그것이 성취해 나가야 할 이념태에 가까운 것이다. 오늘날 이러한 요건을 한꺼번에 만족시키는 작품을 찾아보기란 어려운 형편이다. 물론 과거 구비문학적 유산, 예컨대 민요·민담·판소리 쪽으로 눈을 돌린다면 사정이 달라질 것이다. 그러나 불행히도 그러한 양식들은 각종 제약에 의해 온전하게 계승되지 못한 탓으로, 현재 우리들이 접하는 문학이란 앞서 제시한 민중문학과 부합하기 어려운 것이다.

그래서 현실적으로 적용 가능한 민중문학의 개념을 제시하자면, '민중의식을 담은 문학'이라 하겠다. 이는 엄밀한 개념 규정에서 오는 불편함을 피하면

---

28) 박현채, 「민중과 문학」, 『한국문학』 1985년 2월호.

서 현실적 효용성을 얻기 위함이다. 만약 민중이 창작 주체이어야 한다는 것과 민중적 친화력을 지녀야 한다는 명제를 강조하게 되면 대부분의 우수한 문학 작품들도 비민중적 문학이 되거나 '민중 지향적'이라는 술어가 첨가되어야 하는 불편이 따른다. 그런데 문학에서의 민중의식은 어떻게 수용될 수 있을까. 문학에 담긴 민중의식 역시 우리가 흔히 말하는 역사의식과 같은 차원에서 이해된다. 다만 여기서 의식의 주체가 민중이라는 사실이 강조된다. 그것은 민중 자신이 처한 경제적·정치적 수탈과 억압 상태를 극복하려는 의지이다. 이러한 의식의 구체적인 모습은 다양할 터이지만, 다음과 같이 크게 범주화하는 것이 편리할 듯하다.

첫째, 농민과 농촌문제를 다루는 작품군을 들 수 있다. 농민은 생산 주체임에도 불구하고 언제나 수탈의 대상으로 남아 궁핍한 삶을 강요당해온 대표적인 민중의 모습이기 때문이다.

둘째, 도시 빈민과 노동자 및 산업화의 진행으로 인한 소외현상을 다루는 작품군도 민중문학에서 높은 비중을 차지하고 있다. 도시 빈민과 노동자들은 대부분 농민 출신이지만 서구식 자본주의의 유입, 식민지 수탈의 강화, 급격한 산업화로 인하여 저임금과 열악한 생활환경에 처한 소외계층으로 양적 증가추세에 놓여 있다.

셋째, 반봉건적 의식과 민주화를 지향하는 내용을 담은 작품군을 들 수 있다. 이 계열의 작품들은 민중 소외현상의 근본적인 원인이 사회구조의 모순, 즉 봉건적 잔재나 비민주성에 있음을 지적하게 된다.

넷째, 반외세와 민족자주의식을 담은 작품군이다. 이는 조선 말엽부터 오늘에 이르기까지 우리의 근대사가 동서 열강의 제국주의적 침략에 유린당해왔으며, 그 직접적인 피해자는 바로 민중 자신들이었기 때문이다. 그래서 민중들이 즐겨 부르는 민요, 특히 아리랑에는 이러한 외세에 대한 증오감이나 경계심을 일깨우는 내용이 많이 나타남을 볼 수 있다.

다섯째, 분단의 아픔과 통일에의 염원을 내용으로 하는 작품군이다. 그것은 민중들이야말로 분단과 6·25로 인한 가장 직접적인 수난을 입은 사람들이며, 오늘날까지 그 상처는 치유되지 않고 있을 뿐만 아니라, 여전히 그로 인한 유형·무형의 제약을 감수해야만 하는 사람들이기 때문이다. 그래서 이 작품들에는 분단으로 인한 민중들의 구체적인 상흔, 진정한 민족통일에 대한 소망을 담게 되며, 통일을 가로막고 있는 냉전 이데올로기에 대한 강한 거부감을 담게 된다.

그런데, 위에서 제시한 범주들은, 구체적인 작품 속에서는 여러 가지 형태로 결합되어 나타난다. 그 범주들은 독자적이라기보다는 어떤 형태로든 상호 인과관계를 맺고 있기 때문이다.

또한 위에서 제시한 범주들은 역사적 상황의 특수성에 따라 그 비중이 상대적으로 변동된다. 일제 초기에는 도시 빈민 및 노동자 문제보다 농민·농촌 문제가 더 많이 다루어졌으나, 최근에는 그 위치가 역전되고 있는 것이 그 한 예라 할 수 있다.

위에서 살펴본 민중문학의 범주들은 시의 경우에도 별 수정 없이 적용될 수 있다. 다만 시의 경우에는 형식과 방법론의 문제가 남아 있다. 그것은 민중의식에 걸맞은 형식과 방법론이란 무엇인가 하는 문제이다. 우선 고려해 볼 수 있는 것은, 민족형식 가운데서 민중 자생적인 양식이면서 오늘날까지도 그 이월가치가 인정되는 양식들과 그 양식들이 지닌 주된 미학 원리이다. 민요와 판소리, 그리고 근대민요 아리랑이 그 대표적인 예가 될 것이다.

따라서 진정한 민중시의 한 모델은 민중의식을 그 내용으로 하고, 민족(중) 형식과 그 미학 원리에 의해 형상화된 것이라 할 수 있겠다. 그러나 여기에는, 서구의 문학 양식이 우리 문학의 각종 영역에 깊숙한 영향을 끼쳐왔다는 사실을 감안해야 한다. 다시 말해 구라파 양식은 거부해야 할 대상이 아니라, 그것을 민족형식들과 함께 포괄해내야 할 대상이라고 믿는다. 그리고 어떤 문화적 산물이건 그것을 지탱하고 있는 사회 문화적 환경과 유리될 때는 참된 생명력을 지니기 어렵다는 사실을 염두에 두어야 한다. 지금 우리가 접하고 있는 대부분의 민족형식들은 조선 후기 농촌 공동체 사회를 그 토대로 하는 양식들이다. 따라서 그것은 대부분 유려하면서도 안정감 있는 4음보의 가락을 바탕으로 한다. 또한 그것은 창으로 구연되거나, 집단 가무, 혹은 각종 노동요의 형태로 불렀던 양식이란 점이다. 이러한 제반 조건들과 오늘날의 조건들 사이에 존재하는 차이점들을 진지하게 고려하지 않은 전통형식의 복원이란 그 의의가 감소될 수밖에 없을 것이다.

II. 근대적 각성과 민중의식의 성장

민중의식을 담은 문학을 민중문학이라고 한다면 그 연원은 역사적으로 훨씬 위로 소급될 수 있을 터이지만, 민중의 생활상과 민중의식을 적절히 형상화한 작품들이 뚜렷한 증대 현상을 보여주는 것은 조선 후기에 이르러서이다.

이같이 문학에 있어서의 민중의식의 성장은 임·병 양난을 경과하면서 주자주의 이데올로기에 의해 지탱되어 왔던 조선 사회가 그 자체의 구조적 모순을 급격히 노정하는 과정과 그 맥락을 같이하고 있다. 이 무렵의 사회적 모순을 해결하기 위한 노력은 크게 두 갈래로 나누어 볼 수 있는바, 그 하나는 실학파로 대표되는 지배계층 혹은 귀족층 내부의 각성이며, 다른 하나는 동학으로 대표되는 하층계급의 움직임이다.

문학을 중심으로 한 조선 후기의 각종 예술 양식에도 그러한 자각 현상이 적절하게 반영되어 있다.

'홍길동전', '춘향전'과 같은 국문소설, 정약용의 여러 한시 작품들, 박지원의 한문 단편들, 그리고 사설시조, 판소리, 민요, 탈춤, 동학 가사 등에는 당대 조선 사회가 처하고 있는 제모순상, 그리고 그것을 풍자 비판하면서 극복하려는 민중적 의지가 담겨져 있음을 볼 수 있다.

한편, 오랫동안 양반 사대부들의 취미생활이었던 문인화(文人畵)가 실경산수(實景山水)의 화풍으로 변모되는 미술계의 새로운 경험도 그러한 의식구조의 변천을 보여주는 증좌가 아닐 수 없다.

특히 '호질(虎叱)', '양반전(兩班傳)', '광문자전(廣文子傳)', '예덕선생전(穢德先生傳)'과 같은 박지원의 단편에는 걸인, 농민, 상인 등 당시 하층민이 작품의 주인공으로 등장하면서 양반계층의 허위의식과 무위도식을 신랄하게 비판하고 있어, 재래적인 반상개념에 대한 심각한 반성이 촉구되고 있음을 본다. 또 판소리 사설도 그 성격을 한 가지로 규정할 수는 없지만, 그것이 지니고 있는 발랄한 수사를 바탕으로 갈등하고 있는 시대상을 드러냈다.

그런데 이 무렵에 이르러서는 과거 오랫동안 귀족문학의 중심적 위치를 차지해 왔던 한시 장르에서조차 당시 민중이 겪고 있던 생활상을 숨김없이 반영하게 된다는 점은 주목할 만한 것이다. 이 같은 한문학의 성격 변화는 실학파와 '방외인(方外人)'[29]의 문학에서 두드러지게 나타나며, 개화기와 일제하에 우국 한시에 연결되는 것으로 여겨진다.

그중 실학파의 대표적인 인물이었던 정약용(1762~1836)은 그가 처한 시대적 모순을 극복하려는 노력의 일환으로 정치, 경제, 사회 전반에 걸친 혁신적인 개혁이론을 제시하는 한편, 당대 민중의 수난상에 깊은 관심을 갖고 그것을 많은 수의 한시 작품으로 형상화하였다. 「용산촌의 아전」이 그 대표적인 예이다.

> 아전놈들 용산촌에 들이닥쳐서
> 소뒤져 관리에게 넘겨주고는
> 소몰고 멀리멀리 사라지는데
> 집집마다 문에 기대어 보고만 있네
> 나으리 노여움만 막으려 하고

---

29) 임형택 교수의 용어임.

힘없는 백성의 고통 아는 자 없네
유월에 쌀을 찾아 바치라 하니
모질고 고달프기 수자리에 비할손가
기다리던 소식은 끝끝내 오지를 않고
만백성 서로 베고 죽을 판이네
구차하게 살자니 슬픈 일이고
죽은 자가 오히려 팔자 편하네
(……)30)

인용시는 문란해질 대로 문란해진 조선 후기의 조세제도, 지방관의 횡포, 가렴주구의 앞잡이 격인 아전들의 수탈행위 등등을 한꺼번에 드러내 주는 작품이다. 여기서 우리는 목숨처럼 중히 여기는 농우를 빼앗기고도 그저 '문에 기대어 보고만 있는' 농민들의 깊은 탄식을 들을 수 있다. 또한 '죽은 자가 오히려 팔자 편하네'라는 시구를 통해 이 같은 참상을 바라보는 다산의 연민과 깊은 분노를 엿볼 수 있다.

한편 김삿갓이라고 불리던 방랑시인 김병연(金炳淵, 1807~1863)도 당시 사회의 병폐를 통렬하게 풍자하는 한시를 많이 남겼다. 특히 그는 종래의 한시에서 찾아볼 수 없었던 비시적 요소, 즉 비속어와 음차표기(音借表記), 언문풍월 등을 뒤섞음으로써 한시가 지녀온 고답적인 형식과 전통을 서슴없이 파괴하면서 독특한 문학세계를 보여주었다.

가죽신에 두둑한 비단버선을 신고
서리밟고 집나서면 저물녘에 돌아오네
연초록빛 두루마긴 치렁치렁 땅을 쓸고

30) 원시(原詩)는 다음과 같다. 이타용산촌(吏打龍山村) 수우부관인(搜牛付官人) 구우원원거(驅牛遠遠去) 가가의문간(家家倚門看) 면새관장노(勉塞官長怒) 수지세민고(誰知細民苦) 육월새도미(六月塞稻米) 독통심정술(毒痛甚征戍) 덕음경부지(德音竟不至) 만명상침사(萬命相枕死) 궁생진가애(窮生儘可哀) 사자령가의(死者寧可矣)(…)

진홍빛 당부채는 하늘을 가리는구나
한 권 책을 겨우 읽고 율시를 떠벌이고
천만금 다쓰고도 돈쓸데를 또 찾는다.
권문세가 찾아가선 종일토록 굽신굽신
촌사람만 만난다면 의기양양하겠지[31]

「종일 머리를 조아린 손님」(진일수두객(盡日垂頭客))이라는 이 작품은 풍자와 야유를 통하여 양반의 허위에 찬 모습을 비판하고 있다. 시의 전반부에서는 치장과 외양이 그럴듯한 양반의 겉모습을 묘사하고, 뒷부분에서는 그의 실상을 대비시키고 있다. 즉 대단치도 않은 신분만을 내세워 행세하려는 양반의 허세를 노골적으로 야유함으로써 현실의 허위를 풍자하고 있는 것이다.

다음 시는 동음이의어를 활용한 풍자에 해당한다.

일출원생원(日出猿生原) 묘과서진사(猫過鼠盡死)
황혼문첨지(黃昏蚊簷至) 야출조석사(夜出蚤席射)

해돋자 원숭이 나오고
고양이 지나가니 쥐가 모조리 죽는구나
해질 무렵에는 모기가 몰려오고
밤이 되니 벼룩이 나타나 자리를 문다

의심할 바 없는 양반 풍자의 시이다. 외견상으로는 원숭이, 고양이, 쥐, 모기, 벼룩이 등장하는 별 뜻이 없는 언어유희처럼 보인다. 그러나 음과 훈을 주의해서 살피면 의도가 곧 드러난다. 본래는 원생원(元生員), 서진사(徐進士),

---

31) 원시(原詩) : 당혜금말수근면(唐鞋錦襪數斤綿) 답진청상부모연(踏盡淸霜赴暮煙) 천록주의장예지(淺綠周衣長曳地) 진홍당선반차천(眞紅唐扇半遮天) 시독일권능언률(詩讀一卷能言律) 재진천금상용전(財盡千金尙用錢) 주문진일수두객(朱門盡日垂頭客) 약대향인의기전(若對鄕人意氣全)

문첨지(文僉知), 조석사(趙碩士) 등의 양반들을 '원생원(猿生員)', ' 서진사(鼠盡死)', '문첨지(蚊簷知)', '조석사(蚤席射)'로 표현하여 동물로 비소화시킨 것이다. 이처럼 김립은 한시의 파격을 통해서는 당대 사회의 권위의식과 형식적 억압에 대한 부정과 비판의 자세를 보여주었다.

한편 19세기 중엽부터 조선 사회는 자체의 구조적인 모순뿐 아니라 외세의 침략에 무방비 적으로 노출됨에 따라 국가의 존립이 위태로운 지경에 이르게 된다. 일본과 청(淸), 그리고 러시아를 비롯한 서구 열강의 경제적 침투는 국가재정의 궁핍과 농촌경제의 피폐화 현상을 가속화하였다. 그중 일본 상인들에 의한 피해가 가장 막중한 것이었다. 물론 일본의 경제적 침략에 대한 대응조치로서 곡물의 수출을 금지하는 방곡령이 내려지기도 했지만, 일본 측의 강력한 항의로 효과를 거두지 못했다.

부패 관리에 의한 가렴주구, 그리고 외국 상인의 침투로 인하여 2중 3중의 착취에 시달리던 당시 민중의 분노는 동학농민혁명을 통해 표출되었다. 그와 같은 모순된 현실에 대한 분노와 일본 상인에 대한 적개심은 갑오년에 봉기한 동학농민군의 개혁요구가 '농민에 대한 부당한 경제적 수취를 중지할 것, 신분상의 차별대우 폐지, 일본과 내통하는 자를 엄징할 것' 등이었다는 데서 선명하게 드러났다. 비록 동학은 관군과 일본군에 의해 토벌되어 실패한 혁명으로 기록되고 있지만, 그 투쟁 과정을 통해 보여준 반봉건적 저항과 외세에 대항한 민족적 자각은 중대한 역사적 의의를 지니는 것으로 판단된다. 가까이는 갑오경장이 이 같은 동학혁명의 정신과 깊은 관련을 가지며, 3·1운동 역시, 동학을 계승한 천도교 측 인물들을 주축으로 촉발되었다는 점에서, 동학의 정신과 긴밀하게 관련되는 것이다. 또한 동학농민군의 잔류세력은 을미년(1895) 이후의 의병 활동 혹은 독립군과 결합되어 항일구국운동의 굵은 흐름을 이루었다는 점에서도 그 영향의 지대함이 다시 확인되는 것이다.

이와 같은 조선 후기의 민족적 수난과 민중의식의 각성을 보여주는 문학적 유산으로는 이 시기를 전후하여 형성된 근대민요 아리랑을 들 수 있다. 아리랑의 기본적 성격은 민중 생활의 고통을 토로하거나, 현실을 풍자 비판하고 모순에 적극적으로 항거하는 내용을 담고 있다는 것이다.

① 부잣집 곳간에 쌀도 많고
거리 거리에 거지도 많다.

② 산천에 올라서 들구경하니
풀잎에 매두매두 찬이슬 맺혔네

①은 '많지 않아도 될 것'을 대비해 보이는 아이러니를 통해 사회 전체가 궁핍화하고 있음을 풍자한 노래이다. ②는 단순한 서정민요처럼 보이지만 실상은 엄청난 고통을 노래한 것이다. 극도로 절제된 표현인 셈이다. 이 노래에서 '들구경'이란 토지를 빼앗긴 농민이 피땀 어린 전답을 두고 떠나가는 순간에 마지막으로 뒤돌아보는 안타까운 광경이다. 또한 그가 본 풀잎에 '찬이슬'이란 바로 쫓겨나는 농민 자신의 눈에 맺힌 '눈물'인 것이다.

이와 달리 '마구재 실갑에 양총매고/봉구재 고개로 접전가자'라든가 '할미성 꼭대기 진을 치고/왜(倭)병정 오기만 기다린다'와 같은 노래는 의병전쟁 당시 민중들이 부른 노래로서, 소극적 저항이나 울분의 토로에서 그치지 않고 적극적인 항거와 투쟁의지를 담고 있다.

한편 다음과 같은 '서울 아리랑'은 구한말의 일그러진 역사의 흐름을 한편의 노래 속에 압축적으로 반영한 것으로서, 이 시기 민중의 온전한 현실인식을 드러내 보이는 것이라 할 수 있다.

이씨(李氏)의 사촌(四寸)이 되지 말고
민씨(閔氏)의 팔촌(八寸)이 되려무나

남산(南山)밑에다 장춘단을 짛고
군악대(軍樂隊) 장단에 받드러 총만 한다

아리랑 고개다 정차장(停車場)을 짛고
전기차(電氣車) 오기만 기다린다

문전(門前)의 옥토(沃土)는 어찌되고
쪽박의 신세가 윈말인가

밭은 헐러서 신작로(新作路)되고
집은 헐러서 정거장되네

말깨나 하는 놈 재판소 가고
일깨나 하는 놈 공동산(共同山) 간다

아깨나 낳을 년 갈보질하고
목도깨나 매는 놈 부역을 간다

신작로 가상사리 아까시 낡은
자동차 바람에 춤을 춘다

먼동이 트네 먼동이 트네
미친놈 꿈에서 깨어났네

①절은 왕족인 이씨가 민씨 일파의 권세보다 못하다는 말이다. 이는 조선 왕조의 몰락을 예고하는 것으로써 그것이 민씨의 세도정치에서 비롯됨을 풍자한 것이다. ②절은 '받들어 총만' 할 줄 알았지 정작 해야 할 외적 방비는 하지 못하는 명목뿐인 신식 군대의 모습을 희화화하였다. ③·④·⑤절에서는 신작로, 전기차 등과 같은 신문물들이 삶에 혜택을 주는 문명의 이기가 아니라

민중의 생활기반을 앗아가는 술책에 불과하다는 사실, 즉 비자주적인 개화의 허구성에 대한 날카로운 깨달음을 보여주는 것이다. 그러한 허구적 개화는 필경 ⑥·⑦절에서 나타나는 것처럼 뒤틀린 사회상을 초래하고야 만다. 그것은 가장 정상적이어야 할 사람들이 수난을 당해야만 하는 비극적인 사회상이다. 그런데 이러한 비극적 상황 속에서 이득을 취하는 부류가 있으니, 바로 '자동차 바람에 춤을 추는/신작로 가장자리의 아까시 나무'이다. 이는 말할 나위도 없이 외세 추종세력, 곧 친일파일 터이며, 이 노래만을 그것에 대한 비판인 셈이다. 마지막 절의 사설은 '미친놈의 꿈'과 같은 그릇된 현실을 극복하고자 하는 적극적인 자세로 반전되어 있다. 이는 민중 스스로 한말에서 일제 초기로 이어지는 사회적 상황의 난맥상을 정확하게 깨닫고 있을 뿐 아니라 이를 극복해야 한다는 의지도 함께 갖추고 있음을 알려주는 것이다.

근대민요 '아리랑'의 항거와 저항의 양상은 개인적 소극적인 것으로부터 집단적 적극적인 것에 이르기까지 다양한 모습을 보여준다. 또 일제하에서는 '민중의 지하방송'[32] 역할을 하였으며 오늘날까지 살아있는 민요 중의 하나이다.[33] '아리랑'이 구한말에서 오늘에 이르기까지 현실을 풍자하고 고발하는 민중의식의 그릇 역할을 할 수 있었던 것은 그것의 형식과 의식, 그리고 전파과정에서 나타나는 민중성이다. '아리랑'에 담긴 노랫말은 바로 민중의 삶 그 자체에서 우러나온 것이었으며, 노랫가락은 비록 단순했지만 우리 고유의 율격을 바탕으로 이루어진 것이었다. 이 때문에 아리랑은 누구라도 쉽게 부를 수 있었을 뿐만 아니라 새롭고 다양한 체험을 담아낼 수 있었으며, 또한 전 민족의 애호를 받을 수 있었던 것으로 여겨진다.

32) 조동일의 용어이다.
33) 광복군 아리랑·통일 아리랑 등이 대표적인 예이다.

III. 민중문학론의 대두와 일제하 민중문학의 전개

1. 민중문학론의 대두와 신경향파의 민중시

앞장에서 살펴본 바와 같이 민중의식을 담은 문학적 전통은 이미 오래전부터 형성돼왔고, 그것은 내적·외적 요인에 의해 국가와 민족이 위기에 봉착하고 민중의 생존이 위협받는 시기에 이르렀을 때, 질적·양적 증대 현상을 보여주게 된다. 한편 민중이라는 용어가 쓰이기 시작한 것도 동학을 전후한 시기였다는 사실이다. 민중이라는 말은 과거에는 좀처럼 사용되지 않던 말이었다. 물론 당시부터 민중이라는 말이 오늘날과 같이 적극적인 의미를 지니고 있었던 것은 아니라고 본다. 다소 동적인 뉘앙스가 가미되긴 했어도, 종래에 사용돼오던 유의어 '서민(庶民), 민서(民庶), 인민(人民), 백성(百姓)' 따위와 마찬가지로 쓰여졌을 것이다.

민중이라는 말이 각종 사회운동 혹은 예술의 가치 지향적 개념으로 수용되기 시작한 것은 3·1운동을 전후한 시기가 아닌가 한다. 3·1운동이 실패로 끝난 1920년대 초에는 각종 사회운동 및 문화운동이 활발하게 전개되는데, 이는 3·1운동의 좌절과 그에 따른 새로운 각성, 그리고 3·1운동 직후에 취해진 조선총독부의 유화정책 등이 이러한 움직임의 계기가 된다. 또한 이 시기는 세계사적으로 볼 때, 1917년 러시아혁명의 성공과, 1차대전 후의 불안한 상황으로 인해 마르크스주의가 현대사의 전면에 대두되고 세계 각국으로 전파되기 시작한 무렵이었다. 이때까지 우리 정신사를 지탱해오던 민족주의 사상과는 이질적인 사상이 3·1운동 직후 급격히 수용되는 계기로 그러한 국내외적 상황의 변화와 밀접한 연관을 갖는다.

3·1운동이 실패한 후 '20년대 초부터 각종 사회운동은 지식인 위주로 전개돼오던 종래의 성격에서 점차 벗어나, 생산 주체이면서 억압 소외받고 있는 농민·노동자와 같은 민중을 지향하려는 변모가 뚜렷해졌다. 또한 당시의 계급주의 사상에 고무된 민중운동은 봉건주의적 잔재의 청산이라든가 근대자본주의 체제에서 소외된 다수의 국민을 옹호한다는 점에서 다분히 인도주의적 명분을 지니고 있었다. 뿐만 아니라 이 시기의 민중운동은 식민체제에 항거하는 독립운동의 성격을 동시에 지니고 있었다. 실제로 농촌계몽 운동, 여성운동, 형평운동 등과 같은 사회운동이 나중에는 일제를 대상으로 하는 항일 구국 운동화해갔던 것이다. 1920년대에 민족주의와 계급주의가 잠정적이나마 공존할 수 있었던 것도 바로 식민지 상태의 극복이 당시의 가장 시급한 과제라고 인식하였기 때문이다. 신흥문학으로서의 신경향파문학과 프로문학이 어느 정도 대중의 지지를 획득할 수 있었던 것도 이러한 조건들을 바탕으로 하는 것이다.

한국문학에서 민중문학론의 본격적인 전개는 계급주의 문학이 대두되기 시작한 1920년대 초반이라고 할 수 있다. 물론 문학 유파로서의 신경향파 출현 이전에도 『개벽』(1920. 6), 『조선지광』(1922. 11), 『신천지』(1921. 7), 『신생활』(1922. 7), 『신민공론』(1921. 5), 『공제(共濟)』(1920. 10) 등등의 잡지들이 쏟아져 나오면서 현실과 생활에 대한 전례 없이 깊은 관심을 보여주고 있었다. 특히 현철(玄哲)이 개벽지에 발표한 「문화사업(文化事業)의 급무(急務)로 민중극(民衆劇)을 제창(提唱)함」(1921. 4)이라든가, 김억이 로맹 롤랑의 신극 운동론을 번역한 「민중예술론」(『개벽』, 1922. 8~11)은 당시 문단의 분위기를 짐작게 하는 것이다. 당시 문학론의 성격은 팔봉의 다음과 같은 주장에서 엿볼 수 있다.

> 생활(生活)은 예술(藝術)이요, 예술은 생활이어야만 할 것이다. 생활(生活)의 예술화(藝術化)가 되지 안흐면 안될 것이요, 예술(藝術)의 생활화(生活化)가 되지 안흐면 안될 것이다. (……) 책상앞에서 맨들어낸 예술은 우리에게 무용(無用)한 것이다. 생명(生命)은 엄숙한 실재(實在)다, 우리는 이 실재(實在) 앞에 눈을 크게 떠야 한다. 수음문학(手淫文學)의 붓대라는 붓대를 잘라 없애야 한다.[34]

이 같은 팔봉의 언급 속에서 프로문학의 초기에 나타나는 '생활에 대한 관심'과 민중의식의 고조, 그리고 종래의 문학에 대한 강도 높은 비판의 자세를 살필 수 있다. 이 같은 주장과 함께 팔봉은 지식계급이 민중으로 파고드는 것이 지식계급의 유일한 그리고 최종적인 임무임을 강조했다.[35] 팔봉이 러시아적 민중주의인 V.Narod 운동과 앙리 바르뷰스에 의해 제창된 클라르테 운동에 근거한 일련의 민중 지향적 평필을 휘두르자, 박영희, 임정제 등이 이에 동조하면서 우리 문단의 커다란 세력권을 형성하게 된다. 이후 우리 문단에는 빈궁 계층을 다룬 작품이 무수히 쏟아져 나오게 된다. 소설로는 김기진의 「붉은 쥐」(『개벽』 1924. 11) 조명희의 「땅속으로」(『개벽』 1925. 3) 이익상의 「광란(狂亂)」(『개벽』 1925. 3) 이기영의 「가난한 사람들」(『개벽』 1925. 5) 주요섭의 「살인」(『개벽』 1925. 6) 최학송의 「기아와 살인」(『개벽』 1925. 6) 등

---

34) 김팔봉, 「떨어지는 조각조각」, (『백조』 3호, 1923).
35) 김팔봉, 「지식계급의 임무와 신흥문학의 사명」(『매일신보』 1924. 12. 4.).

이 이 무렵 신경향파 문학의 성격을 보여주는 것이다.

이와 함께 이상화의 시작들은 당시 민중문학의 뚜렷한 성과로 평가될 수 있을 것이다. 그는 1920년대 중반에 이르러 초기 『백조』파 시절의 감상적 시풍에서 벗어나 조국과 민족의 현실에 대한 깊은 애정을 보여주게 된다. 이상화의 시작 가운데 후기작에 속하는 「빼앗긴 들에도 봄은 오는가」, 「비음(緋音)」, 「통곡」, 「가장 비통한 기욕」, 「조선병」, 「비를 다고」, 「도쿄에서」, 「구루마꾼」, 「엿장사」, 「거러지」, 「빈촌(貧村)의 밤」 등은 저항시이자 민중시의 범주에 드는 작품들이다. 그중 「가장 비통한 기욕」은 식민치하의 민중의 삶에 대한 깊은 관심을 표현한 예이다.

> 아, 가도다, 가도다, 쏘처가도다
> 잊음 속에 있는 간도(間島)와 요동(遼東)벌로
> 주린 목숨 움켜쥐고, 쏘처가도다
> 진흙을 밥으로, 햇채를 마서도
> 마구나 가젓드면, 단담은 얽맬것을
> 사람을 만든 검아, 하로일즉
> 차라리 주린목숨 뺏서가거라
>
> 아, 사노라, 사노라, 취해사노라
> 자폭(自暴)속에 잇는 서울과 시골로
> 병든 목숨 행여갈라, 취해사노라
> 어둔 밤 말없는 돍을 안고서
> 피울음을 울드면, 셜음은 풀릴것을
> 사람을 만든검아, 하로일즉
> 차라리 취한목숨, 죽여바리라!

'간도 이민을 보고'라는 부제가 붙어 있는 이 작품은, 이상화의 후기 작품 가운데서 식민치하의 참상을 가장 절실하게 나타낸 작품이다. 일제의 억압과 수탈을 견디다 못하여 북만주로 쫓겨나는 민족의 참상을 이 시에서 새삼 확인하게 된다. 한일합방 이후, 일본인들의 대대적인 국내 진출, 특히 동양척식회사를 앞세운 무자비한 토지 수탈과 그에 따른 소작농 및 이농의 급격한 증대 현상이 이 시의 배경을 이룬다.

극에 달한 당대의 비참한 현실과 궁핍상은 '진흙을 밥으로, 햇채를 마셔도, 마굿간이나 가졌더라면 단잠을 얽맬것을'이라는 구절로 제시하였다. 그것은 삶의 영위 수단과 기반을 송두리째 약탈당하고 마침내 쫓겨나는 자의 마지막 탄식이다. 첫째 연이 유랑민의 비참상이라면, 둘째 연은 이 땅에 남아서 부질없는 삶을 지속할 수밖에 없는 퍼스나의 통탄이다. 그것은 '취해' 사는 것이거나 '자포' 속에서의 생명을 부지하는 것에 불과한 것임을 보여주고 있다. 더 이상 감내할 수 없는 상황에서 터져 나오는 울분의 표현이 '차라리 취한 목숨 죽여버려라'라는 자학적인 시어로 결부된다. 이 같은 절망과 자학은 이 작품의 한계로 지적될 수 있으나, 그것이 궁극적으로 자학이나 절망 자체에 머무르는 것이 아니라 현실에 대한 깊은 분노 혹은 일제에 대한 강력한 항의를 담고 있다는 점으로 이해되어야 할 것이다. 이로 볼 때 이 작품은 당대 민중의 수난상에 대한 통탄과 가열한 저항의지를 형상화한 것이라 평가될 수 있을 것이다.

시 「구루마꾼」, 「엿장사」 등도 그러한 식민지적 삶에 대한 분노를 담고 있다.

① 날마다 하는 남붓그런 이짓을
너의들은 예사롭게 보느냐고
웃통도 버슨 구루마꾼이
눈붉혀뜬 얼골에 땀을 흘리며
안악네의 압흠도 가리지 안코
네거리우에서 소흉내를 낸다

— 「구루마꾼」

② 네가 주는 것이 무엇인가
어린애게도 늙은이에게도
즘생보담은 신령하단 사람에게
단맛뵈는 엿만이 아니다
단맛넘어 그맛을 아는맘
아모라도 가젓느니 잇지말라고
큰 가새로 목탁치는 네가
주는 것이란 엇재 엿뿐이랴

—「엿장사」

이처럼 상화의 후기작에는 걸인, 노동자, 행상인 등 빈궁한 소외계층에 대한 옹호의 시선이 두드러지게 나타난다. 이른바 소외계층에의 경사이다.

시 ①은 구루마꾼의 비참한 모습을 묘사하고 있다. '웃통도 버슨 구루마꾼이/눈붉혀뜬 얼골에 땀을 흘리며'라는 구절 속에는 빈궁한 소외계층의 울분이 담겨져 있다. 특히 네거리 우에서 소 흉내를 내는 모습 속에는 식민치하에서 마치 마소처럼 혹사당하는 당시 우리 민족의 모습이 투영되어 있다. 이처럼 소 흉내를 내는 막노동자의 처절한 모습은 식민지하, 빼앗긴 자로서의 우리 민족의 대리 자아의 표상일 수 있기 때문이다.

시 ②도 마찬가지이다. 엿장수라는 하층 행상인을 택한 것 자체가 당시 고조되고 있던 사회의식의 반영이다. 엿장수는 '즘생보담은 신령하단 사람'에게 단맛을 날라주는 단순한 상인이 아니다. 엿장수는 그의 땀과 눈물을 통해서 노동의 신성함과 삶의 소중함을 일깨워주는 '목탁'의 역할을 수행한다는 강조적 의미가 담겨져 있는 것이다. '단맛넘어 그맛을 아는 맘'이 바로 그러한 휴머니즘 사상의 발현으로 이해된다. 여기에서 상화의 시를 계급의식의 고취로만 이해할 필요는 없다. 물론 상화는 이 무렵 카프와 관련을 맺고 '무산작가와 무산작품'[36] 등의 평론을 발표한 것이 사실이지만, 그의 작품에서 다루어지고 있는 빈궁자의 모습은 그것이 좌경이데올로기에의 추종보다는 휴머니즘의 표현이라고 보는 것이 옳다고 판단된다.

이것은 실상 한용운의 소설들에서 소작인, 농민 등이 당대 조선인의 표상이며, 그들이 저항한 악덕주의, 자본가가 일제를 상징한 것과 대응되는 사실로 해석할 수 있기 때문이다.[37] 따라서, 상화의 시에 나타나는 소외계층의 비참한 생활상과 울분은 가진 자, 착취하는 자로서의 일제에 대한 저항의식의 표현이자, 민족의식 또는 민중의식의 표출로 이해하는 것이 옳을 듯하다. 이 점에서 상화의 시에 등장하는 하층 소외계층의 빈궁한 삶과 울분은 항일민족의식 내지는 민중적 휴머니즘 정신의 한 표출이라고 여겨지는 것이다.

한편 이상화는 「비를 다고」(『조선지광』, 1928)과 같은 시편에서 수탈과 한발에서 시달리는 농촌의 피폐상을 형상화하였다.

사람만 다라워진줄로 알앗더니
필경에는 믯고믯든 한울까지 다라워젓다.
보리가 팔을 버리고 달라다가 달라다가
이제는 고라진 몸으로 목을 대자나 빠주고 섯구나!

반갑지도 안흔 바람만 냅다부러
가엽게도 우리 보리가 달증이 든듯이 뇌랏타
풀을 뽑너니 이랑에 손을 대보너니 하는 것도
이제는 헛일을 하는가 십허 맥이 풀려만 진다.
(…중략…)
다라운 사람놈의 세상에 몹슬 팔자를 타고 낫서
살도 죽도 못해 잘난 이짓을 대대로 하는 줄은
한울아! 네가 말을 안해도 짐작이야 못햇것나
보리도 우리도 오장이 다탄다 이리지 말고 비를다고!

---

36) 『개벽』 65, 66, 68호, 1926.
37) 졸저, 『한용운문학연구』(일지사, 1982) 소설론 참조.

보리는 일찍부터 민중들의 궁핍한 삶의 표상인 동시에 억센 생명력의 상징으로 받아들여져 왔다. 이상화는 그의 대표작에 해당하는 '빼앗긴 들에도 봄은 오는가'에서도 '고맙게 잘자란 보리밧아'라는 구절을 통해 이 같은 전통적 상징의 의미를 확인시킨 바 있다. 「빼앗긴 들…」에서의 '보리밧'이 겨울이라는 모진 시련 속에서도 꿋꿋하게 살아있는 민족혼 또는 민중적 생명력에 대한 깊은 감동의 표현이라면, 「비를다고」에서의 보리밭은 식민통치라는 인위적 수탈과 한발이라는 천연적 재앙으로 인해 빈사의 상태에 이른 농촌의 모습을 형상화한 것이라고 여겨진다. 특히 이 시에서 주목되는 것은 시의 화자가 농민이라는 점, 다시 말해 농민의 시점으로 육화된 목소리라는 점이다. '보리도 우리도 오장이 다탄다 이리지말로 비를 다고'라는 마지막 구절의 부르짖음은 바로 농민의 육성으로 들려온다. 이 점에서 이 시는 민중의 입장에 서서, 민중의 고통과 슬픔을 민중의 언어로 형상화한 민중시의 전범이 된다.

상화의 이러한 자세는 그가 「시의 생활화」(『시대일보』, 1926. 6. 30)라는 글에서 밝힌 '시란 것은 생활 속에서 호흡을 계속하여야 하며, 현실의 복판에서 발효하여야 한다'라는 주장과 표리를 이루는 것이 아닐 수 없다. 이러한 사실은 상화의 시가 관념적인 주제와 도식적인 구호로 가득 차 있던 당대 프로시보다 일층 감동을 줄 수 있는 근거가 된다.

이렇게 볼 때, 상화의 시는 소외계층으로서의 농민, 노동자 등 빈궁 계층의 고통스러운 삶을 폭넓게 다루고 있음을 알 수 있다. 그러면서도 그러한 소재들을 관념적으로 이해하는 오류를 범하지 않았으며, 위선적 포즈나 연민 혹은 단순한 동정심에 근거한 지식인의 센티멘털리즘과도 일정한 거리를 유지하고 있다. 오히려 농민과 노동자의 궁핍하고 고통스러운 삶을 있는 그대로 제시하고, 그들과 하나가 되어 그들의 분노와 울분을 가장 온전하게 형상화하였다는 데서 상화시의 본령을 찾을 수 있다.

2. 국민문학파의 민중시

1920년대의 문학에 있어서 '민중'이라는 가치가 오로지 신경향파와 프로문학 측의 전유물만은 아니었다. 이와 대척적인 위치에 있던 민족문학 진영 역시 '민중'을 지고의 가치로 여기고 그것을 작품화하려고 노력했기 때문이다.

주요한의 시집 『아름다운 새벽』(조선문단사, 1934)은 민족문학 진영이 이해하고 있는 민중문학관과 그 작품을 동시에 검토할 수 있는 예가 된다.

> 개념(槪念)으로 노래를 부르려는 이가 잇습니다. 더욱이 민중예술을 주장하는 이, 사회혁명적 색채를 가진 이중에 그런이가 잇습니다. (……) 첫째는 내가 의식적으로 데까단티즘을 피한 것이외다. '나'와 '사회'는 서로 떠나지 못할 것이외다. 그럼으로 엇던 한 적은 '나'의 행동이던지 '사회'에 영향을 주지 아늠이 업슬 것이외다. 나는 우리 현재 사회에 '데까단' 덕 병덕문학을 주기를 실혀합니다. …오직 건강한 생명이 가득한, 온갓 초목이 자라나는 속에 잇는 조용하고도 큰힘가튼 예술을 나는 구하엿습니다.
>
> 둘째로 자백할 것은 이삼년래로 나의 시를 민즁에게로 뎌 각가히 하기 위하야 의식뎍으로 로력한 것이외다. 나는 우에서도 말한 바와 가치 개렴으로 된 민즁시에는 호감을 가지지 안엇스나 시가가 본질뎍으로 민즁에 각가을 수 있는 것이라 생각하며, 그러케 되려면 반드시 거긔 담긴 사상과 정서와 말이 민즁의 마음과 가치 울리는 것이라야 될 줄 압니다. 그럼으로 이 책중에 '나무색이', '고향생각' 등에 모흔 노래는 이런 의미로 보아 민중에 각가히 가려는 시험이외다.[38]

여기서 살펴볼 수 있는 것은 민족문학 진영의 일원인 주요한이 1920년대 초반에 이미 사회 혁명적 운동의 일환으로 민중예술을 부르짖는 주장이 강하게 대두되고 있다는 사실을 수긍하고 있다는 사실, 그리고 다른 한편에서는

---

38) 주요한, 『아름다운 새벽』 (조선문단사, 1924)의 발문.

'사회'와 '개인'을 극단으로 분리하여 개인 속으로 함몰해 들어간 데카당적 문학 역시 이 시기 문학의 큰 흐름을 형성하고 있다는 사실을 알 수 있다. 그런데 주요한은 양자를 모두 부정하고 나섰다. 다만 그는 비록 '개념으로 된 민중시'는 부정하지만 시가는 본질적으로 민중에 가까울 수 있는 것이고, 그 자신도 민중에 다가가려는 시를 쓰기 위해 노력했다는 사실을 밝히고 있다. 그러면 주요한이 이해한 민중시란 어떠한 것이었을까. 그는 민중시가 '담긴 사상과 정서와 말이 민중의 마음과 같이 울리는 것이고 그것은 민요와 같이 간단한 어구에 많은 뜻을 포함하였고, 또 민중 생활의 보편적 경험을 주제로 한 것'이라고 설명한다.[39] 요컨대 그가 말하는 민중시란 민중적 정서와 민중적 감동을 지닌 것이라는 것이다. 주요한의 이러한 민중문학관은 서구 일변도로 전개돼오던 초기문단의 병적인 흐름에 비해서는 진일보한 것으로 여겨진다. 이러한 주장들이 실제로 주요한의 시에 어떻게 반영되고 있는가.

그의 작품들을 일별할 때, 대부분의 그의 시는 그의 시론과는 유리된 것으로 나타난다. 특히 「늙은 농부의 한탄」, 「채석장」과 같은 작품들은 그의 이른바 '민중에 가까이 가기 위한' 시에 해당함에도 불구하고 올바르게 민중의식을 형상화하지 못한 것으로 여겨진다.

팔자탄 것이 잇느냐고
아들놈이 그러지만
업다는건 거짓말이

지난해 풍년들어
곡식발 남앗단것
팔아서 호미사니
호미갑시 더 빗삿네

---

39) _____, 「신시운동」, 『동광』 제12호, 1927. 4.

(……)
핏집 볏집 로적가리
난데업는 불에 타니
불은 웬불인가
이것이 팔자의 불
(……)

—「늙은 농부의 한탄」에서

(……)
핑핑핑 최후의 일격이다. 준비는 다되엿다.
폭약은 장치되엇다. 불을 그어댈 사람은 나오라, 위대한 승리에 취할 사람은 나오라, 나오라, 나오라.
너름날 자연은 모도가 잠잠하게 불붓는 광경 잠잠한 것은 힘세다. 오 잠잠한 합창의 소리
너는 듯느냐 그 소리를 최후의 일격이다. 준비는 다되엿다
노래하자 태양아, 나무숩아, 흐르는 시내야, 올라가자 선구자야, 깨트려라 새길을
우리에게 주라, 위대한 힘을, 마글자 업든 힘을

—「채석장」에서

시 ①은 어려운 농촌의 현실을 노래한 작품으로 주목되지만, 농촌 궁핍상의 실상을 투시하지 못한 채 운명론적인 한탄으로 귀착되고 말았다. 또한 시가 견고한 이미지로 구성되지 못하고 평면적인 스토리의 나열에 그치고 있음에도 지적돼야 할 것이다.

시 ② 역시 격앙된 감정을 감당해 줄 구체적 상황의 제시가 결여된 탓으로 시적 긴장력을 전혀 획득하지 못하고 있다.

이처럼 그의 작품들은 그 자신의 비교적 적절한 방향설정에도 불구하고 실제에 있어서는 민중의 실상과 생활감정을 올바르게 담아내는 데 실패하고 있음을 볼 수 있다. 물론 이러한 작품들이 병적이고 퇴폐적인 내용과는 거리가

먼 것이지만, 그가 말하는 민중적 정서와도 거리가 먼 것이다. 이는 「나무색이」, 「고향생각」 등과 같은 민요풍의 작품에서도 마찬가지로 확인된다. 이들 작품에는 농촌과 전원의 모습이 제시되고 있지만, 그것은 물리적 배경에 지니지 않는다. 즉 민중의 생활상 혹은 객관적 상황에 대한 통찰이 배제된 수상적이고 낭만적인 현실인식만을 드러내고 있는 것이다. 이는 주요한이 본 당대의 민중적 현실과 민요의 정신이 퍽 피상적인 수준에 머물러 있었음을 짐작게 하는 것이다.

3. 석송과 소월의 민중시

우리가 1920년대의 민중문학을 고찰할 때, 민족주의, 계급주의로 대표되는 양대 흐름과 무관한 몇몇의 민중시인을 살펴보아야 한다. 석송 김형원과 소월 김정식이 이에 해당된다. 한때 '파스큐라'에 관계한 적이 있지만, 실제로 석송은 경향파 혹은 계급주의 문학에 적극 동조하지도 않았으며, 그렇다고 민족주의문학에 포함되지도 않은 시인이었음에도 불구하고 여러 모에서 민중적인 면모를 지닌 시인이었다. 그는 미국의 민중시인 월트 휘트먼의 시와 시작 태도에 영향을 받았던 것으로 보인다. 그의 작시 경향을 '민중적'이라고 부르는 것은 무엇보다 그가 반귀족주의, 평등주의, 그리고 동포애를 부르짖었기 때문이다.

> 예술(藝術)의 주인공(主人公)은 왕후장상(王侯將相)에 국한(局限)되고, 귀공자(貴公子)와 귀부인(貴婦人) 사이의 열정(熱情)만이 서정시(抒情詩)로 읊어지던 종래(從來)의 귀족적(貴族的) 문예(文藝)는 그 제재(題材)부터도 극단(極端)의 비타적(非他的)인 동시(同時)에 인생(人生)의 일국부(一局部)만을 영탄(咏嘆)·서술(敍述)함에 불과(不過)하였다.
>
> 그리하여 만인(萬人)에게 공감(共感)을 주어야 할 문예(文藝)로 하

여금, 일부(一部) 소위(所謂) 특권계급인물(特權階級人物)의 소일(消日)거리를 만들고 말았고, 영겁(永劫)에 생동(生動)하여야 할 문예(文藝)로 하여금 석양(夕陽)의 무지개같이 쓸쓸히 사라지게 하였다. 이제 예(例)를 든다면 고금(古今)에 유명(有名)하다하는 사옹극(沙翁劇)을 볼지라도, 제왕(帝王)이나 귀족외(貴族外)에는 극적(劇的) 운명(運命)을 가진이가 누구인가.[40]

석송이 여기서 힘주어 강조하고 있는 것은 '만인에게 공감을' 둔 반귀족적인 문학이다. 그것은 곧 평등하고 민주적인 문학을 의미하는 것으로, 우리의 초기 문단에서는 퍽 이채로운 주장이었다. 또한 그는 귀족주의를 인습주의, 배타주의, 비민주주의와 대응시키고 있기 때문에 그의 시는 진보적, 상호평등, 민주적인 특징을 지니게 된다. 시 「숨쉬이는 목내이(木乃伊)」(『개벽』 21호, 1922. 3)는 인습적인 것에 대한 그의 분노를 잘 나타낸 것이다. 그런데 그의 시적 세계관을 좀 더 소상하게 보여주는 작품은 아마도 다음과 같은 작품일 것이다.

…(전략)…
아, 지금은 새벽 네시!
나의 부모형제(父母兄弟)는 모다자고
나의 친구, 나의 원수
청년, 노년(老年), 남자(男子), 여자(女子),
나와 꼴이가튼 모든 사람은
비단이불에나, 거적자리에나,
제 각각 달고 쓴 꿈을 꿀제
…(중략)…
아, 지금은 새벽 네시!

---

40) 김형원(金炯元), 「민주문예소론(民主文藝小論)」(『생장(生長)』 5호(1925. 5.) 56쪽.

장래의 닭은 새날을 선언(宣言)하고
어데선지 갓난아이의 울음소리가 들린다.

아 새불! 새사람
새 생명(生命)의 춤터가 열니랴하는,
거룩한 새벽 네시!

—「아 지금은 새벽 네시」에서

이 시에서는 우선 '새벽'이라는 시간적 배경에의 석송의 정서가 과거로 향한 것이 아니라 미래지향적임을 직감할 수 있다. 또, '친구/원수', '청년/노력', '남자/여자', '비단이불/거적이불'이라는 현실의 대비는 한낱 외형적 대비일 뿐 모두가 꿈을 꾼다는 점에서, 궁극적으로 동등한 개체임을 강조하고 있다. 그러나 이러한 석송의 평등주의 정신이 당대 역사의 좌절 속에서도 적극적 의의를 지닐 수 있는 것은 아니다. 그것은 그의 평등주의와 민주지향적 정신이 현격한 편차를 지니고 있기 때문이다. 당시 우리 민중은 기본권은 물론 최저의 생존권마저 위협받고 열악한 일제하 민족현실 앞에서의 '평등', '민주' 외에는 원론적인 소망은 무의미한 것일 수밖에 없는 것이다. 여기에 석송의 시적 한계가 있다. 석송이 사숙하던 휘트먼이 미국의 민중시인이라고 불리워졌지만, 석송이 한국의 참된 민중시인이라고 불리워질 수 없는 것은, 이처럼 '석송이 본 민중'이 이 땅의 민중이 아니라 '미국의 민중'에 가깝기 때문일 터이다.

20년대 문단에 있어서, 민중문학의 한 빛나는 전범은 소월 김정식(1902~1934)의 시집 『진달래꽃』(매문사, 1925)에 실린 서정적 시편에서 찾을 수 있다. 소월은 어떤 유파에 가담하거나 '민중'을 소리 높여 외친 적도 없었지만, 그의 작품에 나타난 정서와 가락은 민중적 정감에 깊이 닿아있는 것이었다. 탁월한 현실 인식과 역사 감각, 즉 민중의식 선취에도 불구하고 민중적 현실을 도외시하였다는 경향과 시인들의 과오(?), 민족주의 시인들의 몰역사성과 관념주의, 그리고 석송의 비현실적 민중의식 따위를 소월은 일거에 극복하였다. 지금까지의 소월시에 나타난 주된 정서인 애상과 한이 개인적인 상실에만 연유하는 것으로 흔히 오독되어 왔으나, 그의 전 작품을 면밀하게 검토할 때, 그것은 오히려 민족 공동체의 아픔, 즉 식민지적 상황에서 기인된 것으로 여겨진다.[41] 소월시의 오독은 육화된 표현의 이면을 음미하지 않은 채, 그리고 그의 전 작품에 대한 조망 없이 접근해 온 탓이라 하겠다.

> 공중에 떠다니는
> 저기 저 새여
> 네 몸에는 털있고 깃이 있지.
>
> 밭에는 밭곡식
> 논에는 물베
> 눌하게 익어서 숙으러졌네.
>
> 초산(楚山) 지나 적유령(狄踰嶺)
> 넘어선다.
>
> 짐실은 저 나귀는 너 왜 넘니?
>
> ―「옷과 밥과 자유(自由)」

이 시는 소월의 현실인식이 이 짧은 한편의 가락 속에 소월은 당시의 현실을 이중의 아이러니로써 가장 적절하게 형상화하고 있다.[42] '공중에 떠 다니

---

41) 이 점에 관해서는 유종호 교수「임과 집과 길」『동시대의 시와 진심』(민음사, 1982) 및 필자의『한국 현대시인 연구』(일지사, 1986) 참조.

42) 여기서 '옷'과 '밥'과 '자유'가 있음에도 불구하고 떠나야만하는 현실이 작품 내적 퍼스나의 아이러니면, 작품외적 아이러니는 뻔한 사실을 묻고 있는 소박한 퍼스나의 사실을 보는 독자의 심중에서 일어난다.

는 새'를 보아도 '털과 깃'이 있고, 논밭에는 곡식이 풍성하기만 한데, 왜 짐을 싣고 떠나야만 하는가를 이 시의 퍼스나는 나귀에게 묻고 있다.

다시 말해 떠나가는 사람에 대한 반문을 통해, 옷과 밥과 자유가 있음에도 불구하고 헐벗음, 궁핍함, 그리고 압박받는 현실을 암묵적으로 상기시키고 있다. 자유와 옷을 가진 것은 '나' 아닌 '새'일 뿐이고, 논밭 곡식 역시 우리의 것이 아니기 때문에 떠날 수밖에 없다는 상황을 이같이 형상화한 것이다. 이러한 민족적 차원의 상실감이 그의 시를 관류하고 있는 정서이나, 소월은 그것을 서사적 전망에 의지하지 않고 대부분 고조된 서정적 호소나 독백에 의해 표현했던 것이다. 인용시 「옷과 밥과 자유(自由)」와, 「나무리벌 노래」, 「바라건데는 우리에게 우리의 보습 대일 땅이 있었다면」, 「물마름」과 같은 작품에서는 일제의 강점과 약탈에 의해 삶의 기반을 앗긴 채 떠도는 민족의 운명을 비교적 명료하게 제시하고 있다.

한편, 시 접동새는 예부터 내려오는 접동새 설화를 시화한 것으로 시의 모티브를 전통적 가족구조의 모순 혹은 가난에서 비롯된 여성의 불행한 죽음에 관한 토속적인 전통과 접맥되어 있다.

> 진두강(津頭江)/가람가에/살든 누나는//
> 이붓어미/싀샘에/죽엇습니다//
>
> 누나라고/불너보랴/
> 오오 불설워//
> 싀새옴에/몸이죽은/우리나라는//
> 죽어서/접동새가/되엿습니다//
>
> 아웁이나/남아되든/오랩동생을//
> 죽어서도/못니저/참아못니저//
> 접동/

접동/
아우래비접동//

진두강(津頭江)/가람가에/살든누나는//
진두강(津頭江)/압마을에/
와서웁니다//

옛날/우리나라/
먼뒤쪽의//
야삼경(夜三更)/남다자는/밤이깁프면//
이산(山) 저산(山)/올마가며/슬피웁니다//

— 「접동새」(사선 인용자)

그런데 우리는 이 시가 지닌 유장한 가락을 주목할 필요가 있다. 접동새는 그의 많은 민요풍의 시와 마찬가지로 아름답고 친근감 있는 형식을 갖추고 있다. 이 형식이야말로 소월시가 오늘날까지 줄곧 대중적 친화력을 유지할 수 있는 비밀스러운 요소 중의 하나이다. 그것은 우리 민요에서 흔히 발견되는 3음보의 율격을 새로 계승한 것이다. 이처럼 소월시는 친숙한 소재와 향토적 정서, 그리고 전통적인 율격을 독특하게 조화시킴으로써 민중적 성격을 획득한 것이다. 이로 볼 때, 소월시는 우선, 표면적으로는 그리움, 슬픔, 한 등 비극적 사랑의 정감으로 충만해 있으면서도, 이면에는 이 땅의 험난한 역사의 현실 속에서 삶의 어려움을 참고 견디려는 초극의 정신이 자리 잡고 있다는 점에서 형상화의 탁월성이 드러난다. 아울러 그는 서구편향 혹은 의식 과잉의 초기 시단에서, 한국적 정감과 가락의 원형질을 새롭게 계승하여 그것을 그의 시적 정서와 성공적으로 결합시킴으로써, 민중시의 한 전범이 되었다고 여겨진다.

한편, 소월의 「밧고랑우헤서」와 같은 작품은 노동의 신성함과 환희를 나타낸 작품으로 우리 시사상 그리 흔치 않은 작품이다.

우리 두 사람은
키놉피 가득 자란 보리밧 밧고랑우헤 안자서라
일을 필(畢)하고 쉬이는 동안의 깃븜이어,
지금 두 사람의 니야기에는 꼿치 필때.

오오 빗나는 태양(太陽)은 나려쪼이며
새무리들도 즐겁은 노래노래 불러라.
오오 은혜(恩惠)여, 사라잇는 몸에는 넘치는 은혜(恩惠)여,
모든 은근스럽음이 우리의 맘속을 차지하여라.

세계(世界)의 끗튼 어듸? 자애(慈愛)의 하늘은 넓게도 덥혔는데,
우리 두 사람은 일하며, 사라잇섯서,
하늘과 태양(太陽)을 바라보아라, 날마다날마다도,
새라새롭은 환희(歡喜)를 지어내며, 늘 갓튼 땅우헤서,

다시 한번 활기(活氣)잇게 웃고 나서, 우리 두 사람은
바람에 일니우는 보리밧 속으로
호미들고 드러갓서라, 가즈란히 가즈란히.
거러나아가는 깃붐어어, 오오 생명(生命)의 향상(向上)이어.

—「밧고랑우헤서」

많은 소월시가 저녁 혹은 밤이 배경으로 돼 있으며, 꽃, 새, 달, 비, 눈물, 낙엽, 무덤 등 부정적 하강적 분위기로 가득 차 있음에 비추어 이 시는 상이한 특색을 지닌다. 우선 배경부터가 '보리밧'이며, 시간은 태양이 빛나는 한낮으로 되어 있다. 이같이 한낮이 배경으로 된 것은 그것이 감성이 아닌 이성, 또는 체념이 아닌 의지를 바탕으로 하고 있음을 말해 준다. 든든한 대지사상(大地思想)과 정오의 사상이 어울린 노동에의 의지를 드러낸 것으로 이해된다. 일하는 것에의 만족, 노동에 기쁨을 느낄 수 있을 때 태양은 빛나며 노래가 즐거울 수 있고, 살아있음이 은혜로울 수 있는 것이다. '우리 두사람은 일하며,

사라잇섯서'라는 구절 속에는 삶의 기쁨이 바로 노동의 기쁨에서 찾아진다는 확고한 신념이 담겨 있는 것으로 보인다. '늘 갓튼 땅우헤서' 하늘과 태양을 새롭게 바라보면서 일하는 기쁨, 살아있는 기쁨을 추구하는 능동적인 자세야말로 대지에 뿌리박은 건강한 노동의 사상이 아닐 수 없다. 제4연에서는 이에 대한 더욱 확고한 신념과 의지가 나타난다. '다시한번활기(番活氣)잇게 웃고나서/우리두사람은/바람에 일니우는 보리밧속으로/호미들고들어갓서라 가즈란히 가즈란히'라는 구절 속에는 노동의 사상이 더욱 구체적으로 표출되어 있다. 건강한 노동의 탄력과 흙의 서정, 그리고 목숨의 강인한 의지가 서로 어울려 인간과 자연의 교향시를 형성하는 것이다. 따라서 '거러나아가는 깃븜이어, 오오생명의 향상이어'라고 하는 결구를 통하여 노동의 철학을 완성하게 된다. 노동을 통한 삶의 고양과 상승을 강조하는 이 건강한 노동의 사상, 향상의 철학이야말로 소월시에서 간과하기 쉬운 부분인 것이다. 실상 이 땅의 험난한 역사를 슬기롭게 극복해 온 힘은 이러한 강인하고 굳센 노동의 사상에 뿌리를 둔 민중적 생명력이 아닐 수 없다.

4. 만해와 심훈의 민중시

식민지 시대의 시인들 가운데 만해와 심훈은 특징적인 인물들이다. 그것은 만해의 시집 『님의 침묵』이나 심훈의 시집 『그날이 오면』이 일제하 우리 시의 정점에 놓이는 것임에도 불구하고 당대 문단의 주목을 받지 못했을뿐더러 그들 스스로도 시인이라고 내세운 바가 없었기 때문이다.

더욱이 만해의 경우는, 문인으로서 특별히 문단 활동을 전개하지 않았다. 『개벽』 등에 시조를 간간이 발표했을 뿐 문예지나 동인지 등에 일체 관여한 일이 없었다. 만해의 문학 활동으로서는, 시집 『님의 침묵』이 시작 활동의 시초이자 결산에 해당하며 30년대에 조선일보 등에 「흑풍」 등의 장편소설을 연재한 것이 전부라 할 수 있다. 따라서 일제하에서 그에 대한 평론이나 연구는 거의 행해지지 않았던 것이다. 그는 문인이라기보다는 독립투사이자 민족운동가 혹은 진보적인 불교사상가로서 받아들여졌다.

만해의 사상은 입체적이고 다면적이다. 그의 사상의 기저를 이루는 것은 불교사상이며, 이를 근거로 그의 독특한 불교사상이 전개되는데, 그의 독립사상은 다시 자유사상, 평등사상, 민족사상, 민중사상 등의 갈래로 나누어진다.[43] 그중 민중사상은 민족사상과 표리를 이루는 것으로서, 「불교유신회」라는 글에서 그 일단을 살펴볼 수 있다.

> 불교는 사찰에 있는가, 아니다. 불교는 승려에 있는가, 아니다. 불교는 경전에 있는가, 또한 아니로다. 불교는 실로 각인의 정신적 생명에 존재하며, 그 자각에 존재하는 것이 아닌가. 이 자각을 불러 일으켜 각인의 가치를, 광명을 인정하는 길이 둘이 아닌즉, 나는 불교가 참으로 그 큰 이치에 입각하여 민중과 접하여 민중과 더불어 동화하기를 바라는 것이다. 불교가 민중으로 더불어 동화하는 길이 무엇인가. 첫째 그 교리를 민중화함이며, 그 경전을 민중화함이며, 둘째 그 제도를 민중화함이며, 그 재산을 민중화함이다. …(중략)… 이제 불교가 실로 진흥하고자 할진대 권력계급과의 관계를 단절하고 민중의 신앙에 세워야 할지며, 진실로 그 본래의 생명을 회복하고자 할진대 재산을 탐하지 말고 이 재산으로써 민중을 위하여 법을 넓히고 도를 전하는 실제적 수단으로 삼아야 할 것이다.[44]

「불교유신회」라는 제목의 이 논설은 조선불교의 침체와 타락 원인을 극명하게 비관한 데서 출발한다. 그것은 불교가 권력과 결탁하고 부호에 영합하였기 때문에 생명력을 잃은 것이며, 그렇기 때문에 진정한 '민중을 위한', '민

---

43) 만해의 독립사상에 관해서는 졸고 「만해의 문학과 사상」 『문학사상』 85년 10월 참조.

44) 한용운, 「조선불교 유신론」, 『한용운 전집』 권2(신구문화사, 1973) 133쪽.

중에 의한', '민중의' 불교가 되는 길만이 불교중흥의 길이라는 주장을 담고 있다. 사실 불교의 근본사상도 평등구세사상을 기반으로 하여, 삶의 질곡에서 민중을 구원하고 해탈케 하는 데 있다. 만약 인간의 현실적인 삶, 민중의 인권에 기초를 두지 않은 종교가였다면, 그것은 문자 그대로 혹세무민의 비난을 면키 어려울 것이다. 그래서 만해는 심산 오지에 위치한 사찰을 세간으로 이끌어 내려야 하며, 난삽한 한문 경전을 쉬운 한글로 번역하여 대중화해야 한다고 역설한 것이다.

이러한 불교적인 정신에 바탕을 둔 민중사상은 그의 독립사상과 문학사상에도 그대로 연결된다. 즉 만해는 조선독립이 일부 지식인이나 독립군에 의해서만이 쟁취되는 것이 아니라 전민중의 조직화·집단화와 그러한 힘이 역동화할 때 성취될 수 있으며, 또 그렇게 돼야 마땅하다고 생각하였다. 실상 3·1운동이 그러하며 「조선독립의 서(書)」의 기본정신이 민중이 주체가 되는 독립운동이자 항일운동인 것이다. 문학에 있어서도 그것은 두 가지 방향으로 나타난다. 그 하나는 '없는 자', '무력한 자' 등 소위 노동자·농민으로 표상되는 민중의 항쟁운동이며 또 다른 하나는 민중적인 정서와 민중적인 언어 감각(시집 『님의 침묵』)의 계발과 적극적인 활용이 그것이다. 특히 그의 소설에 나타나는 민중항쟁 운동과 혁명의지의 표출, 그리고 시에 나타나는 민중정서와 민중언어의 구사는 바로 만해 문학사상의 뿌리가 민중사상에 근거하고 있음을 선명히 드러낸 것이 아닐 수 없다.

시집 『님의 침묵』에 수록된 작품들에는 그러한 만해의 민중사상을 담고 있다. 그중 다음과 같은 작품에서는 그의 사상이 올바른 현실인식에서 비롯되었음을 보여준다.

> 당신이 가신 뒤로 나는 당신을 이즐 수가 업습니다
> 까닭은 당신을 위하나니보다 나를 위함이 만습니다

나는 갈고심을 쌍이 업슴으로 추수(秋收)가 업슴니다
저녁거리가 업서서 조나 감자를 꾸러 이웃집에 갓더니 주인(主人)은 「거기는 인격(人格)이 업다 인격(人格)이 업는 사람은 생명(生命)이 업다 너를 도아주는 것은 죄악(罪惡)이다」고 말하얏슴니다
그 말을 듯고 도러나올쌔에 쏘더지는 눈물 속에서 당신을 보앗슴니다

나는 집도 업고 다른 까닭을 겸하야 민적(民籍)이 업슴니다.
「민적(民籍)업는 자(者)는 인격(人格)이 업다 인격(人格)이 업는 너에게 무슨 정조(貞操)냐」 하고 능욕(凌辱)하랴는 장군(將軍)이 잇섯슴니다
그를 항거(抗拒)한 뒤에 남에게 대한 격분(激憤)이 스스로의 슯음으로 화(化)하는 찰나(刹那)에 당신을 보앗슴니다
아아 왼갓 윤리(倫理), 도덕(道德), 법률(法律)은 칼과 황금(黃金)을 제사(祭祀)지내는 연기(烟氣)인줄을 아럿슴니다
영원(永遠)의 사랑을 바들까 인간역사(人間歷史)의 첫페지에 잉크칠을 할까 술을 마실까 망서릴 때에 당신을 보앗슴니다
—「당신을 보앗슴니다」

이 작품은 만해의 현실인식을 잘 보여준다. 그것은 기본적인 면에서 부정적 현실인식의 태도이며, 비극적 세계관에 기초를 두고 있다. '님이 가신뒤', '당신을 봄'이라는 대립 명제 속에는 부재와 실재가 불러일으키는 모순과 갈등이 드러나 있다. 먼저 현실의 모습은 '없음'으로 파악된다. '땅도업고/추수도 업고/인격도 업고/생명도 업고/민적도 업고/인권도 업다'라는 구절 속에는 부정적인 현실인식이 담겨져 있는 것이다. 이것은 '님이 가신 것'에 연유하는 절망적 현실에 대한 인식이며 확인인 것이다. 따라서 현실은 슬픔과 고통으로 가득 찬 비극적 세계상으로 받아들여진다. 여기에는 님의 의미가 선명히 드러난다. 님이 없이 홀로 선 나의 모습은 생의 현실적 바탕을 잃어버린 '거

지'와 다름없다. 현실적 생활 근거의 상실은 인격의 상실을 의미하며, 그것은 생명조차 없는 빈껍데기로의 전락을 의미하는 것이다. 님의 상실은 인간적 주체성과 존엄성을 동시에 상실하는 생의 파멸로서 받아들여지는 것이다. 바로 이 순간에 님의 의미가 새롭게 발견된다. '그말을 듯고 도러나올때에 쏘더지는 눈물 속에서 당신을 보앗습니다'라는 구절 속에는 절망과 고통 속에서 새롭게 떠오르는 구원의 표상으로서 님이 받아들여지고 있음이 나타나 있다. 님은 내가 인간적 주체성과 존엄성을 확보함으로써 나의 생존에 의미를 확인시켜주고 생을 가능케 해주는 구원의 표상이자 희망의 상징인 것이다. 그리고 그러한 실체로서의 님의 절대성은 님의 부재에서 비로소 확실하게 다가오는 것이다.

이러한 님의 의미에 대한 깨달음은 마지막 연에서 더욱 확실하게 드러난다. 그것은 '집도 업슴'에서 '민적이 업슴'으로의 점진적 전이에 바탕을 둔다. 인격이나 생명이라는 개체적 사실을 넘어 인권이 상징하는 보편적 사실로의 전환인 것이다. 님을 잃은 나의 비참함은 마침내 인권과 정조까지도 무시당해야 하는 처참한 상황에 직면하게 된다. 인권은 인간에게 있어 기본적, 근원적 권리이며, 정조는 지고지순의 덕목이자 최후의 재산이다. 이것들을 잃게 되는 상황은 바로 인간성의 파멸을 의미한다. 장군이 상징하는 현실적·무력적 폭력에 항거하여 이러한 인권·정조를 지키기 위해 분투하는 눈물겨운 순간에 님은 또다시 새롭게 발견된다. 이 순간에 님은 불의와 폭력에 대해 저항할 수 있는 힘을 주는 원동력으로서의 의미를 지닌다. 님은 자아를 새롭게 발견하고 확인시켜주는, 구원과 희망의 표상인 동시에 현실적인 삶의 어려움을 헤쳐나갈 수 있는 용기와 신념을 불어넣어 주는 힘의 표상으로 다가오는 것이다. 바로 이 점에서 이 시가 당대 현실과의 암유적 관계를 지니게 된다. 그것은 '님을 잃은 나'와 '주권을 잃은 조국'과의 대응 관계이다. '님을 잃은 나'의 절망은 바로 조국을 잃은 민족의 절망인 것이다. 따라서 님의 발견과 회복이 나의 인간적 존엄성을 확보할 수 있게 하는 힘이 되듯이 조국광복의 꿈과 갈망이 조국의 상실에 따르는 절망적 상황을 극복하게 하는 원동력이 된다.

실상 이러한 현실에 대한 절망과 그에 따른 부정적 세계관이 '없음'의 문제로 표상된 것이다. 이 '없음'으로서의 현실인식은 일제하의 당대를 님이 부재하는 시대, 침묵하는 시대, 신이 숨은 시대로 파악하는 만해의 역사의식을 반영하는 것이 된다. 또한 정조를 능욕하려는 장군에 대한 항거와 그에 대한 격분은 당대 일제의 폭력에 대한 저항정신을 반영한 것으로 보인다. 그렇기 때문에 '온갖윤리, 도덕, 법률은 칼과 황금을 제사 지내는 연기인 줄을' 알게 되는 것이다. 자유와 진리와 정의 앞에서 인간의 온갖 현실적 규범과 인위적 척도는 한낱 부질없는 것일 수밖에 없기 때문이다. 그러면서도 님이 부재하는 상황에 대한 절망은 끊임없는 현실적 절망을 불러일으킨다. 그것은 영원한 사랑에 대한 믿음에 헌신하는가, 아니면 삶의 무의미성에 절망한 나머지 끝내 인간과 역사를 부정해 버리고 마는가, 혹은 현실과 적당히 타협하거나 그 속에 빠져들고 마는가 하는 따위의 갈등에 사로잡히게 되는 것이다. 이때에도 '나'는 그러한 갈등과 절망에의 님의 모습을 봄으로써 구원받게 된다. 님은 '나'를 그러한 갈등으로부터 해방되어 님이 없는 상황에서도 '나'를 신념 있게 살게 하는 정신의 푯대 역할을 하는 것이다.[45)]

이렇게 볼 때 님은 '나'의 삶을 구원하고 가능케 해주며, 완성시켜주는 현실적 힘의 표상인 동시에 이념적 지표로서의 의미를 지닌다. 이처럼 이 시에는 어려운 시대일수록 그 시대 상황이 강요하는 억압과 고통을 싸워서 이겨나가는 데서 참된 생의 의미가 발견되고 올바른 역사 전개가 이루어질 것이라는 확신이 담겨져 있는 것으로 보인다.

한편, 심훈 역시 만해와 마찬가지로 당대에는 그의 저작 활동이 거의 알려지지 않았던 시인이다. 그의 시집 『그날이 오면』은 원래 1933년에 간행될 계

---

45) 졸저, 『한국현대시인 연구』(일지사, 1986) 7~28쪽 참조.

획이었지만, 일제의 혹독한 검열로 인하여 이루어지지 못하고, 해방 이후인 1949년에 이르러 그의 유족에 의해서 비로소 빛을 보았기 때문이다. 그의 유고 시집 간행 이후에도 그의 시작에 관한 논의와 평가는 퍽 미미한 수준에 머물러 있었다. 심훈의 시가 본격적인 논의의 대상이 된 것은 극히 최근의 일이다.

그의 시적 출발은 「항주유기(杭州遊記)」, 「북경(北京)의 걸인(乞人)」, 「현해탄(玄海灘)」 등의 작품에의 보이듯 망국의 한과 강렬한 항일적개심을 바탕으로 한다. 그 후 그는 불모의 식민지적 현실에 대한 선명한 자각을 보여주게 된다.

그의 시 「밤」, 「잘있거라 나의 서울이여」 등은 그 대표적인 예로서 심훈이 당대 조선을 불모의 땅으로 인식하고 있음을 살펴볼 수 있다. 또한 「박군(朴君)의 얼굴」, 「밤」 등의 작품에서는 한층 날카로운 현실인식을 볼 수 있는바, 그것은 식민지적 현실을 '유형의 땅', '죽음의 시대'로 파악하는 것이었다. 이러한 예리한 현실인식은 마침내 항일저항시의 한 극점이자 기념비적 작품에 해당하는 「그날이 오면」으로 이어진다.

그날이 오면 그날이 오며는
삼각산(三角山) 일어나 더덩실 춤이라도 추고
한강(漢江)물이 뒤집혀 용솟음 칠 그날이
이 목숨이 끊기기 전에 와주기만 하량이며
나는 밤하늘에 날으는 까마귀와 같이
종로(鍾路)의 인경을 머리로 드리받아 울리오리다
두개골(頭蓋骨)은 깨어져 산산(散散)조각이 나도
기뻐서 죽사오매 오히려 무슨 한(恨)이 남으오리까

그날이 와서 오오 그날이 와서
육조(六曹) 앞 넓은 길을 울며 뛰며 딩굴어도
그래도 넘치는 기쁨에 가슴이 미어질 듯 하거든

드는 칼로 이몸의 가죽이라도 벗겨서
커다란 북을 만들어 들처 메고는
여러분의 행렬(行列)에 앞장을 서오리다
우렁찬 그 소리를 한번이라도 듣기만 하면
그 자리에 꺼꾸러져도 눈을 감겠소이다.

—「그날이 오면」

우리는 이 작품이 3·1운동이 일어난 지 꼭 11년 후인, 그것도 3·1운동 이래 최대의 민족적 저항운동인 광주학생사건을 겪은 얼마 후에 쓰여졌다는 점에 주목하지 않을 수 없다. 3·1운동은 심훈의 생애에 있어서 어떤 의미를 갖는가? 그것은 가정적으로 비교적 유족하고 체질적으로는 로맨티시스트이며 일류학교 학생이던 심훈으로 하여금 고통스러운 감옥체험을 겪게 하고, 그로 말미암아 퇴학당하여 중국으로 망명하게 함으로써 그의 생애를 불연속적인 것으로 이끌어 가게 만든 운명적인 모멘트가 된 바 있다. 이처럼 3·1운동으로 인해 불연속적인 삶을 살아가게 됐던 심훈으로서는 온갖 현실의 수난과 시련을 겪을 즈음 다시 목도하게 된 광주학생사건과 그 전국적인 확산은 마침내 심훈으로 하여금 장엄한 저항혼의 불길을 타오르게 만든 것이다.

그의 회상기에도 나타나듯이 3·1운동은 심훈에게 있어 신성감과 황홀감이 교차하는 민족사와 생애사에 있어서 최대의 사건에 해당한다. '붓을 들매 손이 떨리고 눈물이 앞을 가릴' 정도의 경건한 감격과 뜨거운 환희가 솟아 나오게 하는 생명의 근원적 충격이자 생의 운명적 소용돌이로서의 의미를 지니는 것이다. 바로 이러한 신성에 가까운 충격과 감동이 오랫동안 내재해 있다가 광주학생사건에 의해 촉발되어 활화산으로 솟아오르게 된 것이 바로 「그날이 오면」인 것이다.

따라서 이 시에는 정상적인 논리나 이성을 뛰어넘는 초월적인 상황과 사건이 제시된다. 첫 연의 "그날이 오면 그날이 오면은/삼각산(三角山)이 일어나 더덩실 춤이라도 추고/한강(漢江)물이 뒤집혀 용솟음칠 그날"과 같이 그날이 오면 산천초목까지도 감격과 환희로 들끓을 것 같은 환각이 제시된다. 아울러 이 지점에서 죽음의 초극이 일어나게 된다. "이 목숨이 끊지기전에 와주기만 하면/나는 밤하늘에 날으는 까마귀와 같이/종로(鐘路)의 인경을 머리로 드리받아 올리오리다/두개골은 깨어져 산산(散散)조각이나도/기뻐서 죽사오매 오히려 무슨 한(恨)이 남으오리까"라고 하는 구절 속에는 죽음을 넘어선 지점에서 비로소 성취될 수 있는 비극적 황홀의 신성체험이 담겨있는 것으로 보인다. 그만큼 국권 상실의 절망이 참담한 것이었으며, 식민지하의 삶이 고통스러운 것이었음을 말해주는 것이 된다. 실상 우리는 앞에서 심훈이 당대의 절망적 상황을 죽음의 시대로 파악하고, 그 속에서의 삶을 산송장으로 인식하고 있었음을 살펴본 바 있음에 비추어, 죽음이란 혹은 죽음을 넘어선다는 일은 '그날'이 와서 맛보게 되는 환희에 비한다면 대수로운 일이 아닐 수도 있다는 점을 깨닫게 된다. 그날이 감격적이고 환희로울 수 있는 것은 바로 이러한 무수한 죽음을 넘어서서 비로소 그것이 성취되는 것이며, 또 될 수 있기 때문임이 분명하다. 그렇다면 '그날'이란 무엇인가? 바우라(C.M. Bowra)의 적절한 지적에서처럼, '그날'이란 온갖 민족적인 수난과 저항 끝에 죽음을 넘어서서 마침내 획득하게 되는 광복의 그날이며 독립의 그 날을 의미한다.46) 그리고 그것은 겨울이 모질고 길수록 봄의 생명력과 그 환희가 아름답고 눈부신 것처럼 죽음의 시대를 넘어선 곳에서 다가온 것이기에 더욱 감동적이고 환희로울 수밖에 없는 것이다. 그렇기 때문에 "인경을 머리로 드리받아 울리오리다"라는 불가능에 가까운 환각체험이 현실적으로 아무렇지도 않게 받아들여질 수 있다. 그날이란 죽음을 넘어서라도 꼭 와야 할 민족의 지상 명제일 수밖에 없다는 당위적 깨달음과, 꼭 오고야 말리라는 전민족적인 신념이 이러한 논리적 모순과 초논리를 오히려 자연스러운 것으로 수긍하게 만드는 것이다.

46) C.M. Bowra, 『시(詩)와 정치(政治)』 김남일(金南一) 역, (전예원, 1983), 155~156쪽.

이것은 뒷연에서 더욱 강렬하게 표출된다. 실상 몸의 가죽을 벗겨서 북을 만든다라는 충격적인 표현은 정상적인 논리의 차원에서는 전혀 불가능한 일이다. 더구나 그것을 둘러메고 행렬의 앞장에 선다라고 하는 것은 말도 되지 않는 일, 즉 언어도단에 속한다. 그럼에도 그렇게 하겠다는 것은 무엇을 말하고자 하는 것인가. 광복의 환희가 그만큼 크고 감동적인 것이라는 의미일 뿐이겠는가. 물론 이 두 가지는 다 옳은 말이다. 그러나 그것을 뒤집어보면 '그날'이 오기 전, 즉 식민지 치하에서 산송장으로서 죽음의 시대를 살아가고 있는 당대의 삶이 얼마나 고통스럽고 절망적인가를 역설적으로 강조하는 뜻이 예리하게 담겨져있는 것으로 해석할 수 있다. 실상 이 시가 자학적인 요소를 내포하고 있는 사실도 그날이 쉽게 올 수 없는 머나먼 미래의 일 또는 환각적인 것으로 예감하는 데서 연유한 지도 모른다.

이렇게 볼 때 이 시의 강렬성은 바로 현실극복 의지의 가열함을 반영한 것이며, 동시에 절망의 상황에서 자기 초극을 성취함으로써 열린 삶을 향해 나아가려는 심훈의 예언자적 지성의 면모를 반영한 것으로 해석할 수 있다. 이러한 가열한 현실극복 의지와 열린 삶을 향한 자기 초극의 의지가 때마침 분연히 솟구쳐 오른 광주학생사건을 접하면서 3·1운동의 그것과 섬광적으로 연결된 데서 바로 이 「그날이 오면」이 쓰여지게 된 것이다. 따라서 이 시대가 불러일으키는 비장미와 숭고미는 바로 일제하의 절망적인 상황하에서 목숨을 걸고 활화산처럼 일어선 민족혼과 저항의식이 구체적인 현장성을 확보하고, 이것이 미래의 역사적 비전을 성취한 데서 우러나온 것으로 판단된다. 이 「그날이 오면」이야말로 당대의 현실적 구체성이 이념적 환각성과 섬광적으로 결합함으로써 심훈의 저항의식과 역사의식이 비극적 황홀로 상승되면서 총체적 조망을 획득할 수 있게 한 항일저항시의 기념비적 작품인 것이다.[47)]

---

47) 졸저, 『한국현대시인연구』(일지사, 1986) 105~138쪽 참조.

Ⅳ. 분단시대의 문학적 상황과 민중문학

1. 해방공간과 전후의 문단 상황

갑작스레 8·15를 맞이한 우리 민족의 반응은 무조건적인 감격이었다. 당시 해방의 진정한 의미가 무엇인가를 따져본다는 것은 우리 민족에겐 무의미한 일이었으며, 그럴 겨를도 없었다. 그것은 저 악몽과 같은 일제 식민통치 기간을 돌이켜 본다면 당연한 일이었는지도 모른다. 당시의 넘친 기쁨을 어느 문인은 다음과 같이 노래했다.

아이도 뛰며 만세
어른도 뛰며 만세
개짖는 소리 닭우는 소리까지
만세 만세
산천도 빛이 나고
초목도 빛이 나고
해까지도 새빛이 난듯
(……)

— 「눈물 고인 노래」에서

이 같은 환희는 비단 벽초만의 감격일 수 없었으리라. 그것은 을유년에 발간된 『해방기념시집』(중앙문화협회, 1945)에 수록된 대부분의 시편들도 이러한 광복의 기쁨을 노래하고 있다는 사실에서도 드러나는 것이다.

그러나 이러한 기쁨은 이내 사라지고 만다. 그것은 38선으로 표상되는 국토의 분단, 그리고 남북한에 각각 진주한 미군과 소련군에 의한 민족해방의 의미는 전혀 예기치 못한 상황으로 치달아 갔기 때문이다. 국토의 지리적인 양단보다도 한층 낯선 상황은 우리 민족이 일찍이 겪어보지 못했던 민족 내부의 갈등, 다시 말해 좌·우 이데올로기의 첨예한 대립양상과 정치적인 소용돌이였다. 물론 신간회나 상해임시정부의 노선 다툼과 분열과정을 보아온 터이지만, 양대진영은 일본 제국주의라는 공통의 적 앞에서 때로는 연대할 수 있다는 모습을 보여주었다. 뿐만 아니라 해방 직후 여러 정치 세력들이 내건 슬로건은 좌·우를 불문하고 '식민잔재의 청산과 진정한 민족국가의 수립'으로 나타났던 것이다. 당시 주목의 대상이 되었던 좌·우 합작의 기류 역시 그러한 민족적 여망을 반영하고 있었다.

그러나 신탁통치안을 둘러싸고 벌어진 좌·우의 선명한 대립은 두 진영이 추구하는 '민족국가'의 실체가 상이함을 극명하게 드러내 주었다. 좌파의 활동이 남한 내에서 불법화되고 중도통합노선을 추구하던 몽양이 암살로 타계하자, 남한에는 이승만정권이 수립된다. 이로써 완전한 통일 정부를 갈망하던 국민의 여망은 무산되고 한 국토 내에 두 개의 정부가 수립되는 불행한 결과를 초래하였다.

문학계에 있어서도 이러한 분단은 동일한 과정을 밟게 된다. 여기에서 해방 직후의 문단 동향을 간략하게 살펴보도록 하자.

해방 직후 맨 먼저 결성된 문인단체는 『조선문화건설중앙협의회』(약칭 '문건')였던 바, 여기에는 구 카프 계의 지도적 논객이었던 임화를 비롯하여 일제하 순수문학의 대표자 격이었던 김기림·정지용·이태준이 참가하였으며,

이들뿐만 아니라 국민문학파의 중심인물 가운데 하나였던 이병기까지 가세한 광범위한 문인단체였다. 당시 이러한 광범위한 문인조직이 가능하였던 것은, 임화로 대표되는 구 카프 계의 문사들이, 1920년대에는 그들 스스로가 부인했었던 '민족문학'의 건설을, 해방 직후에는 가장 시급한 과제로 내세웠기 때문이다.

그것은 임화가 전국문학자대회(1946년 2월 8일~9일)에서 행한 「조선민족문학건설에 관한 일반보고」에 소상히 나타나 있다.

> (…) 조선문학(朝鮮文學)의 발전(發展)과 성장(成長)의 가장 큰 장애물(障碍物)이었든 일본제국주의(日本帝國主義)가 붕괴(崩壞)된 오늘 우리 문학의 일로부터의 발전(發展)을 방해(妨害)하는 이러한 잔재(殘滓)의 소탕(掃蕩)이 이번엔 조선문학(朝鮮文學)의 온갖 발전(發展)의 전제조건(前提條件)이 되는 것이다. 그럼으로 이것의 제거(除去)없이는 엇더한 문학(文學)도 발생(發生)할 수도 없고 성장(成長)할 수도 없는 현실(現實)이다. 그러면 이러한 장애물(障碍物)을 제거(除去)하는 투쟁(鬪爭)을 통(通)하야 건설(建設)될 문학(文學)은 엇더한 문학(文學)이냐? 하면 그것은 완전(完全)히 근대적(近代的)인 의미(意味)의 민족문학이외(民族文學以外)에 있을 수가 없다. 이러한 민족문학(民族文學)이야말로 보다 높은 다른 문학(文學)의 생성(生成), 발전(發展)의 유일(唯一)한 기초(基礎)일 수가 있는 것이다.[48] (방점 인용자)

이 보고에서 그는 과거 민족문학이 안고 있었던 국수주의적 성격과 반(半)봉건성을, 그리고 계급문학의 공식주의적 오류를 다 함께 지적하고 나서, 당시 문학이 성취해야 할 최우선의 과제는 '완전히 근대적인 의미의 민족문학이외에는 있을 수 없다'고 결론짓는다. 이러한 주장은 그 자체로 보자면 매우 설득력을 지니는 것이었겠다.

---

48) 임화, 「조선민족문학건설에 관한 일반보고」, 『건설기의 조선문학』(백양당, 1946) 28~42쪽 참조.

그러나, 지하세력으로 남아 있던 윤기정·홍구·박세영 등과 같은 구 카프에 비해 소파문인들은 『조선프로레타리아예술연맹』(약칭 '예맹')을 결성(1945. 9. 30.)하고, '문건' 측의 민족문학론을 투항주의적·반혁명적이라고 비판하고 오로지 계급문학의 건설만이 진정한 과제가 되어야 한다고 주장하였다. 이로써 좌익 문인들의 강·온 대립이 노골화된 셈이다.

한편, 김광섭, 이하윤, 김진섭 등의 해외문학파를 중심으로 한 우파문인들도 『중앙문화협회』를 결성(1945. 9. 18)하여 좌익문인단체에 대응하였는데, 이는 후일 『조선문필가협회』로 개칭(1946. 3)되지만 그 활동은 미미했다. 따라서 해방 직후의 문단은 우익의 '문필협', 극좌의 '예맹', 중도 좌익의 '문건'으로 나뉘어 3파전의 양상을 띠게 된다. 그러나 각기 다른 노선을 걷고 있던 '문건' 측과 '예맹'이 통합하여 『조선문학가동맹』(약칭 '문맹')을 결성(1945. 12)하고, 이듬해에는 '문맹' 주최로 '전국문학자 대회'를 개최함으로써 문단을 장악할듯한 기세를 떨치게 된다. 이러한 '문맹'의 독주에 대응하기 위하여 '문필협' 측에서는 서정주, 김동리, 조지훈 등을 주축으로 한 『청년문학가협회』를 결성하고(1946. 4), 1947년에 이르러서는 이 두 단체가 통합하여 『전국문화단체연합회』(약칭 '문총')을 결성하게 된다. 그리하여 문단은 20년대에 프로문학과 국민문학이 대결한 양상과 흡사하게 '문맹'과 '문총'의 양대진영으로 갈라지게 되었다. 그러나 급변하는 정치 상황은 이러한 양립을 깨뜨리게 된다. 우선 좌우의 대립 속에서 합작을 추구하던 시도가 실패로 돌아갔다. 또 백범 암살을 기점으로, 통일 정부를 열망하던 민족적 기대와는 달리 분단의 징후가 뚜렷해지게 된 것이 그것이다. 따라서 좌파의 정치적 활동이 완전히 불법화하게 되자, '문맹' 측 인사들이 대거 월북하는 사태를 맞게 되었다. 이로써 문단도 남과 북으로 완전히 재편성되었다. 이후 6·25라는 미증유의 비극을 경험하면서 민족의 분단은 한층 경화되어 긴 냉전 상황으로 접어들어 오늘에 이르른다.

민중문학의 관점에서 볼 때, 해방공간과 6·25동란을 전후한 시기는 일제 치하에 못지않은 격동과 시련의 시대였음에도 불구하고, 주목할 만한 작품들이 씌여지지 못했던 것으로 여겨진다. 특히 시 장르에 있어서 그러한 현상은 우심한 것으로 나타난다. 해방 직후에는 벅찬 감동만 부각되었을 뿐 민중 현실은 도외시되었다. 좌·우익 문학론의 대립으로 비평적 작업은 어느 정도 누적되고 있었으나 창작의 구체적 성과는 퍽 미미한 것으로 나타난다. 그 후 6·25동란 중에 많은 작품들이 씌여지지만, 대부분 병사들의 전투의지를 선무하기 위한 종군시였다. 때로 전장시 가운데에서는 전란의 참혹함과, 전란으로 인하여 죽어가는 사람을 애도하지만, 그것은 반공의식과 승전의욕을 고취하기 위한 것이다.[49] 또 대부분의 작품들은 전란의 진정한 피해자가 누구인가를, 그리고 그러한 맹목적인 분노와 증오 즉 비인간화된 이데올로기가 가해자 중의 하나일 수도 있다는 사실 따위는 돌보지 않았다. 민중 수난의 시기에 민중시의 빈곤을 본다는 것은 아이러니가 아닐 수 없다. 이 무렵에 이루어졌을 것으로 짐작되는 「아라리」의 한 구절이 당시의 시들이 성취하지 못한 민중적 정서를 대변해 준다.

> 사발그릇/깨어지면/두세쪽이 나지만//
> 삼팔선/깨어지면/하나가 되지요//

짧고 단순해 보이기만 하는 단 2구의 노랫말이지만, 비길 데 없는 감동을 준다. 깨어져서 분열되는 것과 통합되는 것이 무엇인가를 삶 그 자체에서 경험하지 않고서는 이처럼 지혜로운 대구를 구사하기 어려울 것이다. 이는 근대민요 아리랑이 한말의 전환기와 일제하라는 수난기를 통과하면서 민족 정서를 대변하는 가락이었을 뿐 아니라 오늘날까지도 공동체의 염원을 훌륭히

---

49) 졸저, 『한국전쟁과 현대시의 응전력』(평민사, 1978) 참조.

담아낼 수 있다는 가능성을 시사하는 것이 아닐까.

50년대 시단의 빈곤상에도 불구하고, 폐허화한 전후의 풍경과 비극적 상황을 다양한 변주를 통해 제시하고 있는 구상의 연작시 「초토의 시, 1-15」는 주목된다.

<1>
판자집 유리딱지에
아이들 얼굴이
불타는 해바라기마냥 걸려 있다.

내리쪼이던 햇발이 눈부시어 돌아선다
나도 돌아선다
울상이 된 그림자 나의 뒤를 따른다.

어느 접어든 골목에서 걸음을 멈춘다.
잿더미가 소복한 울타리에
개나리가 망울졌다.

저기 언덕을 내리 달리는
소녀의 미소엔 앞니가 빠져
죄 하나도 없다.

나는 술 취한 듯 흥그러워진다.
그림자 웃으며 앞장을 선다.

연작시 초토의 시에는 '판잣집', '흑인혼혈아', '양공주', '매춘', '창녀', '상이군인'으로 대표되는 동란 이후의 온갖 상흔을 비교적 사실적으로 제시하면서, 그 같은 비참한 상황에서 구원으로 향하고자 하는 극복 의지를 형상화한 작품이다. 위에 인용한 <1>은 바로 그러한 동란 후의 비참한 생존현장을 제시한 작품이다. '판잣집(원에는 하꼬방)'과 '잿더미', 그리고 '앞니가 죄빠진 소녀의 미소'를 통해서 전쟁이 몰고 온 현실의 비극상을 여실히 볼 수 있다. 그런데, '나'라는 이 시의 화자가 작품 속으로 들어감으로써, 이 시는 직설적인 탄식에서 벗어나 의외의 객관성을 얻고 있다. 또, <1>에서는 구체적으로 드러나지 않지만, 그의 시는 현실의 절망적 인식을 개인적으로 파악하기보다는 민족적 차원의 그것으로 이끌어 올린다. 즉 많은 전쟁 시들이 직설적 상황묘사, 조국애의 고취로 상투화되어 있음에 비해, 구상의 시들은 절망적 현실을 보다 객관적으로 인식하고 동시대적 아픔으로 받아들이면서 그의 시적 정서를 극복으로 향해 열어두고 있는 것이다.

그러나 대부분의 한국인들에게 민족적 자해행위인 6·25의 비극적 체험은 혹심한 좌절감을 강요하는 것이었다. 전후의 지적 사조로 열병처럼 번져왔던 실존주의는 당시의 패배주의적 허무주의를 근거로 하는 것이다. 또한 6·25 체험은 민족 상호 간의 적대감을 심화시키고 냉전 이데올로기를 강화시키는 불행한 결과를 초래하였다.

2. 4·19와 민중정서의 회복

전후의 시가 허무주의와 냉전 이데올로기의 긴 터널을 벗어나 민중적 정서를 회복하게 되는 것은 4·19 이후의 일이다. 4·19는 비록 뒤이은 반동적 복원력에 의해 미완의 혁명이 되고 말았지만, 그 파급은 컸다. 그것은 우선 정치적 탄압과 부정부패에 대한 저항의지, 그리고 참다운 자유와 진정한 민권을 확보하려는 민권수호 의지의 가능성을 열어젖혔다는 점이다. 또한 4·19는 문학 특히 시에 있어서 시의 본질과 기능에 대한 근본적인 반성과 비판, 그리고 그에 따른 첨예한 논쟁을 촉발하는 중요한 계기가 되었다.[50)]

---

50) 졸고, 「4·19의 시적 수용과 문제점」『한국문학』 1985. 4월호.

따라서 4·19 이후 두드러지게 나타난 시단의 경향은 시와 현실과의 상관관계에 대한 급격한 관심의 대두였다. 시는 현실의 모순과 부조리를 비판하고 고발하는 사회적 기능을 회복하여야 하며, 시인은 사회의 선도적인 비판적 지성이 돼야 한다는 주장이 크게 설득력을 갖게 된 것이다.

이러한 60년대의 시단에서 가장 주목받아 마땅한 시인은 김수영과 신동엽이다. 이성부와 조태일 등도 4·19로 인하여 그 돌파구가 열린, 시와 현실과의 만남을 각각 독특한 목소리로 형상화하였다.

모더니즘의 세례를 받으면서 시작 활동을 전개해왔던 김수영은 4·19를 기점으로 확연히 변모된 모습을 보여주게 된다.

> 풀이 눕는다
> 비를 몰아오는 동풍에 나부껴
> 풀은 눕고
> 드디어 울었다
> 날이 흐려서 더 울다가
> 다시 누웠다
>
> 풀이 눕는다
> 바람보다도 더 빨리 눕는다
> 바람보다도 더 빨리 울고
> 바람보다 먼저 일어난다
>
> 날이 흐리고 풀이 눕는다
> 발목까지
> 발밑까지 눕는다
> 바람보다 늦게 누워도
> 바람보다 먼저 일어나고
> 바람보다 늦게 울어도

바람보다 먼저 웃는다
날이 흐리고 풀뿌리가 눕는다

인용시 「풀」은 김수영 자신의 대표작이자 60년대 시사에서 빠트릴 수 없는 문제작에 해당한다. 또한 이 작품으로 말미암아 김수영은 그 자신이 초기에 깊숙이 침윤되었던 모더니즘적 요소와 소시민적 요소를 극복하기에 이르렀다는 평가를 받을 수 있었다.[51] 이 작품은 외견상 극도로 단순화된 언어의 반복을 통해 구조화되어 있다. '바람-풀'이라는 체언의 대립과, '운다-웃는다', '눕는다-일어난다'라는 용언의 대립이 이 시의 기본 골격을 이루고 있다. 여기에서 '풀'과 '바람'이 각각 무엇을 의미하는가와 같은 질문은 보류하기로 하자. 다만 '풀'이 '눕고/일어나는' 그리고 '울고/웃는' 반복행위의 심화 과정을 우리는 주목해야 한다.

제1연은 상황의 제시에 해당한다. 바람이 불고 날이 흐리면 풀은 눕는다. 그리고 그저 울 뿐이다. 제2연에 이르르면, 그러한 '풀'의 동작이 가속화됨을 볼 수 있다. '더 빨리'와 '먼저'라는 부사에 유의하자, 제1연에서의 동작이 수동적이었다면, 제2연에서의 풀의 동작은 다분히 능동성을 띠고 있다는 점이다. 그것이 '바람보다 더 빨리 눕는다', '바람보다 더 빨리 울고'로 나타나며, '바람보다 먼저 일어난다'로 표현되어 있는 것이다. 제3연에서의 동작은 한층 심화된다. 풀이 눕는 행위의 심화된 모습을 '발목까지/발밑까지 눕는다'로 제시한다. 그러나 '풀'은 여전히 일어난다. 그것도 바람보다 먼저 일어난다. 시의 마지막이 '날이 흐리고 풀뿌리가 눕는다'로 결구 되어 있다. 그것은 「풀」이 능동성을 획득함에 못지않게 상황의 치열성이 역시 가속화됨을 의미하는 것인지도 모른다. 그럼에도 불구하고 그 구절은 풀이 다시, 그리고 당연히 일어나고 웃으리라는 확연한 가능성을 우리에게 남겨준다. 이는 단순히 미래지

---

51) 염무웅, 「김수영론」, 『창작과 비평』 1976년 겨울호.

향적이라고 일컬어지는 심정적 희망의 표백과 다르며, 현실을 담보하지 않은 예언적 발언과도 다른 것이다. 그러면서도 그것이 단순한 반복도 아님을 알 수 있다. 김수영의 「풀」이 보여주고 있는 확실한 가능성이란, 추상적으로 이야기하자면, 당위와 존재, 다시 말해 '그러해야 함'과 '그러하고 있음'이 하나가 되는 공간에 놓여 있다. 그러한 공간 속에서 김수영의 '풀'은 눕고 '일어나는' 것이리라.

신동엽의 시적 정서의 중심은 선명한 반외세적 민족주의이다. 그는 우리의 것과 우리의 것이 아닌 것 사이에 분명한 선을 긋는다. 그 단순함은 때때로 그의 시가 입체성을 획득하는 데 장애 요소로 작용하기도 한다. 또한 그의 민족주의는 농촌공동체나 원시공동체에로의 향수로 변하거나, 아나키적 성향을 노정하기도 한다. 그로 인하여 그의 시는 '현실 타개의 신중성이 결여된 감상주의적이며 이상주의적'[52]이라는 평가를 받기도 한다. 그러나 그의 시 「껍데기는 가라」를 60년대 참여시의 한 정점에 자리매김하는 것을 부인하지는 못한다.

껍데기는 가라
사월(四月)도 알맹이만 남고
껍데기는 가라

껍데기는 가라
동학년(東學年) 곰나루의, 그 아우성만 살고
껍데기는 가라

그리하여 다시
껍데기는 가라
이곳에선, 두 가슴과 그곳까지 내논

---

52) 최하림, 「60년대의 시인의식」, 『현대문학』 74년 10월호.

아사달 아사녀가
중립(中立)의 초래청 앞에 서서
부끄럼 빛내며 맞절할지니

껍데기는 가라
한라(漢拏)에서 백두(白頭)까지
향기로운 흙 가슴만 남고
그, 모오든 쇠붙이는 가라

이 짧은 한 편의 시 속에는 미완으로 끝난 4월혁명과 동학농민혁명에 대한 아쉬움과 그 정신의 알맹이에 대한 집착, 그리고 분단 현실의 극복을 갈구하는 시인의 간절한 소망이 담겨져 있다. 그것은 온몸으로 껴안아야 할 '알맹이'와 구축되어야 할 대상인 '껍데기'라는 두 이미지의 선명한 대응과 '껍데기는 가라'라고 하는 힘찬 시구의 반복을 통해서 확인된다.[53] 이 작품이 60년대 시의 한 정점이라고 일컬어질 수 있는 것은 바로 60년대의 역사·사회적 상황에 대한 시인의 자세를 극명하게 드러내 주면서, 그것을 한 편의 시 속에 용해시킬 수 있었던 형상화의 탁월성에 기인하는 것이라고 여겨진다.

이성부 역시 개인의 삶이 사회와의 연대 관계 속에서 비로소 참된 의미와 힘을 지닐 수 있음을 확실하게 보여준 시인이다.

벼는 서로 어우러져
기대고 산다.
햇살 따가와질수록
깊이 익어 스스로를 아끼고
이웃들에게 저를 맡긴다.

53) 졸고, 「4·19의 시적 수용과 문제점」『한국문학』 1985. 4.

서로가 서로의 몸을 묶어
더 튼튼해진 백성들을 보아라.
죄도 없이 죄지어서 더욱 불타는
마음들을 보아라. 벼가 춤출 때,
벼는 소리없이 떠나간다.

벼는 가을 하늘에도
서러운 눈 씻어 맑게 다스릴 줄 알고
바람 한 점에도
제 몸의 노여움을 덮는다.
저의 가슴도 더운 줄을 안다.

벼가 떠나가며 바치는
이 넓디 넓은 사랑,
쓰러지고 쓰러지고 다시 일어서서 드리는
이 피묻은 그리움,
이 넉넉한 힘…….

이성부의 대표작 중의 하나인 시 「벼」는 '벼'라는 상징을 통해 개인의식이 어떻게 '우리'라는 공동체 의식으로 역동화(mobilzation)될 수 있으며, 또 그렇게 돼야 하는가를 예리하게 제시해준다.[54] '죄도 없이 죄지어서 더욱 불타는 마음'을 지니며 살아온 이 땅의 민중, '쓰러지고 다시 일어서서' 끈질기게 참고 견뎌온 이 땅 농민들의 가열한 생명력과 울분의 힘이 '벼'로 표상된 것이다. 따라서, 좌절과 울분으로만 일관돼온 민중 개개인의 허약한 실존은 '서로가 서로의 몸을 묶어/더 튼튼해진 백성들'과 같이 공동체 의식을 획득함으로써 역사추진의 주체이자 원동력으로서의 의미를 지닌다. '벼'로 상징된 이성부의 공동체 의식에 바탕을 둔 비판적 시정신은 공소한 구호와 관념적인 주

54) 졸저, 『시와진실』 (이우출판사, 1984) 384쪽.

장으로 도식화되기 쉬운 민중시에 대한 자기반성이 되는 동시에 민중시의 갈 길을 구체적으로 제시한 예에 속한다고 하겠다.

3. 민족문학론의 대두와 민족형식에의 탐구

4·19로 인하여 건강한 삶의 문학으로 향한 길을 찾은 우리 문단은, 이즈음 문학이 지녀야 할 사회적 역사적 책임에 관한 논의도 비로소 재개하게 된다. 이른바 '참여문학 논쟁'이 그것이다. 이러한 흐름은 70년대로 넘어오면서 한층 활발한 양상을 띠게 된다. 물론 70년대의 정치·사회적 기상은 60년대에 비해 일층 악화되고 있었다. 70년대 초부터 3선개헌과 유신헌법을 둘러싸고 정치 상황은 극도로 긴장되었으며, 경제적으로는 성장 우선 정책을 강행함으로써 갖가지 모순과 부조리가 야기되었다. 이처럼 산업화로 인한 여러 계층 간의 갈등과 소외, 경화된 정치 현실과 그것을 열어보려는 민주화운동의 첨예한 대립 현상이 70년대의 기류였다. 여기에서 문인들은 이러한 사회 전반의 갈등과 소외를 날카롭게 의식하면서 민중에 대한 애정과 신뢰를 부여하려는 시대적 소명의식을 전례 없이 강하게 표출하게 된다. 이와 함께 70년대에 새롭게 대두된 '민족문학론'은 60년대의 '참여문학론'을 뛰어넘으면서, 우리 문학이 지녀야 할 이념적 지표를 제시하였다.

70년대에 제기된 '민족문학'은 1920년대의 국민문학 혹은 민족주의문학과는 엄연히 구분되는 것이며 해방 직후 좌·우익이 공히 주장했던 표리부동한 민족문학과도 구별되는 것이다. 실상 해방 직후의 민족문학이란 그 외피만 민족문학이었을 뿐, 내용상으로는 한편은 계급문학이었고 다른 한편은 순수문학이었을 따름이다.

70년대에 제기된 민족문학도 단순한 것은 아니다. 그러나 여러 논자들의 다양한 논의들을 수렴할 때 그 구체적인 모습이 떠오른다는 사실에서 그것이 지닌 자발성과 생산성을 짐작할 수 있다.

70년대 초반에 민족문학을 옹호하고 나선 김용직은 새로운 민족문학론이 민족의 독자성을 보장하는 데 기여함과 동시에 예술의 자율성도 함께 고려되어야 할 것이라는 견해를 내놓았다.[55] 또한 염무웅은 '근대적 의미의 민족개념이 민주 및 민중개념과 결합한다'[56]고 주장함으로써 추상적으로 전개돼오던 민족문학론에 구체성을 부여하게 된다.

이러한 민족문학론은 김병걸,[57] 임헌영,[58] 천이두,[59] 백낙청[60] 등과 같은 여러 논자들에 의해 더욱 구체화되어 80년대 민중문학론의 모태가 된다. 백낙청은 70년대의 민족문학론이 국수주의적 문학론과 혼돈될 소지를 배제시키면서 '진정한 민족문학'의 개념을 제시하였던바, 그에 따르자면 '진정한 민족문학이란 오늘날 우리 민족이 처한 극단적 위기를 올바로 의식하는 문학인 동시에 모든 일급 문학에서 요구되는 보편성과 세계성을 지닌 문학'이라는 것이다.[61]

이러한 민족문학론은 문단 내의 광범위한 반향을 불러일으켰으며, 70년대가 저물 때까지 지속적으로 논의되어 점차 예각화되어 갔다. 그것은 민중 지향적 성격을 더욱 뚜렷이 해나가는 과정에 다름 아니었다.

그런데 그러한 비평계의 움직임과 궤를 같이하여 창작 활동에서도 강력한 민족의식의 고취와 민중적 각성을 보여주게 되었다. 김지하를 비롯한 신경림, 조태일, 이성부 등이 60년대에 이어, 주목할 만한 작업을 계속하였다. 그

---

55) 김용직, 「민족문학론」, 『현대문학』 1971. 6.
56) 염무웅, 「민족문학이 어둠 속의 행진」, 『월간중앙』 1972. 3.
57) 김병걸, 「작가와 민족연대의식식」, 『문학사상』 1972. 11.
58) 임헌영, 「'민족문학' 명칭에 대하여」, 『한국문학』 1973. 11.
59) 천이두, 「민족문학의 당면과제」, 『문학과지성』 1975년 겨울.
60) 백낙청, 「민족문학의 개념 정립을 위해」, 『월간중앙』 1974. 7.
61) ＿＿＿, 「예술의 민주화와 인간회복의 길」, 『민족문학과 세계문학』 (창비, 1978) 298쪽.

들은 역사의 그늘 속에서 억눌려온 민중의 아픔과 슬픔을 날카로운 비판이나 풍자를 통해, 혹은 따뜻한 울림을 지닌 목소리로 노래했다.

신경림은 산업화의 진행과는 역비례로 피폐되어가는 농촌 현실과 가난한 농민의 삶에 집중적인 관심을 보여준 시인이다. 그의 시 「농무」(『창작과비평』 1971)이 바로 그러한 농민들의 가난과 슬픔 그리고 분노로 얼룩진 표정을 그린 작품 중의 하나이다.

징이 울린다 막이 내렸다
오동나무에 전등이 매어달린 가설무대
구경꾼이 돌아가고 난 텅빈 운동장
우리는 분이 얼룩진 얼굴로
학교앞 소줏집에 몰려 술을 마신다
답답하고 고달프게 사는 것이 원통하다
꽹과리를 앞장세워 장거리로 나서면
따라 붙어 악을 쓰는건 쪼무래기들 뿐
처녀애들은 기름집 담벽에 붙어서서
철없이 킬킬대는구나
보름달은 밝아 어떤 녀석은
꺽정이처럼 울부짖고 또 어떤 녀석은
서림이처럼 해해대지만 이까짓
산구석에 처박혀 발버둥친들 무엇하랴
비료값도 안나오는 농사따위야
아예 여편네에게나 맡겨두고
쇠전을 거쳐 도수장 앞에 와 돌 때
우리는 점점 신명이 난다
한 다리를 들고 날나리를 불꺼나
고개짓을 하고 어깨를 흔들꺼나

— 「농무(農舞)」

'농무(農舞)'는 농민들의 춤이다. 인용시 속에서 춤추는 농민들의 표정은 슬픔과 원통함이다. 그 같은 슬픔과 분노가 '어디에서 비롯되는가'하는 의문은, '비료값도 안나오는 농사'라는 구절에서 금방 확인할 수 있다.

그런데 이 작품을 지탱하고 있는 아이러니를 주목해 볼 필요가 있다. 그것은 답답하고 고달픈 농민들의 삶에 대한 슬픔과 분노가 고조되면서 징 소리와 춤 역시 더욱 신명 나게 어우러지고 있다는 모순적인 정서의 대립구조이다. 이는 '쇠전을 거쳐 조수장 앞에 와 돌때/우리는 점점 신명이 난다'라는 구절에서처럼, 바로 죽음의 장소인 조수장 앞에 이르러 농민들의 신명이 최고조에 달하고 있다는 사실에서도 확인되는 것이다. 이는 시의 아이러니가 아니라 '농무' 그 자체의 아이러니이다. 한편 그것은 이 땅의 농민들이 오랜 세월에 걸쳐 터득한 지혜이자 '한풀이'는 전통적 정서와 닿아있는 것일 터이다. '농무'를 통해 그들은 한(恨)과 분노를 발산시키는 것이다. 물론 그것이 단순한 감정의 자기 해소처럼 폐쇄적인 회로 속에 갇혀 있는 것은 아니다. 그 슬픔과 분노가 개인적인 것이 아니라 현저히 사회적 차원의 것이기 때문이다. 당연히 그 같은 정서는 정당한 분노의 표출과 신명 난 유희 과정을 통해, 좌절이 아닌 새로운 삶의 의지로 옮겨가야만 하는 것이다.

이처럼 신경림은 '농무'를 통해 농민 자신들이 오랜 체험을 통해 터득하고 있는 정서를 깊이 이해하고 있는 시인임을 보여 주었다. 또한 그의 시에 자연스럽게 담겨지는 민요 리듬 역시 민중정서와 민중의식에 대한 구체적인 인식에서 비롯된 것임을 알 수 있다.

60년대에 등단한 김지하는 그의 시론이자, 70년대 민족문학론의 가장 구체적인 논의에 해당하는 「풍자냐 자살이냐」(1970)를 발표함으로써 민중시 창작방법론의 수립에 중대한 기여를 하였다. 그는 '시인이 민중을 전면적으로 신뢰하는 방향을 택하는 것이 당연한 일'이라고 하면서, 민중으로부터 초연하려고 들 것이 아니라 민중 속에 들어가 그들과 함께 생활하는 자신을 확인하고 스스로 민중으로서의 자기 긍정에 이르러야 할 것이라고 강조하였다.

또 민중으로서의 시인은 민중들을 사랑하고 민중들의 사랑을 받는 가수이자 동시에 민중을 교양하며 민중들의 존경을 받는 교사가 되어야 한다는 것이다. 그는 또한 그 글에서 그러한 민중의 시인이 되기 위해서는 풍자와 민요정신을 계승하여야 한다고 주장한다.62)

> 민중은 시인의 시를 모른다. 민중은 자기 자신의 시, 민요를 가지고 있는 것이다. 시인이 민중과 만나는 길은 풍자와 민요정신의 계승의 길이다. 풍자, 올바른 저항적 풍자는 시인의 민중적 혈언을 창조한다. 풍자만이 시인의 살길이다. 현실의 모순이 있는 한 풍자는 강한 생활력을 가지고, 모순이 화농하고 있는 한풍자의 거친 폭력은 갈수록 날카로와진다.63)

이러한 김지하의 창작방법론은 민족문학에 대한 논의가 채 무르익기도 전에 이루어졌다는 사실은 퍽 흥미롭다. 그것은 70년대의 민족문학론이 다분히 교조적인 모습으로 전개되었던 일제하 프로문학 논쟁과는 달리 자생적인 토양과 에네르기에 의해 배태되고 전개되었음을 증거하는 것이기도 하다. 또한 김지하의 「풍자냐 자살이냐」는 그 자신의 「오적」(1970), 「비어」(1972), 「앵적가」(1972), 「분씨 물어」(1974) 등과 같은 담시들은 물론이거니와, 70년대에서 80년대로 이어지는 공간에서 여러 시인들이 시도하고 있는 형식 탐구와 일정한 관련을 맺고 있다는 점에서도 그것이 지닌 생산성을 짐작할 수 있는 것이다.

다음은 「오적」의 첫머리이다.

---

62) 김지하, 「풍자냐 자자살이냐」, 『시인』 1970년 7월호.
63) 김지하, 같은글.

시를 쓰되 좀스럽게 쓰지 말고 똑 이렇게 쓰랏다.
내 어쩌다 붇끝이 험한 죄로 칠전에 끌려가
볼기를 맞은지도 하도 오래라 삭신이 근질근질
방정맞은 조동아리 손목댕이 오물오물 수물수물
뭐든 자꾸 쓰고 싶어 견딜 수가 없으니, 에라 모르것다
볼기가 확확 불이나게 맞을 때는 맞더라도
내 별별 이상한 도둑이야길 하나 쓰겄다.
옛날도 먼옛날 상달 초사흗날 백두산 아래 나라선 뒷날
배꼽으로 보고 똥구멍으로 듣던 중엔 으뜸
아동방(我東方)이 바야흐로 단군이래 으뜸
으뜸으로 태평 태평 태평성대라

이러한 담시 계열의 주요한 형식원리는 판소리 사설과 탈춤의 재담에서 배워 온 것이다. 이러한 형식원리는 그 자신이 제기한 방법론이자, 동시에 민예의 미학인 풍자와 해학에 의해 지탱되고 있다. 판소리, 민요와 같은 민족 고유의 양식적 유산을 지속적으로 변용시켜 보려는 그의 시도는 적절한 것이다. 그러나 풍자 일변도의 전투적 어투는 자칫하면 희화화되어 가열한 현실로부터 독자의 의식을 차단시키는 부작용을 야기할지 모른다. 또한 담시 계열에서 빈번히 드러나는 지리하고 현학적인 느낌마저 드는 언어유희와, 과도한 한자사용(때때로 그 필요성이 인정되지만) 역시 어떠한 방법으로든 극복되어야 할 요소이다. 그리고 구연자와 관객이 한자리에서 직접적인 소통을 하는 전달양식인 각종 민예의 미학 원리가, 오로지 활자매체에만 의존하는 시 장르로 곧바로 이월될 수 있는가에 대해서도 질문을 게을리하지 말아야 할 것이다.

그럼에도 불구하고 김지하의 전통정신이 비판 정신과 저항정신의 맥락을 계승하고 있으며, 오늘의 시가 지닌 가능성과 문제점을 동시에 제시했다는 점에서, 민중 시사의 관점에서뿐 아니라, 우리 시사에서 중요한 의미를 지니

는 것으로 판단된다.64)

70년대의 많은 시인들은 김지하의 경우처럼 판소리·민요·무가 등 우리 구비문학적 유산들의 형식을 통해 민중시의 미학 원리를 수립하려는 시도를 지속적으로 보여주었다. 그러는 한편으로는 산업화로 인해 소외되고 있는 도시 빈민과 근로자 문제, 농촌문제에 집중적인 관심을 보여 주었다. 또한 현실적으로 우리의 삶을 곳곳에서 제약하고 있는 분단문제와 외세문제 역시 70년대 시의 중심적인 테마를 이루는 것이었다.

정희성과 이동순은 이 시대가 안고 있는 어둠과 고통을 적절히 보여 준 바 있다.

정희성은 감정이 억제된 담담한 남성적 토운으로 시대의 아픔을 제시한다. 그는 주로 노동의 세계에 관심을 기울였는데, 그의 시 「저문강에 삽을 씻고」 역시 노동을 마치고 귀가하는 어느 노동자의 심경을 시화한 것이다.

흐르는 것이 물뿐이랴
우리가 저와 같아서
강변에 나가 삽을 씻으며
거기 슬픔도 퍼다 버린다
일이 끝나 저물어
스스로 깊어가는 강을 보며
쭈그려 앉아 담배나 피우고
나는 돌아갈 뿐이다
삽자루에 맡긴 한 생애가
이렇게 저물고, 저물어서
샛강바닥 썩은 물에
달이 뜨는구나
우리가 저와 같아서

64) 졸고, 「한국근대서사시와 역사적 대응력」 『문예중앙』 1985년 가을호 참조.

흐르는 물에 삽을 씻고
먹을 것없는 사람들의 마을로
다시 어두워 돌아가야 한다.

—「저문강에 삽을 씻고」

이러한 유형의 시들은 흔히 깊은 분노나 증오의 정서를 동반하는 것이지만, 여기에서는 그저 담담한 서러움만 드러내 보이고 있다. 그러나 그 서러움마저 '강변에 나가 삽을 씻으며/거기 슬픔도 퍼다 버린다'는 시구에서 확인되듯이, 가능한 한 배제해 버리려 한다. 정희성은 이처럼 극도로 절제된 감정처리를 통해 고단한 노동자의 귀갓길을 그린 이 시를 고전적 품격의 작품으로 끌어올리고 있다. 혹자는 이 시에서 패배주의나 순응주의의 결점을 지적할지도 모른다. 그러나 '먹을 것 없는 사람들의 마을로/다시 어두워 돌아가야 한다'라는 마지막 구절은 시적 화자가 삶의 현장이나 공동체적인 현대감을 망각한 것이 아님을 증거해 보이는 것일 터이다.

이와 달리, 이동순은 분단으로 인하여 민중들이 감내해야만 하는 아픔과, 갖가지 구조적 모순에서 비롯된 삶의 소외현상에 지속적인 관심을 경주하는 시인이다. 그는 「개밥풀」, 「올챙이」, 「죽은연못」과 같은 작품을 통해 삶의 기반이 황폐해가는 모습과 그로 인해 소외된 이웃들의 어두운 초상화를 제시한다. 한편 그의 시 「내눈을 당신에게」는 분단이라는 민족사적 비극의 사례와 그것의 극복을 향한 안간힘을 제시한 작품이다.

내눈을 당신에게 바칠 수 있음을 기뻐합니다
이 온전한 기쁨을 누릴 수 있도록 도와주신 하느님
그리고 내 이웃들에게 감사드립니다.
(……)
몸을 주고 받는 사랑이란 바로 이런 것입니다.
물에 빠진 자식을 구하려고 깊은 소로 뛰어든

일가족 죽음의 뜻을 이제야 알겠습니다.
(……)
죽기전에 소원이 있다면 꼭 한가지
대대로 이어진 나와 당신의 작은 눈이나마
영영 꺼지지 않는 이 나라의 불씨가 되어
북녁고향 찾아가는 벅찬 행렬을
두눈이 뭉개지도록 보고 또 보았으면 하는 것입니다.

—「내눈을 당신에게」에서

「내눈을 당신에게」는 '어느 실향민의 유서'라는 부제에서 드러나듯 통일에의 갈망을 유서형식으로 형상화한 작품이다. 여기에서는 자기의 눈을 남에게 기증하는 숭고한 행위가 바로 불구자인 이웃을 돕는 행위인 동시에 자신의 소망을 실현하는 계기도 될 수 있다는 안타까운 믿음이 표백되어 있다. 유서라는 글이 흔히 지니기 쉬운 슬픔, 한, 비장감들이 한 발짝 뒤로 물러나고 벅찬 기대로 가득 차 있는 원인은 무엇인가. 그것은 바로 눈을 주는 행위와 통일의 그 날 자신의 고향을 찾아볼 수 있다는 소망이 절묘하게 결합된 모티브의 독특성에서 비롯되는 것일 터이다. 그리하여 이 작품은 고도의 정서적 균형을 획득하여 실향민의 비장한 여한을 서정적으로 전환하는 데 성공하게 된다. 이 점에서 「내 눈을 당신에게」는 이동순의 작품 가운데서 가장 빼어난 한 작품이자 분단을 다룬 우리 시 가운데서도 절창에 속할만한 작품으로 되는 것이다.

Ⅴ. 결론

지금까지 필자는 조선 말기로부터, 일제하와 해방공간을 거쳐 1970년대에 이르는 기간 동안의 우리 현대시에 나타난 민중의식과 민중문학론에 전개 양상을 개략적으로 검토해 보았다.

'민중', '민중의식'이라는 용어가 사용돼 온 것은 퍽 오래전부터의 일이지만, 한 시대의 첨예한 문제적인 용어가 된 것은 오늘날의 일이다. 전반부에서 언급했듯이, '민중'이라는 용어를 사용하거나 개념적인 정리를 시도할 때 그것을 지나치게 편협된 관점으로 파악하려는 자세는 가급적 지향해야 할 것임을 강조하고 싶다.

필자가 보건대 민중문학론과 민중시가 우리 문학에 기여한 의의는 다음과 같은 점이다.

우선, 민중시는 참된 의미의 휴머니즘을 보여주었다는 점이다. 그것은 소외받고 있는 이웃에 대한 따뜻한 애정, 그리고 그들을 소외시킨 모든 것에 대한 정당한 분노를 주된 내용으로 삼았기 때문이다.

둘째, 민중시는 삶을 관념적으로 인식하지 않고 객관적 삶의 현장에 근거한 구체적 현실인식 자세를 강조하고, 건강한 정서를 환기시켜 주었다는 점이다.

셋째, 우리 문학이 서구 사조에 무분별하게 경사되었던 오류에 반성을 촉구하였으며 난해시의 추방에도 주목할 만한 기여를 하였다는 점이다.

넷째, 민중문학론과 민중시인들은 전통의 현대적 변용이라는 문학사적 과제를 깊이 인식하고, 이를 실전적으로 탐구하였다는 점이다.

이러한 의의와 별도로 민중시에는 몇 가지 문제점들을 지니고 있는데, 그 중 다음 사항을 지적해 두고자 한다.

우선 민중시는 이 그 이념의 당위성에도 불구하고 아직은 민중의 시가 되지 못하고 있다는 점을 반성해야 할 것이다. 즉 대부분의 민중시는 여전히 지식인이나 학생들의 독서물로 존재할 뿐, 당대 민중들과는 먼발치에 있다. 물론 이 문제는 문학 외적인 여러 상황과 관련되는 것일 터이지만, 민중시가 성취해야 할 우선적인 과제가 아닐 수 없다. 이 점에서 대중화 문제에 따른 논의와 실천적인 시도가 요청된다 하겠다.

둘째, 민중시의 민족형식 탐구가 시의 복제품화 현상을 야기할 위험성을 지적해두고자 한다. 구비문학적 유산의 시적 변용에 따르는 제반 조건의 진지한 검토를 결한 채 민요 리듬이나 판소리의 사설을 기계적으로 시화하고 있는 현상이 늘어나고 있다. 물론 양적인 확산 없이 새로운 질적 비약이 이루어지지 않겠지만, 자칫하면 그러한 현상은 독서 대중에게 전통형식에의 식상임을 안겨줄 수도 있기 때문이다.

셋째, 민중시는 난해시를 거부하고 쉬운 시가 되고자 한다. 그것은 여러 가지 면에서 타당성을 지닌다. 그러나 우리는 그 쉬움이 말 그대로의 단순함이라든가 평면성 혹은 도식성을 의미하는 것으로 받아들이지 않는다. 특히 구호에 접근하고 있는 시들이 지닌 문제는 과소평가할 수 없다. 시란 최소한의 형성을 갖추지 않고서는 성립될 수 없다. 양보하여 시라는 문학 양식을 빈 선전일지라도, 그것은 선전의 효과를 달성하지 못하게 될 것이라고 여겨진다. 그것은 시가 아니기 때문에 당연히 문학의 영역에서 벗어나게 되며, 그것의 평가 역시 다른 영역에서 이루어져야 할 것이다.

넷째, 최근 장시와 산문시들이 민중시인들에 의해 다양하게 시도되고 있으며, 양적으로 급증추세에 놓여 있음을 볼 수 있는바, 이에 관한 문제점을 지적하고자 한다. 이러한 추세는 오늘의 시로 하여금 단순한 서정의 세계 또는 노래의 영역에 머물게끔 하지 않는 사회적 배경에서 기인하는 것으로 보인다. 즉 80년대의 제반 충격적인 사건과 상황들이 시인으로 하여금 아름다운 이미지를 조형하고 깊은 울림을 절제된 양식으로 표현하기보다는, 산문적으로 기술하거나 현실의 제반 모순과 부조리를 나열함으로써 독자들에게 고통스러운 신음을 전달하고자 하는 의도를 강하게 지니고 있다. 그러나 시는 언어의 절제를 미덕으로 하는 문학 양식이다. 요컨대 고통스러운 현실을 사설체로 열거하는 것보다는 그것을 과감히 절제하고 극기함으로써 보다 높은 서정의 차원으로 상승시키지 못할 때, 시적 감동과 설득력을 확보하기는 어려울 것이라는 사실이다. 그것은 고통의 시와 극복의 시, 긴 시와 짧은 시, 이야기하는 시와 상징하는 시를 효과적으로 교차함으로써 지속시킬 수 있다는 판단에서 근거한 것이다.

마지막으로, 이 땅의 민중시는 '80년대 중반 이후 하나의 전환점에 접어들고 있는 것으로 판단되는데, 이는 '80년대 초의 요란스러움에서 벗어나 이제 내적 성숙의 바탕을 마련하고 있는 것이 아닌가 짐작된다. 도시 빈민들과 농민의 척박한 삶을 노래하면서도 그것이 전투적인 구호와 적개심만을 드러내는 차원을 넘어서서 보다 큰 의미에서의 자유와 평등, 평화의 사상을 담기 시작한 것으로 여겨지는 것이다.

사실 민중시는 무엇보다도, 도식적인 소재와 제재 그리고 동어반복에 떨어진 분노와 저항의 목소리를 지향하면서, 진정한 인간에의 길을 향한 자기반성과 자기 극복의 몸짓을 보여주어야 할 것이다.

우리는 문학 행위가 열린 정신을 탐구하는 것이자 인간답게 사는 길을 추구하는 길, 즉 휴머니즘 완성에의 길이라고 믿고 있다. 따라서 문학은 다양한 가치들을 포용할 수 있는 것이 되어야만 하는 것이다. 이 점에서 우리 문학계에 대두되고 있는 편협된 민중 알레르기 현상이나 민중 프리미엄 현상은 다함께 냉철하고 진지한 자기성찰이 촉구된다 하겠다.

참고문헌

1. 자료

구상, 『구상시집』 대구 : 청구출판사, 1951.
구상, 『초토의 시』 대구 : 청구출판사, 1956.
권영민편, 『한국 현대 문학비평사』 단국대 출판부, 1981.
권영민편, 『해방 40년의 문학』 1·2·3·4, 민음사, 1985.
김근수편, 『한국 개화기 시가집』 태학사, 1985.
김용직편, 『김소월전집』 문장, 1981.
김정식, 『진달래 쏫』 매문사, 1925.
김지하, 『오적』 동광출판사, 1985.
신경림, 『농무』 창비사, 1973.
신경림, 『새재』 창비사, 1983.
신경림편, 『4혁명기념 시전집』 학민사, 1983.
『신동엽 전집』 창작과비평사, 1976.
오세영편, 『김소월 전집·평전』 문학세계사, 1981.
이기철편, 『이상화 전집』 문장사, 1982.
이동순, 『개밥풀』 창비사, 1980.
이동순, 『물의 노래』 실천문학사, 1983.
이응수편, 『김립시집』 학예사, 1939.
정희성, 『답청』 샘터사, 1974.
정희성, 『저 문강에 삽을 씻고』 창비사, 1978.
조선문학가동맹편, 『조선시집』 아문각, 1947.
주요한, 『아름다운 새벽』 조선문단사, 1924.
『해방기념시집』 중앙문화협회, 1945.
『카프시인집』 집단사, 1931.

2. 단행본

강만길외, 『해방전후사의 인식』 2, 한길사, 1985.

구중서,『민족문학의 길』새밭, 1979.
김용직외,『한국현대시사연구』(정한모 교수 화갑기념논총) 일지사, 1983.
김윤식,『한국근대문예비평사연구』일지사, 1984.
김윤식, 김현,『한국문학사』민음사, 1973.
김재홍,『한국전쟁과 현대시의 응전력』평민사, 1978.
김재홍,『한국현대시인연구』일지사, 1986.
대동문화연구소편,『한국인의 생활의식과 민중예술』대동문화연구소, 1983.
백낙청,『민족문학과 세계문학』창비사, 1978.
서준섭외,『식민지시대의 시인연구』시인사, 1985.
송건호외,『해방전후사의 인식』한길사, 1979.
신동욱편,『이상화의 서정시와 그 아름다움』새문사, 1981.
염무웅,『민중시대의 문학』창비사, 1979.
오세영,『한국 낭만주의시연구』일지사, 1980.
유재천편,『민중』, 문학과지성사, 1984.
임헌영편,『문학논쟁집』태극출판사, 1977.
임형택,『한국문학사의 시각』창작과비평사, 1984.
조남현,『일제하의 지식인 문학』평민사, 1978.
조동일,『서사민요연구』계명대 출판부, 1983.
조동일,『한국문학통사 3·4』지식산업사, 1984, 1986.
최원식,『민족문학의 논리』창작과비평사, 1982.
최원식, 임형택편,『전환기의 동아시아 문학』창비사, 1985.
한국신학연구소편,『한국민중론』한국신학연구소, 1984.
한승헌편,『역사발전과 민주문화의 좌표』문학예술사, 1985.
한완상,『민중과 지식인』정우사, 1978.
홍일식,『한국개화기의 문학사상연구』열화당, 1982.

3. 논문

김기진,「떨어지는 조각조각」,『백조』3호, 1923.
김기진,「지식계급의 임무와 신흥문학의 사명」,『매일신보』1924. 12. 14.
김병걸,「작가와 민족 연대의식」,『문학사상』, 1972. 11.
김용직,「민족문학론」,『현대문학』1971. 6.

김지하, 「풍자냐 자살이냐」, 『시인』 1970. 7.
김정환, 「민중문학의 전망에 대한 몇가지 생각」, 한국문학, 1985. 2.
김형원, 「민주문예소론」, 『생진(生辰)』 5호, 1925. 5.
박상천, 「민중문학론 검토」, 『문예진흥』 1985. 6.
박순영, 「대중사회와 대중문화」, 『현상과 인식』 1978. 가을호.
박현채, 「민중과 문학」, 『한국문학』 1985. 2월호.
백낙청, 「시민문학론」, 『창작과비평』 통권 14호.
백낙청, 「민족문학의 개념정립을 위해」, 『월간중앙』 1974. 7.
신경림, 「문학과 민중」, 『창작과비평』 통권 27호.
염무웅, 「민족문학 이 어둠속의 행진」, 『월간중앙』 1972. 3.
염무웅, 「김수영론」, 『창작과비평』 1976 겨울호.
유종호, 「임과 집과 길」, 『동시대의 시와 진실』 민음사, 1982. 1.
임헌영, 「민족문학·명칭에 대하여」, 『한국문학』 1973. 11.
임화, 「조선민족문학 건설에 관한 일반보고」, 『건설기의 조선문학』 백양당, 1946.
전서암, 「민중의 개념」, 『월간대화』 1977. 10.
전영태, 「민중문학에 대한 몇가지 의문」, 『한국문학』 1985. 2.
조동일, 「민요와 현대시」, 『창작과비평』 통권 16호.
조동일, 「민중·민중의식·민중예술」, 『한국설화와 민중의식』, 정음사, 1985.
주요한, 「신시운동」, 『동광』 제12호, 1927. 4.
천이두, 「민족문학의 당면과제」, 『문학과지성』 1975. 겨울.
채광석, 「민중문학의 당위성」, 『한국문학』 1985. 2월호.
최하림, 「60년대의 시인의식」, 『현대문학』 1974. 10월호.
한완상, 「민중의 사회학적 개념」, 『문학과지성』 1978. 가을호.
홍정선, 「신경향파 비평에 나타난 생활문학의 변천과정」, 서울대 석사논문, 1981.
로맹롤랑, 「민중 예술론」, 김억역, 『개벽』 26~29호.

현대불교시선

金載弘 著

1991年

민족사

서문

오늘의 만해, 그를 뛰어넘는 시인을
고대하며, 이 세상에
불교시의 가랑잎 하나 띄워 보낸다.
재수록을 허락해 주신 시인들께 감사한다.

엮은이 김재홍

차 례

해설

현대불교시의 한 이해

1

불교시의 문학적 성격과 범주, 즉 불교문학의 개념·영역에 관해서는 지금까지 적잖은 논의가 전개되어 왔다. 불교문학이란 불교를 위한 문학인가, 불교인에 의한 문학인가, 아니면 불교의 문학인가 하는 논란이 그 하나라고 할 수 있다. 이러한 논란은 일체의 경전을 문학으로 보고자 하는 견해로부터 불교적인 소재나 어휘만 들어가도 모두 불교문학으로 생각하는 견해에 이르기까지 다양하다.

이 짤막한 해설에서 이러한 논의에 대한 사적 전개 과정이나 주석을 붙이기는 어렵다. 따라서 필자가 생각하는 불교문학의 핵심만을 제시하고 그 주제의 몇 가지 내용을 살펴보고자 한다.

신문학사 초기에는 불교문학 특히 불교시를 승려들의 문학작품으로 한정해서 보려는 매우 소극적인 견해도 있었다. 그러나 문학 논의가 점차 활성화되면서 불교문학이란 비단 불교인들의 문학만이 아니라 불교의식이나 생활을 담은 모든 것들을 포괄하게 되었다. (그래서 '불교의 사상 또는 신념을 문학적으로 표현한 것'이라는 견해에서 '불교의 제일의(第一義)를 가지고 현대의 인간상과 사회상을 분석·검토하되 문학적 참신한 멋이 있어야 함', 김운학, 『불교문학의 이론』 일지사, 1981)

여기에서 필자의 생각으로는 불교문학이란 생활로서의 불교와 세계관으로서의 불교의식을 문학적으로 잘 형상화해낸 것으로 이해하고자 한다. 다시 말해서 불교적인 모든 생활방식이나 관습·환경을 묘사한 것은 물론 불교의 경전들이 내포하고 있는 모든 세계관이나 교리를 형성화한 것까지를 일컫는다는 뜻이다. 그러기에 불교문학은 모든 불교 경전 및 불교인의 불교적 삶, 그리고 포교행위까지를 모두 포괄한다고 하겠다. 그야말로 불·법·승 삼보의 세계를 문학적으로 형상화해낸 그것이 바로 불교문학의 범주이며 내용에 해당한다는 말이다.

그렇다고 해서 이러한 광범위한 불교문학의 내용과 형식이 모두 다 불교문학으로서의 높은 질과 가치를 지닌다는 말은 아니다. 불교문학이란 말 그대로 불교와 문학이 함께 어우러진 것이기에 그것이 불교적인 내용을 담아야 하지만 동시에 문학적인 예술성을 담보해내지 않으면 자칫 수단으로서의 문학이라고 하는 저급한 차원에 떨어지기 쉽다. 문학이란 모든 인간의 삶, 그 정서와 사상을 다루지만 특히 가치 있는 삶, 고양된 정서와 사상의 구현을 그 이상으로 한다. 그리고 그것이 예술적인 형상성을 확보할 때 비로소 참다운 문학이 될 수 있는 것이다.

바로 여기에서 불교문학의 바람직한 지평이 제시된다. 불교문학은 불교와 문학의 변증법적 합일과 고양을 목표로 해야 한다는 말이다. 불교 그 자체의 사상성·종교성도 구현되어야 하지만 동시에 문학으로서의 예술성·감동성을 획득해내야만 비로소 참된 불교문학이 성립된다는 말이다. 불교적인 생활의식이나 세계관을 바탕으로 하여 문학적 표현과 예술성을 확보함으로써 진정한 불교문학으로 고양되어야만 하는 것이다.

그렇다면 이러한 불교문학이 지향하는 바람직한 방향성은 어디에 있을까? 한마디로 그것은 '위로 보리를 구하고 아래로 중생을 제도한다(上求菩提 下化衆生)'라는 불교의 근원적 이념의 문학적 실천에 놓인다고 하겠다. 끊임없이 불타의 정각에 도달하려는 노력과 수행을 하면서 항상 오늘의 삶, 사회와 역사적 삶의 지평으로 의식이 열려 있어야만 하는 것이다. 그러기에 불교문학은 단순한 포교적 차원의 선전성에 경도되어서도 안 되고, 또한 학문적인 테두리에 갇혀있는 불교학자의 수중에 머물러 있어서도 안 되는 것이다. 끊임없이 선(禪)에 의한 초원을 추구하면서도 불가적인 생활의식을 구현하고 아울러 사회적 삶, 역사적 삶을 지향해야 한다는 말이다. 불교와 문학은 그 근원에 있어서도 그렇고 그 구극적인 이상에 있어서도 하나의 공통성을 지닌다. 불교는 철학이자 종교로서 삶에 대한 탐구와 생명에 대한 사랑, 즉 인간구원을 목표로 한다. 마찬가지로 문학, 특히 시는 가치 있는 삶의 탐구이면서 동시에 휴머니즘의 실천을 그 목표이자 이상으로 한다. 바로 이 점에서 불교문학은 불교의 이상을 실현할 수 있는 하나의 효과적인 방식인 동시에 문학의 이상을 실천할 수 있는 바람직한 방향성을 지니는 것이다. 특히 오늘날과 같이 온갖 탐욕의 감옥에 갇혀, 공해에 찌들고 인간소외에 절망하는 시대에 불교가 지닌 철학성과 종교성이야말로 바람직한 인간구원의 원천이자 힘이 될 수 있을 것이 분명하다. 이 점에서 이러한 불교적인 생활양식이나 불교적인 세계관을 문학적인 형상으로 탁월하게 고양시키는 불교문학의 중요성이 놓여진다고 하겠다.

2

우리의 현대시사에서 불교시가 논의되기 시작한 것은 신문학 초창기 최남선과 이광수에서 비롯된다고 할 것이다. 이들 두 사람은 신문학의 개척기에 선구적인 문학 활동을 펼쳐감으로써 이 땅의 현대문학 형성에 중요한 주춧돌을 놓았다. 최남선은 특히 『백팔번뇌』(1926)라는 시조집을 창작했는데, 비록 그것이 불교적인 세계관이나 생활양식을 깊이 있게 노래한 것은 아니라고 해도 백팔번뇌라는 불교적인 개념을 20년대 시조에 이끌어 들였다는 점만으로도 의미 있는 일이 아닐 수 없다.

20년대 시인들로는 홍사용이나 오상순, 박종화 등을 들 수 있다. 『백조』 동인으로 활약한 홍사용은 「나는 왕이로소이다」, 「그것은 모다 꿈이었지마는」 등을 통해서 공(空)사상의 한 모습을 보여주었다. "그것은 모두 꿈이었지마는/수수께끼였지마는 누님이/모른다 모른다 하여도, 도무지 모를 것은, 사나희 마음이야 하시기에/나는/모른다 모른다 하여도 도무지 모를 것은, 나라는 '나' 올시다"와 같이 인간의 삶을 하나의 허망한 꿈 또는 환상으로 보는 불교적인 세계관이 깃들어 있는 것이다.

『폐허』 창간호(1920)에 「시대고와 그 희생」이란 평론으로 데뷔한 오상순은 불교적 색채를 두드러지게 드러내었다. "그러나 오 그러나/일체가 다 소용이 없다/그러므로 나는 참하는 것이다/너희들까지도/허무의 검가지고/허무의 칼! 오/허무의 칼!"(「허무혼의 선언」)에는 허무의 사상이, "흐름 위에/보금자리 친/오-흐름 위에/보금자리 친/나의 혼"(「방랑의 마음」)에는 제행무상(諸行無常)과 제법무아(諸法無我)로서의 불교적인 공사상이 잘 형상화되어 있다는 말이다.

『백조』로 활동을 시작한 박종화도 "천 년을 지키신 침묵/만겁도 무양쿠나//태연히 앉으신 자세/배움직함 많사이다//동해바다 물결이 드높아/허옇게 부서져 사나우니/미소하시어 누르시다/천 년 긴 세월을/두 어깨로 받드시다/신라의 공덕이/임 때문이시라"(「석굴암대불·1」)처럼 불교적인 소재와 제재, 그리고 주제를 많이 형상화하였다.

20년대 최대의 불교시인으로 만해 한용운을 꼽는 데 이의를 제기할 사람은 거의 없을 것이 분명하다. 그만큼 만해는 불교사에서도 혁혁하지만 문학사에서도 하나의 금자탑을 마련했기 때문이다. 1910년『불교유신론』을 쓰고 이어서『불교대전』을 펴낸 만해, 그러면서도 근대사 최대의 민족운동이라 할 3·1독립운동을 주도한 민족의 지도자 만해는 1926년 그의 치열한 독립사상과 온오한 불교사상을 탁월한 사랑의 철학으로 승화시킨 시구!「님의 침묵」을 펴냄으로써 민족정신사·예술사에 빛나는 금자탑을 이루어낸 것이다.

> 나는 선사(禪師)의 설법(說法)을 들었습니다.
> '너는 사랑의 쇠사슬에 묶여서 고통을 받지말고 사랑의 줄을 끊어라. 그러면 너의 마음이 즐거우리라'고 선사(禪師)는 큰소리로 말하였습니다.
>
> 그 선사는 어지간히 어리석습니다. 사랑의 줄에 묶이운 것이 아프기는 아프지만 사랑의 줄을 끊으면 죽는 것보다도 더 아픈 줄을 모르는 말입니다.
> 사랑의 속박은 단단히 얽어매는 것이 풀어주는 것입니다.
> 님이여 나를 얽은 님의 사랑의 줄이 약할까봐서 나의 님을 사랑하는 줄을 곱드렸습니다.
>
> —「선사(禪師)의 설법(說法)」

만해 시집『님의 침묵』88편은 그 자체가 '님의 떠남→떠난 뒤의 고통과 슬픔→ 희망으로의 전이→만남을 이루어감'이라는 기·승·전·결의 연작시 구조로 이루어져 있다. (김재홍,『한용운문학연구』, 일지사, 1982) 그것은 무(無)와 존재(存在), 진공(眞空)과 묘유(妙有)의 변증법적 원리를 바탕으로 전개된다고 할 수도 있다. 거기에는 불교적인 무와 공의 세계관은 물론 자비사상이 짙게 깔려있으며, 사랑의 철학이 뒷받침되어 있다. 무엇보다도 자유사상과 평등사상, 민족사상과 민중사상, 그리고 진보사상으로서의 불교적 보편정신과 그것의 당대 상황, 민족적 적용이 함께 어우러져 꿈틀거림으로써 불교와 문학이 탁월하게 그 이념적 모습을 성취한 것으로 이해된다. 불교사적인 면에서도 그렇지만 문학사에 있어서도 만해 시집 『님의 침묵』은 크고 깊은 울림을 던져준 것이다. 불교적 세계관과 함께 불교적 감수성과 은유, 역설, 아이러니 등의 시 방법 및 어휘표현 면에서도 『님의 침묵』은 하나의 문학적 전범을 이룬 점에서 만해의 문학사적 위치와 의미를 크게 고양시켜 주었다고 하겠다. 만해 없는 이 땅의 근대불교를 생각하기 어렵듯이 만해 없는 이 땅의 문학은 생각하기 어려운 것이다. 무엇보다도 만해는 불교시를 이 땅의 문학사 중심 부분으로 육박시킴으로써 불교문학의 위치를 높이 이끌어 올렸다는 점에서 그 공적을 평가할 수 있겠다.

이러한 만해의 공적은 30~40년대 김달진, 서정주, 조지훈, 신석초 등의 활약으로 이어짐으로써 불교문학이 이 땅의 문학사, 특히 시사에서 부동의 위치를 차지하게 만들어 준다.

> ① 밤이 깊어가서/비는 언제 멎어지었다/꽃향기 나직히/새어들고 있었다//모기장 밖으로/잣나무 숲 끝으로/달이 나와 있었다//풍경소리에 꿈이 놀란 듯/작약꽃 두어 잎이 떨어지고 있었다/의희한 탑 그늘에/천년 세월이 흘러가고, 흘러오고…//아, 모든 것/속절없었다/멀리 어디서/뻐꾸기가 울고 있었다.

> ② 눈물 아롱아롱/피리불고 가신 님의 밟으신 길은/진달래 꽃비 오는 서역(西域) 삼만리(三萬里)/흰 옷깃 염여염여 가옵신 님의/다시 오진 못하는 파촉(巴蜀) 삼만리(三萬里)//신이나 삼어줄인(人)걸 슯은 사연의/올올이 아로색인 육날 메투리/은장도 푸른 날로 이냥 베혀서/부

즐없은 이 머리털 엮어드릴걸//초롱에 불빛, 지친 밤하늘/구비구비 은하인(人)물 목이 젖은 새/참아 아니 솟는 가락/눈이 감겨서 제 피에 취한 새가 귀촉도 운다/그대 하늘 끝 호올로 가신 님아.

③ 얇은 사(紗) 하이얀 고깔은/고이 접어서 나빌레라//파르라니 깎은 머리/부사(溥紗) 고깔에 감추오고//두 볼에 흐르는 빛이/정작으로 고와서 서러워라//빈 대(臺)에 황촉(黃燭)불이 말없이 녹는 밤에/오동잎 잎새마다 달이 지는데//소매는 길어서 하늘은 넓고/돌아설 듯 날아가며 사뿐이 접어올린 외씨 보선이여//까만 눈동자 살포시 들어/먼 하늘 한 개 별빛에 모도우고//복사꽃 고운 뺨에 아롱질 듯 두 방울이야/세사에 시달려도 번뇌(煩惱)는 별빛이라//휘어져 감기우고 다시 접어 뻗는 손이/깊은 마음 속 합장인양 하고//이 밤사 귀또리도 지새는 삼경(三更)인데/얇은 사(紗) 하이얀 고깔은 고이 접어서 나빌레라

④ 언제나 더럽히지 않을/티없는 꽃잎으로 살어 여러 했건만/내 가슴의 그윽한 수풀 속에/솟아오르는 구슬픈 샘물을 어이할까나//청산 깊은 절에 울어 끊인/종소리는 아마 이슷하여이다 …중략… 아아 어이하리. 내 홀로/다만 내 홀로 지닐 즐거운/무상한 열반을/나는 꿈꾸었노라/그러나 나도 모르는 어지러운 티끌이/내 맘의 맑은 거울을 흐리노라//몸은 서러라/허물많은 사바의 몸이여//현세의 어지러운 번뇌가/짐승처럼 내 몸을 물고 …하략

인용한 시 ①은 김달진의 시 「고사」, ②는 서정주의 「귀촉도」, ③은 조지훈의 「승무」, 그리고 ④는 신석초의 「바라춤」이다. 한용운에서 한 정점을 이루었던 현대의 불교시는 30년대에 이르러 개성적이고 능력 있는 시인들에 의해 여러 갈래로 분화되고 심화되기 시작한 것이다.

먼저 시 ①은 불교적인 세계관에 노장적인 은일의 정신이 가미되어 수준 높은 불교적 선미 또는 정적미를 보여준다고 하겠다. 승려시인이기도 했던 김달진은 시집 『청시』 등에서 이러한 불교적인 세계관과 도가적인

무위자연의 인생관을 결합하여 하나의 독보적인 명상세계를 개척한 것이다.

시 ②는 서정주의 불교적 세계관과 감수성이 한국적인 한의 미학 또는 소멸의 미학과 합일되어 빼어난 비극적 아름다움을 이루어낸 경우에 해당한다. 새삼 덧붙일 것도 없이 서정주는 해방 전과 해방 후 이 땅의 시사를 이어주는 최대시인의 한 사람이면서 불교문학의 입장에서도 그 양과 질을 크게 고양시킨 대표적인 인물임에 분명하다. 특히 불교적인 입장에서 그 사상성의 깊이가 문학적인 예술성을 탁월하게 확보함으로써 바람직한 불교문학의 한 전형을 이루어낸 것이다. 다만 그의 불교시는 그것이 오늘날의 사회·역사적인 삶과 탄력 있게 결합하지 못함으로써 보다 능동적인 지평을 열어가지 못한 것이 커다란 아쉬움으로 남는다고 하겠다.

시 ③은 불교적인 번뇌와 선 감각이 아름다운 언어미학으로 고양된 한 예가 된다. 서정주와 더불어 조지훈도 이 땅의 불교문학사뿐만 아니라 시문학사에서 최대시인의 한 사람임에 분명하다. "복사꽃 고운 뺨에 아롱질듯 두 방울이야/세사에 시달려도 번뇌는 별빛이라"라는 한 구절이야말로 불교적인 비극적 황홀을 성취한 이 땅 불교시의 한 절구라고 할 것이다. 지훈의 경우는 이러한 하화중생(下化衆生)으로서 대승적인 불교사상을 사회·역사적 지평으로 확대함으로써 실천불교의 바람직한 한 방향으로 나아갈 수 있는 실마리를 제기해준 데서 의미가 놓여진다.

시 ④는 승무를 주제로 한 장시인데 불교시의 또 다른 가능성을 보여준다는 점에서 관심을 끈다. 불교시가 장시 또는 서사시로서 스케일을 열어가는 한 실마리를 열고 있기 때문이다. 몇 번의 개작 과정을 거쳐 276행이라는 장시 형태로 완결됨으로써 불교적인 테마가 현대적으로 변용될 수 있는 가능성을 보여준 것이다. 특히 신석초의 이 「바라춤」은 불교적 세계관이 서구 상징시의 분위기와도 접합될 수 있음을 실증해준 데서도 그 의미를 찾아볼 수 있다.

이와 같이 이 땅의 불교시는 만해라는 크고 높은 봉우리에서 정점을 이루는듯하다가 다시 몇 가닥의 우람한 산맥으로 파장되어 가기 시작한 것이다. 30년대 이들 불교시인들은 일제강점기와 해방 후를 연결해줌으로써 불교문학을 오늘날 당대 시에 접맥시키는 소중한 역할을 수행한 점에서도 그 의미가 놓여진다고 하겠다. 30년대 이들 불교시인들에서 이 땅 현대시는 불교적인 큰 강줄기를 형성하고 굽이쳐가기 시작했다는 말이다.

3

해방 후 이 땅의 불교시는 분단 이래 시단의 중심부에 놓여진 서정주, 조지훈의 지배적인 영향으로 그 맥락이 그대로 지속되었다.

먼저 50년대 시인들로는 조병화, 이원섭, 이설주, 김관식, 이형기, 천상병, 장호, 박희지, 박재삼, 고은 등이 불교적인 세계관 내지 불교적인 감수성을 보여주었다.

조병화의 경우에 그 시가 꼭 불교적인 주제만으로 형성된 것은 아니다. 그렇지만 "세월은 변하는 거, 그 자칠 모르지만/시간은 세월을 깎아서 자릴 만든다//인간은 세월 속에 나와/세월 속에 사라져감에/푸른 하늘, 한점 구름같지만//스스로의 생각 깎아 만드는 자리/사람은 남아서 시간을 산다"(「세월은 변하는 거」)처럼 인생무상이라는 불가적 세계관을 잘 드러내 주고 있는 것이다. 마치 "모든 것은 변하는 것이다. 진리를 위해 부지런히 정진하라"라는 석가세존의 말씀과 다를 바 없는 것이라고 하겠다. "큰 절이나 작은 절이나/불교는 하나/큰 집에 사나 작은 집에 사나/인간은 하나/생각을 버릴 수 없는 곳에/인간이 있다"라는 시 「해인사」의 한 경우에서 보듯이 조병화의 시는 불교적인 평등관이라든지 인연설·내세사상·허무의식·자비의식·비극적 인생관 등에 깊이 침윤되어 있음을 본다.

이원섭은 「향미사」를 비롯한 많은 시편에서 불가적 세계관을 기저로 한 전통서정의 세계를 집중적으로 추구하였다. 특히 이원섭은 수많은 선시와 불경을 번역함으로써 불교를 오늘의 삶에 뿌리내리게 하는 데에도 크게 기여하였다.

이형기도 소멸의 미학을 바탕으로 하여 불교적 세계인식을 깊이 있게 보여주었으며, 김관식이나 천상병은 노장적 세계관을 불교의식 속에 섭수해들여 개성적인 시 세계를 개척한 바 있다.

박희진은 불교적 세계관을 바탕으로 폭넓고 깊이 있는 불교시를 지속적으로 형상화함으로써 한 세계를 개척하였다. "대기 오염에 찌든 지구가/그래도 본디의 정하디 정한 들숨과 날숨으로/화엄경을 이룩한 곳/한국 남단의 송광사 밤 뜰//일찍이 고려때엔 십육국사를 배출하였거니/그 드높은 영성의 향기가 별들에 닿음일까/밤마다 어질어질 취한 별들은 이곳에 내려온다/귀신도 모르게, 은밀히, 소리없이"(「송광사 밤뜰」)라는 한 시에서 보듯이 삶과 육화된 불교의식을 아름답게 형상화하고 있는 것이다. 시집 『교화가』는 그 한 성과라고 하겠다.

고은은 50년대 내내 출가하여 산문에서 생활하면서 불교적 삶과 서정을 탐구하였다. "아승지겁이 지나고 아승지겁이 오는구나/어찌 오늘이 오늘 하나뿐이냐/내가 쑥대머리로 산에 들어가나니/어느 누구 두고 온 쓸개를 시퍼렇게 달래겠느냐/마음은 인기척도 없이 크다/겨울밤 산에 들어가나니/유라시아 상공에서/유라시아만한 마음으로/멀리멀리 사람들의 이름처럼 파도소리도 들리는구나/만상을 헛되다 말하지 말라"라고 하는 시 「입산(入山)」의 경우처럼 직접적인 승려 생활 체험 속에서 우러나온 깊은 불교적 세계관이 넘실거리고 있는 것이다. 그의 시는 "무르팍 시리다/어디서 물소리/온세상 잠꼬대/재채기 서너번"(「밤 방선」)과 같이 선시로부터 출발하여 "신작로 질경이 억세어라/정거장 거지 억세어라/정거장 처녀 거지 억세어라/악한 것들만/사는 세상/기운찬 소리/한 푼 주시유 한 푼 주시유/그 어디 내놔도 떳떳한 소리/

한 푼 주시유"(「질경이」 전문)처럼 만인 평등사상을 노래한 연작시집 『만인보』에 이르기까지 불가적 세계관이 깊이 관류하고 있다고 하겠다. 실상 고은의 70~80년대의 사회·역사적인 현실참여도 이러한 실천적인 불교사상의 분출이라고 할 것이다. 고은의 이러한 시 정신에는 만해에 직접 태반을 둔 불가적 세계관과 불교적 역사의식이 접맥되고 있다는 점에서 분단 후 불교시에 한 에포크를 그어준다고 할 것이다.

60~70년대 시인들에서도 불교적 세계관과 감수성은 그대로 연면히 이어지고 있다.

60년대 시인 중 불교를 중심으로 한 동양적인 내지 전통적인 시 정신에 집중적인 관심을 드러내고 있는 사람들로는 박제천, 김초혜, 홍희표, 박정만, 홍신선, 문정희, 오세영, 허영자, 정진규, 국효문 등을 꼽아볼 수 있겠다. 아울러 이 밖에도 여러 시인이 있지만 특히 김지하의 경우는 불교적 세계인식과 깊이 관련이 있는 것으로 보인다는 점에서 주목을 환기한다.

① 아무래도 내가 죽어 묻힐 곳은 저 하늘밖에 없다/저 하늘 어딘가 보이지 않는 곳에 떠 있는 나의 별을 찾기 위해서라도 그 길밖에 없다/인연이 닿았던 이승의 이 바람소리 물소리/오고 감을 꾸며 주었던 이 살의 옷마저 버리고/마친 넋의 불길로 온 몸 온 마음을 불살라 버리려던 어린 꿈은 이미 흘러간 지 오래다/바람의 힘, 물의 힘을 빌어 이제는 저 하늘에 가 묻힐 것을 기다릴 밖에 없다.

② 버리고/찾는 것/모두가/덧없음이라/끝내는/무신(無心)으로/돌아선 그대//깊은 가슴/열어 밝혀도/지난 시간/되찾을 수 없어/멀고 괴롬인 것을//어찌하면/편안하겠소/돌 위에 무릎꿇어/모두/버리는 뜻/견디려 하오

③ 새벽 세시/강물이 강물로 흐르고/바다는 바다로 푸르고/까투리 장끼 곁에 눕고/새벽 세시/달빛은 눈썹 위에 쌓이고/은하(銀河)는 귀밑머리 적시고/별빛은 이마에서 꿈꾸는 시간/세시에 깨어/경(經)을 읽는다//일

(一)은 다(多)이며/다(多)는 일(一)이며, 가르침에 따라서 의미를 알고 의미에 의하여 가르침을 알며, 비존재는 존재이며 존재는 비존재이며, 모습을 갖지 않은 것이 모습이며 모습이 모습을 갖지 않은 것이며, 본성이 아닌 것이 본성이며 본성이 본성이 아니며… 화엄경(華嚴經) 보살십주품(菩薩十住品) 그 말씀/아, 가슴으로 내리는 썰물소리/갈잎소리

④ 서역 하늘/고요 속에 흔들리는 풀잎이 되어/풀잎으로/이 세상의 곤한 잠을 어찌 깨우랴//어둠을 대하여 나의 귀를 대하면/어둠 속에 이르는 소리 뿐으로/어둠이 어둠을 부르는 소리들리고 어둠 뒤에 더 큰 어둠이 온다//청명의 바람이여, 이제 나를 묻어주시라/산빛이 제 목숨 놓아가는 영마루/그 너머 하늘 가에/내 모든 욕망과 허물을 덮어주시라//없는 무덤 위를 지나서/이부(異府)에 떠다니는 불의 티끌/불의 어둠 불의 사랑 불의 잠이여/내 눈의 티로써/저 세상의 곤한 잠을 어찌 깨우랴.

시 ①은 박제천의 「도리」, ②는 김초혜의 「사랑굿」, ③은 오세영의 「무명연시·43」, ④는 박정만의 「풍장·3」이다. 이들은 60~70년대 불교적 세계관과 접맥된 대표적인 시들이라고 하겠다.

먼저 시 ①은 불교적 세계관과 노장적 세계관을 함께 꿰뚫어가고 있는 박제천 시의 한 모습이다. 불교의식이 서정성과 탄력 있게 결합하여 수준 높은 불교시의 한 모습을 보여준다고 하겠다.

시 ②는 「사랑굿」 연작시의 한 편인데 기본적으로 불가적 세계인식을 바탕으로 사랑의 세계를 깊이 있게 천착하고 있는 것이 주목된다. 시집 『사랑굿』은 그의 한 성과라고 할 것이다.

시 ③은 연작시 「무명연시」의 한 편인데 역시 불교적인 사유를 기저로 하여 존재론적인 생의 인식을 보여주고 있다. 시집 『무명연시』와 일련의 「그릇」 연작시가 그의 집대성이라고 하겠다.

시 ④는 비관적인 세계인식 또는 허무주의가 짙게 출렁이고 있다. 그리고

그것은 불교적인 세계관의 표출인 것으로 이해된다. 42세로 작고한 박정만 시인은 이러한 불교적 세계인식을 한의 서정으로 고양시킴으로써 이 땅에 있어 서정시의 독특한 한 영역을 개척한 것으로 이해된다.

특히 60~70년대 시인 중에서 김지하는 관심을 끄는 인물이다. 그의 세계관을 한마디로 불교적인 것이라고 말하기는 어렵다. 그렇지만 그의 시편 도처에는 불교적인 세계인식이나 삶의 자세가 흐르고 있어서 관심을 환기하는 것이다.

업보처럼
쑥쑥 자라는 아이들만 남았다

지은 죄 많고
아직도 더 죄 지을 듯
불안한 하루하루
눈앞에 커다랗게
업보처럼 남았다

다 놓아버릴 수 없을까
마음만 그저
노을구름처럼 떴다간 스러지고

한 방울 두 방울씩
가슴말에 고이는
업보 사랑

—「업보」

소타고 내 집에 돌아오고 나니
벌써 소는 없어지고 사람은 한가하다
중천에 해 뜨도록 늦잠 자고 눈을 뜨니

채찍 고삐 부질없이 외양간에 걸려 있네
-소노래 일곱째

세 살에 도리질

—「소는 잊고 사람만 남다」

인용한 김지하의 시 두 편은 불교적 사상성과 시적 예술성이 고도로 육화된 한 전범을 보여준다고 하겠다. 시 「업보」에는 불교적 무상관과 숙명론 및 인연설이 깊이 있게 스며들어 있으면서도 인간에 대한 사랑, 생명존중 사상이 뼈대를 이루고 있다. 사상과 서정이 아름답고 깊이 있게 육화와 조화를 섭취하고 있는 것이다. 아울러 시 「소를 잊고 사람만 남다」는 자기의 소는 망각하고 오히려 득우의 상을 잊지 못하는 모습, 즉 사랑이 본각무위(本覺無爲)의 땅에 도달하여 제상(諸相)이 개공(皆空)하였으나 오히려 아공(我空)이 되지 못하는 모습으로서 망우존인(忘牛存人)을 노래한 내용이다. 다시 말해 확암선사의 「심우송」의 일곱 번째 「망우존인」을 현대적으로 변용한 내용이라는 말이다. 그의 연작시집 『애린』 두 권과 근작시집 『별밭을 우러르며』에는 이러한 불교적 세계관과 삶의 인식이 깊이 있게 담겨 있는 것으로 이해된다. 특히 그의 사회·역사의식이나 정치적 상상력도 그것이 결국은 생명사상·인간존중 사상을 구현하는 것을 목표로 한다는 점에서 소중한 의미를 지닌다. 그의 70년대 내내 온 신명을 바친 저항과 투쟁도 결국은 생명사랑·인간존중의 이념을 실천하기 위한 고된 시련의 역정인 것이다. 이 점에서 불교적인 "상구보제(上求菩提) 하화중생(下化衆生)"의 현대시적 실천의 한 모습이라고 할 수도 있으며, 김지하의 이러한 생명사상, 사랑의 철학도 기실은 만해의 사상 내지 시 정신에 접맥되어 있는 것으로 받아들여진다. 만해의 불교적 세계관과 이로부터 우러나온 깊이 있는 사회의식과 역사의식, 그리고 실천적인 독립운동도 결국은 생명사랑·인간사랑이라고 하는 불교적 자비사상의 한 반영인 것이기 때문이다. 만해의 불교적 세계관과 사회역사의식에 근거한 사랑의 시 정신, 생명의 시 정신은 광복 후 고은과 김지하에서 하나의 커다란 분수령을 이루어가게 된다는 말이다.

4

한편 광복 후에는 고은을 비롯하여 승려시인들이 다수 등장하였다. 고은은 60년대에 환속하였지만 그의 뒤를 이어 석지현, 김정휴, 조오현, 이향봉, 돈연, 석성일, 석성우, 황청원, 석자명 등 역량 있는 시인들이 등장하여 불교시의 영역을 확대하고 내질을 심화하는 데 기여하였다.

① 모든 것은 단지 하나의 먼지라고
술주정뱅이가 뇌까렸다
가로수잎이 깔깔대고 웃는다
하늘과 땅이 깔깔대고 웃는다
온 우주가 깔깔대고 웃는다

— 돈연 「백개의 이야기•49」

② 얼마나 무겁던가
자리하여 앉은 마음

연유(緣由)는 말 없어도
해와 달 장등(長燈) 켜고

한자락 청산(靑山)을 지켜
꿈 밝혀 든 불두화(佛頭花)여

— 조오현 「좌불(座佛)」

③ 광주야 눈뜨거라
어떠한 일이 있다 해도 눈뜨거라
그날 뜨겁게 솟아올랐던 함성소리
영원히 잊을 수 없으리라
…중략…
광주야 광주야
다시는 그런 날이 오지 않도록 하자
그러나 그 날을 잊을 수는 없다
잊을 수 없다 그 날에 광주야
아기 부처님도 커서 지독한 독재자들을 향해 돌을 던질 것이다
돌을 던지는 아기 부처님 아기 부처님

— 박진관 「광주에 오신 부처님」에서

이들 세 편의 시에는 오늘날 승려시인들 시의 한 핵심이 잘 드러나 있는 것으로 이해된다. 먼저 시 ①은 마치 오도송처럼 짧은 형식 속에 제행무상(諸行無常) 제법무아(諸法無我)라고 하는 불교적 공의 세계관이 날카롭게 담겨져 있다. 그러면서도 "모든 것은 단지 하나의 먼지"처럼 한 마디 깨달음의 말씀 하나로서 하늘과 땅, 온 우주를 뒤흔들어 놓는 것이다. 깊은 깨달음에서 오는 자유로움의 정신이 번득이고 있는 것이다. 그의 시집 『벽암록』에는 이러한 깊이 있는 불교적 세계관이 탁월한 비유와 상징으로 잘 형상화되어 있음을 본다.

시 ②는 좌불에서 보고 느낀 불교적 깨달음이 도가적인 노장풍의 상징력과 결합되어 대범하면서도 아름답게 형상화되어 있다. "얼마나 무겁던가/자리하여 앉은 마음"과 같이 좌불을 묘사하는 가운데 육신을 지니고 살아갈 수밖에 없는 존재로서 인간의 업보 또는 운명적 한계와 고달픔을 잘 드러낸다. 그러면서도 "해와 달을 장등"으로 비유하면서 "한자락 청산"과 같이 활물변질형 은유에 의한 상상력의 자유분방함을 구사함으로써 불교시의 한 내질을 심

화하고 있는 것이다.

시 ③은 불교가 사회·역사와의 만남으로 확대되는 모습을 보여준다. 특히 70~80년대 이후 이 땅의 구조적 모순과 부조리에 맞물리면서 불교시들이 사회·역사의식을 첨예하게 드러내게 된 것이다. 실상 불교의 근본이념의 소중한 한 면모가 선을 실천하면서 현실과 역사의 어둠과 맞서 싸움으로써 중생을 제도하려는 구제사상에 놓여지며, 그 실천 주체가 민중이라는 점에서 이러한 불교적 사회의식·역사의식은 오늘날 이 시대에 매우 간절한 내용이 아닐 수 없다고 하겠다. 박진관의 시집 『광주에 오신 부처님』은 이러한 능동적인 불교적 사회·역사의식의 한 집성이라고 할 것이다.

이러한 승려시인들의 활발한 시작은 문단의 전문시인들의 수준을 훨씬 뛰어넘기도 하면서 날로 그 양과 질을 확대해가고 있어서 관심을 환기한다. 실상 산문에서 몸소 삼보를 실천하는 주체가 되기 때문에 이분들의 시작은 항상 뜻있는 이들에게 주목의 대상이 되어 온 것이 사실이다. 다만 그에 대한 문단적·비평적 관심이 상대적으로 부족했기 때문에 앞으로 좋은 시인·작품들이 적극 발굴된다면 불교문학 나아가서 한국문학 전체의 발전에 큰 힘이 될 것이 분명하다. 우리가 만해를 뛰어넘는 큰 시인을 고대하는 것도 바로 이러한 까닭에서라고 할 수 있을 것이다.

5

오늘날 불교시를 핵심으로 한 이 땅의 불교문학은 점차로 그 양과 질을 확대해가고 있는 것이 분명하다. 자유사상, 평등·평화사상, 민족·민중사상, 생명사상 등을 실천해 가는 데 크게 부족함이 없다고 하겠다. 불교시의 개념과 범주를 어떻게 보느냐에 따라 견해가 다소 다를 수는 있겠지만, 천여 년 이상 연면히 계승되어 오면서 이 땅의 사람들에게 정신과 사상의 뿌리가 되었던 불교사상은 오늘에도 여전히 삶과 시의 밑바탕이 되고있는 것이다. 다만 그러한 불교시 내지 불교문학적인 저력과 실상이 제대로 발굴되고 활성화되고 있지 못하기 때문에 오늘날 불교문학이 다소 위축된 느낌을 줄 뿐이다. 이 점에서 불교계는 물론 뜻있는 문학인들의 각성과 분발이 요청된다고 하겠다. 역사적으로도 엄청나고 오늘날에도 여전히 큰 뿌리를 차지하고 있는 불교문학의 발굴과 현장에 관심 있는 모든 분들이 적극적인 노력이 절실하게 필요하다는 말이다. 만해의 사상과 시 정신을 오늘에 되살리면서 그를 뛰어넘는 위대한 시인을 길러내는 작업을 전개해보는 것도 유효한 노력의 하나가 될 수 있을 것이다.

이 상 화

— 저항시의 활화산 —

金載弘 著

1996年
건국대학교출판부

이상화

(1901~1943)

"지금은 남의 땅-빼앗긴 들에도 봄은 오는가"
라고 절규하던 시인 이상화-
그는 죽는 날까지 식민지의 절망적 현실 아래서 가장 용기 있고
꿋꿋하게 민족혼의 불멸함을 증거하고 온몸으로 일제에
항거하였던
암흑기 최대 저항시인의 한 사람이다.

저자의 말

모든 사람은, 특히 예술가는 한 시대를 짧게 살다 가지만 동시에 영원을 느끼고 호흡하며 살아간다. 그러기에 '인생은 짧고 예술은 길다'라는 참으로 오래도록 조금도 낡지 않는 금언이 있지 않은가. 오랜 시간 시를 공부하면서 그러한 인간 육신의 유한성과 좋은 작품에 담긴 정신의 영원성을 실감할 수 있었다. 아울러 그 속에서 바람직한 삶의 길, 진정한 예술의 길이 무엇이며 어떠해야 하는가를 생각해 볼 수 있었다.

그렇다! 진정한 삶이란, 예술이란 순간을 살면서도 영원을 꿈꾸는 일이며, 또한 개인을 살면서도 사회·역사를 함께 생각하는 것이고, 아울러 고통 속에서 기쁨을 절망 속에서 희망을 찾아 나아가려는 노력이라고 하겠다. 그러기에 시인 이상화의 삶과 예술이 지니고 있는 비극성과 치열성, 그리고 비장미를 나는 시인의 운명적 표징성이라 생각하곤 한다. 그러기에 비록 생전에 시집 한 권 내지 못하고 그는 짧은 생애 속에 사라져 갔음에도 불구하고 그의 문학은 문학사 속에 영원을 세울 수 있었던 것이다. 그의 삶이 온통 좌절과 슬픔, 절망과 고통의 불운으로 점철되었다 하더라도 그의 삶은 고통의 꽃으로서 참된 예술작품이 있기에 값진 것이고 아름다운 것으로 승화될 수 있었다는 뜻이다.

이 작은 책자를 오늘날에도 여전히 절망을 껴안고 사랑과 슬픔 속에 살아가면서 치열하게 작품을 쓰고 있는 이 시대의 또 다른 상화 시인들에게 바친다.

1996. 2. 김재홍

차 례

1. 이상화의 생애

(1) 운명의 발견, 국토의 인식

상화 이상화[1]는 1901년 음력 4월 5일 경상북도 대구시 서문로 2가 12번지에서 태어났다.[2] 대구의 명문가인 월성이씨시우와 김해김씨를 부모로 하여 4형제의 둘째로 태어났다. 이들 4형제는 이후 걸출한 인물들로 자라나서 형 상정은 항일투쟁의 장군으로서, 본인은 시인이자 민족운동가로, 또한 상백은 서울대학교의 사회학 교수이자 IOC 위원으로, 그리고 상오는 이름난 수렵인으로서 제각기 훌륭하게 자기 앞길을 걸어간 것으로 유명하다. 그만큼 상화는, 그보다 3년 후에 안동에서 태어나 대구에서 활동하기 시작한 이육사의 집안 및 형제들과 비견되리만큼 명망 있고 유복한 환경에서 태어난 것으로 보인다.

그러나 이처럼 명망 있는 가문의 좋은 환경에서 태어났지만 일곱 살 때 아버지를 일찍 사별하는 바람에 마음에 그림자가 생겨난 것으로 보인다. 특히,

---

1) 아호는 무량(無量), 상화(想華), 상화(尙火), 백아(白啞) 등을 썼다.
2) 백기만, 「상화와 고월의 회상」, 『상화와 고월』, (청구출판사, 1951), 167~168쪽.

이러한 유년 시절의 아비 상실은 모성에 대한 갈망 또는 여성 민감증으로 인한 방황, 즉 female complex를 형성한 것이 아닐까 한다.[3)]

날이 맛도록
왼대로 헤매느라
나련한 몸으로도
시들푼 맘으로도
어둔 부엌에
밥짓는 어머니의
나보고 웃는 빙그레 웃음!
내어려 젖먹을 때
무릎 우헤다,
나를 고이 안고서
늙음조차 모르던
그 웃음을 아즉도
보는가 하지
외로움의 조금이
사라지고, 거기서
가는 기쁨이 비로소 온다[4)]

어머니의 젖꼭지 회상에 의해 "외로움의 조곰이/사라지고, 거기서/가는 기

3) 이상화의 문학에 관해서는
김용성, 「시인 이상화」, 『현대문학사 탐방』(국민서관, 1973),
김학동, 『이상화 전집』(새문사, 1987),
정진규, 『이상화 전집·평전』(문학세계사, 1981),
이기철, 『이상화연구』(영남대 박사 논문, 1985),
차한수, 『이상화시연구』(시와시학사, 1984), 『이상화의 서정시와 그 아름다움』(새문사, 1981)등의 주요 연구 업적이 있다. 본서는 이들의 작업을 많이 참조했음을 밝혀 둔다.
4) 『개벽』 5호, 1925. 1. 이하 시는 가급적 원문을 살리되 띄어쓰기와 맞춤법은 필요에 따라 오늘날의 것으로 고쳐쓴다. 단, 제2장 「상화의 문학 세계」에 인용된 시는 학술상의 가치에 따라 원문을 살렸다.

뺌이 비로소 온다"라는 구절 속에는 바로 동향 출신 시인 고월 이장희의 「청천의 유방」에서 보이던 모성애에 대한 갈망과 동경으로서 여성 콤플렉스가 엿보인다고 하겠다. 실상 이러한 아비 상실로 인한 모성 편향성은 그에게 공적 차원에서 아비 찾기로서의 항일운동과 상대 축을 이루는 내용으로서, 이후 「나의 침실로」, 「이별을 하느니」 등의 낭만적 성향의 시편들로 형상화되는 모습을 보인다.

따라서 상화를 비롯한 형제들은 백부인 이일우에 의해 훈도된다. 주로, 한문 수업을 받다가 상화는 1915년 서울중앙학교(현 중동학교)에 입학한다. 학업도 우수하고 야구에서 재능을 보였으나 삶에 대한 번민으로 1918년 3년 수료 후에는 다시 낙향하여 방황을 거듭하게 된다. 이런 청소년기의 방황 끝에 그는 이해 여름 수개월 간에 걸쳐 금강산 등을 풍찬노숙하는 방랑길로 접어든다.

> 금강(金剛)! 나는 꿈에서 몇번이나 보았노라. 자연 가운데서 한 성전(聖殿)인 너를-나는 눈으로도 몇번이나 보았느라. 시인(詩人)의 노래에서 또는 그림에서 너를-
>
> ……중략……
>
> 금강(金剛)! 오늘의 역사가 보인 바와 같이 조선(朝鮮)이 죽었고 석가가 죽었고 지장 미륵 모든 보살이 죽었다.……
>
> 금강(金剛)! 너는 사천여년(四千餘年)의 오랜 옛적부터 퍼붓는 빗발과 몰아치는 바람에 갖은 위협을 받으면서……
>
> ……중략……
>
> 금강(金剛)! 조선이 너를 뫼신 자랑-네가 조선에 있는 자랑-자연이 너를 놓은 자랑-이 모든 자랑을 속깊이 깨치고 그를 깨친 때의 경이(驚異) 속에서 집을 얽매고 노래를 부를 보배로운 한 정령(精靈)이 미래(未來)의 조선(朝鮮)에서 나오리라, 나오리라.
>
> ……중략……
>
> 금강(金剛)!…… 네 웃음의 황홀 속에서-나의 생명 너의 생명 조선

의 생명이 서로 묵계(默契) 되었음을 보았노라 노래를 부르며 가비압으나마 이로서 사례를 아뢰노라. 아 자연의 성전이여! 조선의 영대(靈臺)여![5]

이 시에서 금강은 바로 조선의 역사이며 현실이고 미래에 해당한다. 아울러 금강은 조선으로 하여금 조선이게 하는 생명의 상징이며 자연의 성전이자 민족혼의 영대인 것이다. 그만큼 금강은 민족과 함께해온 역사의 성전이며 혼의 영대로서 오늘날에도 죽지 않고 엄연히 살아 있는 실체라는 강력한 주장과 믿음이 이 시에는 실려 있는 것이다. 바로 이 점에서 금강은, 뒤에 「빼앗긴 들에도 봄은 오는가」에서처럼 민족적 생존권과 주권 그리고 민족혼의 상징이자 현실적인 모습으로서 상화의 마음속에 자리 잡게 된다. 젊은 날 상화의 방랑은 바로 이러한 국토에 대한 새로운 발견과 믿음으로 인하여 민족의식을 확고하게 자리 잡게 하는 데 중요한 계기가 된 것으로 이해된다. 개인적·실존적 존재인식으로부터 사회적·민족적 자각으로 이행해 가는 데 결정적 계기로서 작용했다는 뜻이다. 이 점에서 이 시기 방랑길에서 「나의 침실로」를 완성했다고 하는 백기만의 추정[6]은 적절치 않은 것으로 보인다. 오히려 이 시기에 조국의 아름다운 국토에 대한 재발견으로 인해 국토애 또는 조국애에 눈뜨기 시작한 것으로 보는 것이 옳을 듯하다.

(2) 문학과 현실의 틈바구니 속에서

당대의 민족 구성원 누구에게나 그러했던 것처럼 1919년 3·1운동은 상화로 하여금 새로운 자아에 대한 각성과 민족에 대한 재발견의 계기가 된다.

3·1운동 중, 상화는 3월 8일 백기만 등과 함께 대구 거사에 참여하는 과정

---

5) 「금강송가」, 『이명』 2호, 1925. 6.
6) 백기만, 윗책, 146쪽.

에서 배후 조종 혐의로 일제 관헌의 추적을 받아 다시 서울로 도피하여 서대문 밖 냉동(현 냉천동)에서 친우인 박태원의 하숙에 머물게 된다. 하지만 여의치 않은 사정으로 말미암아 다시 귀향하게 되어, 이해 음력 10월 13일에 백부의 엄명으로 공주 서한보의 딸 온순과 결혼한다.

1921년에 다시 상경하여 동향 친구인 현진건의 소개로 월난 박종화를 만나게 되고 그들과 의기투합하여 『백조』 동인에 가담한다. 이 『백조』 동인 가담과 「말세의 교탄」, 「단조」 발표로 인해 비로소 시인 이상화가 탄생하게 된 것이다.

> 저녁의 피묻은 동굴(洞窟) 속으로
> 아-밑없는, 그 동굴 속으로
> 끝도 모르고
> 끝도 모르고
> 나는 거꾸러지련다
> 나는 파묻치련다
>
> 가을의 병든 미풍(微風)의 품에다
> 아! 꿈꾸는 미풍의 꿈에다
> 낮도 모르고
> 밤도 모르고
> 나는 술취한 집을 세우련다
> 나는 속 아픈 웃음을 빚으련다[7]

말 그대로 말세의 절망과 자학, 비탄과 자조가 얽혀진 데카당의 노래라고 하겠다. "피묻은", "병든", "꿈꾸는", "술취한", "속 아픈"이라는 관형어가 환기하는 감상적·몽환적·퇴폐적 정조는 그야말로 김억의 「오뇌의 무도」가 휩쓸

---

7) 「말세의 희탄」, 『백조』 창간호, 1922. 1.

던 당대의 퇴폐적·감상적 우울과 자학의 풍경을 반영한 것이 분명하다. 어쩌면 여기에는 3·1운동 후의 시대적 절망과 함께 “금슬이 그다지 좋지 못한 처지에서 경남 출신 여성 손필연과의 이룰 수 없는 사랑 체험”[8]으로 인한 좌절감이 투영되어 있는지도 모른다.

> ……「말세의 희탄」에서 이상화군(李相和君)은 그의 뮤즈를 깨웠다. ‘저녁의 피묻은 동굴’, ‘가을의 병든 품에다’, ‘나는 술취한 집을 세우려 한다”고 예(例)의 퇴폐적 시인의 정열을 표현하며, 그는 예의 유명한 「나의 침실(寢室)로」에서 그 극치(極致)를 보였다.[9]

이러한 퇴폐적·감상적·몽환적 분위기는, 실상 이상화는 물론 박영희의 「유령의 나라로」, 「환영의 황금탑」, 박종화의 「사의 예찬」, 「흑방비곡」 등 백조파의 일반적인 분위기에 해당한다. 다만 이상화의 경우는 이들과 달리 덜 추상적이고 비관념적인 모습으로 보이는 게 특징이라면 특징이 되겠다. 이러한 특징은 시 「나의 침실로」[10]에 선명히 제시된다.

> 「마돈나」 지금은 밤도, 모든 목거지에, 다니노라 피곤(疲困)하야 돌아가려는 도다,
> 아, 너도, 먼동이 트기 전으로, 수밀도(水蜜桃)의 네가슴에, 이슬이 맺도록 달려오너라.
>
> 「마돈나」 오려므나, 네 집에서 눈으로 유전(遺傳)하던 진주(眞珠)는, 다두고 몸만 오너라,
> 빨리가자, 우리는 밝음이오면, 어댄지도 모르게 숨는 두별이어라.

---

8) 김용성, 윗책.

9) 박영희, 「백조화려한 시절」, 『조선일보』, 1933. 9 수록, 김학동 편, 위의 책, 183쪽 재인용.

10) 『백조』 3호, 1923. 9.

「마돈나」 구석지고도 어둔 마음의 거리에서, 나는 두려워 떨며 기
다리노라,
아, 어느덧 첫닭이 울고-뭇개가 짖도다, 나의 아씨여, 너도 듣느냐.

「마돈나」 지난 밤이 새도록, 내 손수 닦아 둔 침실(寢室)로 가자, 침
실(寢室)로!
낡은 달은 빠지려는데, 내 귀가 듣는 발자국-오, 너의 것이냐?
……하략……

한마디로 이 시는 애타는 연애감정과 숨 막히는 성적 충동을 박진감 있게 묘파한 시라고 하겠다. '밤→동굴→침실→부활'이라는 내용 전개가 '몸→불→피→물'로 이어지는 성적 충동과 관능적 황홀로 형상화되어 있다는 뜻이다. 물론 이 시가 1923년 9월 『백조』 3호에 발표된 사실은 이상화와 유보화 사이에 있었던 열애 체험과 무관하지 않은 것으로 추정된다. 이 무렵 『백조』에 「말세의 희탄」을 발표한 후 1922년에 상화는 동경행을 감행하고 여기에서 유보화라고 하는 함흥 출신 미인과 열애에 빠져 있었기 때문이다. 이러한 사련 체험이 "우리는 밝음이 오면, 어댄지도 모르게 숨는 두 별이어라/구석지고도 어둔 마음의 거리에서, 나는 두려워 떨며 기다리노라,/아, 행여나, 누구 볼론지-가슴이 뛰누나, 나의 아씨여"와 같이 애절하게 표출돼있는 것이다. 「말세의 희탄」 보다도 더욱 애절하고 구체적인 정감이 박진감 있는 시적 표현으로 형상화됨으로써 비로소 이상화의 시가 내용적인 면과 형식적인 면이 서로 육화되고 보편성을 획득하게 되었다는 뜻이다.

프랑스 유학을 뜻에 두고 일본에 갔던 상화는 1923년 9월 참혹한 관동대진재를 겪으면서 새삼 망국민의 비애와 절망을 절감하게 된다.

오늘이 다 되도록 일본(日本)의 서울을 헤매여도
나의 꿈은 문둥이 살끼같은 조선(朝鮮)의 땅을 밟고 돈다.

예쁜 인형(人形)들이 노는 이 도회(都會)의 호사(豪奢)로운 거리에서
나는 안 잊히는 조선의 한울이 그리워 애닯은 마음에 노래만 부르노라.

……중략……

벽옥(碧玉)의 하늘은 오즉 네게서만 볼 은총받았던 조선의 한울아
눈물도 땅속에 묻고 한숨의 구름만이 흐르는 네 얼골이 보고 싶다.

아 예쁘게 잘 사는 「동경」의 밝은 웃음 속을 왼 데로 헤매나
내 눈은 어둠 속에서 별과 함께 우는 흐린 호롱불을 넋없이 볼 뿐이다.

— 「도-교에서」[11]

이처럼 잘 사는 동경과 대조되어 조선은 마치 "문둥이 살끼"처럼 어둡고 절망적인 모습으로 떠오른다. 그러나 그것은 "그리워 애닯에 마음이 노래만 부르는" "어둠 속에서 별과 함께 우는 흐린 호롱불"과 같이 숙명적으로 사랑할 수밖에 없는 운명의 모습으로 제시된다. 더구나 참혹한 동경대진재와 그로 인한 죽음의 위협과 박해를 겪은 그에게 조국은 하나의 운명의 얼굴이자 천형의 모습이 아닐 수 없었음이 자명하다. 바로 여기에서 개인적인 애상과 실존적인 좌절이 동경에서의 좌절 체험을 겪으면서 차츰 당대 민족 현실과 민중적 참상에 대한 관심으로 상승해 가게 될 것 또한 자명한 이치이다.

(3) 민족 현실과 민중 참상을 목도하면서

관동대진재의 몸서리치는 참상을 보고 민족적 절망을 겪은 나머지 1924년 이상화는 프랑스 유학의 꿈을 버리고 동경으로부터 귀국한다. 식민지 종주국이자 적국인 일본에서 천재지변과 민족 수난의 참상을 겪은 그에게 있어서 민족이란 천형을 겪고 있는 운명의 얼굴 바로 그 모습 자체로 떠올랐던 것이다.

---

11) 1922년 가을 작으로 밝혀져 있으나 『문예운동』 창간호(1926. 1)에 발표되어 있다.

바로 여기에서 그는 새롭게 대두하기 시작한 현실주의·진보주의 문학으로서 계급주의 문학운동에 관심을 갖게 된다. 망국의 민족적 현실과 그 현실에서 특히 고통받는 민중의 참상에 대한 응시와 애정으로 문학주의로부터 현실주의로 이행해 가게 되는 것이다. 『백조』의 박영희, 김기진과 더불어 그는 문학의 현실적·사회적 기능에 관심을 갖고 민족현실과 민중 생활에 보다 적극적으로 문학적 투신을 감행하게 되는 것이다.

① 낮에도 밤-밤에도 밤-
그밤의 어둠에서 스며난, 뒤직이같은 신령은,
광명(光明)의 목거지란 일흠도 모르고
술취한 장님이 머-ㄴ 길을 가듯
비틀거리는 자욱엔, 핏물이 흐른다!

— 「비음(緋音)」[12] 뒷연

② 아, 가도다, 가도다, 쪼처가도다
잊음 속에 있는 간도(間島)와 요동(遼東)벌로
주린 목숨 움켜쥐고, 쪼처가도다
진흙을 밥으로, 햇채를 마서로
마구나, 가졌더면, 단잠은 얽맬 것을-
사람을 만든 검아, 하루일찍
차라리 주린 목숨 빼서가거라

— 「가장 비통(悲痛)한 기욕(祈慾)」[13] 앞연

③ 어제나 오늘 보이는 사람마다 숨결이 막힌다.
오래간만에 만나는 반가움도 없이
참외꽃같은 얼골에 선웃음이 집을 짓더라

— 「조선병(朝鮮病)」[14] 부분

---

12) 『개벽』 55호, 1925. 1.
13) 「-『빼앗긴 혼(魂)』 가운데서-」의 부분시, 『개벽』 55호, 1925. 1.

인용시들에는 당대 민족의 현실상이 잘 표현되어 있음을 볼 수 있다. 시 ①에서 민족 현실이 '밤'으로 표상되면서 "어둠/술취한 장님/비틀거리는/핏물"의 모습으로 제시된다. 그만큼 절망적이라는 뜻이 되리라. 시 ②는 '간도 이민을 보고'라는 부제가 붙어 있듯이 이 땅에서 살지 못하고 만주로 유이민의 길을 떠나는 민족의 비통한 현실을 보여준다. 생존권마저도 박탈당한 채 죽을지 살지 모르는 만주 땅으로 흘러가는 처지란 차라리 죽음보다도 더 절망적인 것인지 모른다. 시 ③에서 그러한 숨 막히는 민족 현실이 '조선병(病)'으로 표상화된다. 당대 민족현실은 중병을 앓고 있다는 절망적인 상황 인식으로 제시되어 있는 것이다.

바로 이처럼 망국민으로서 당대 민족 현실에 대한 절망은 그 민족 구성원의 절대다수로서 민중 현실에 대한 관심으로 확대되고 심화된다.

① 「날마다 하는 남부끄런 이 짓을
너희들은 예사롭게 보느냐?」고
웃통도 벗은 구루마꾼이
눈 붉혀 뜬 얼골에 땀을 흘리며
아낙네의 아픔도 가리지 않고
네거리 위에서 소흥내를 낸다.

— 「구루마꾼」[15] 전문

② 우리의 목숨을 기르는 이들
들에서 일깐에서 돌아 오는 때다.
사람아 감사의 웃는 눈물로 그들을 씻자
한울의 하나님도 쫓겨낸 목숨을 그들은 기른다.

— 「저무는 놀 안에서」 부분

---

14) 1925년 창작되고 『개벽』 65호(1926. 1)에 발표되었다.
15) 「엿장사」, 「거러지」와 함께 「가상(街相)」이라는 큰 제목의 부분을 이루는 시로 『개벽』 60호(1925. 6)에 발표되었다.

③ 더러운 사람놈의 세상에 몹쓸팔자를 타고 나서
살도 죽도못해 잘난 이짓을 대대로 하는 줄은
한울아! 네가 말은 안해도 짐작이야 못했겠나
보리도 우리도 오장이 다 탄다 이리지 말고 비를 다고!

—「비를 다고!」 부분

이상화의 민중정서는 매우 생활화되고 의식화된 모습을 보인다. 먼저 시 ①에는 「가상」이라는 큰 제목 아래 수레꾼, 거지, 엿장수 등 이른바 기층민중을 노래하면서 민중의 고달픔과 슬픔을 형상화한다. 시 ②는 '노인의 구고를 읊조림'이란 부제에서 보여지듯이 노동하는 계층으로서 기층민중의 노고와 이바지를 찬양한다. 역시 '농민의 정서를 읊조림'이라는 부제가 붙은 시 ③에선 농민들의 수난과 시련을 형상화한다. 일제강점기 수난과 시련 속에서 사람에 시달리고 끝내는 천재지변으로 한발에 시달리는 농민의 참상을 제시한 것이다. 그러고 보면 이상화의 시는 1920년대 중반에 이르러 완전히 현실주의 문학으로서 민족문학 또는 민중문학으로 전환하고 있음을 볼 수 있다. 실상 시뿐만 아니라 그가 쓴 평론 「가엽슨 둔각이여 황문으로 보아라」[16]·「문예의 시대적 변위와 작가의 의식적 태도론」 등의 글을 보면, 취미와 향락의 문학을 배격한 민족문예 및 창조적인 생활문예가 그의 일관된 주장임을 알 수 있다.

더욱 문예를 위하야 난 것이라면 아무리 빈약하더라도 그 시대(時代), 그 민족정신(民族精神)을 가져야 할 것이 마땅한 일이다-언제든지 그 민족문예는 그 민족의 내적생명집약을 도모하는 것이니 말이다.[17]

민족의 내적 생명집약이란 무엇인가? 한마디로 그것은 민족정신 또는 민

16) 『조선일보』, 1925. 11.
17) 「가엽슨 둔각이여 황문으로 보아라」, 『조선이롭』, 1925, 11.

중적 생명력을 뜻하는 것이 분명하다.[18] 이 점에서 이상화는 이 시기에 민중문학으로서 민족문학을 지향하고 있음이 분명하다. 그런데 여기에서 그의 문학은 계급해방으로서 사회주의 혁명을 목적으로 하는 계급주의적 측면보다는 민중적인 인간해방으로서 민족문학의 경향성을 보이는 것이라고 이해된다.[19] 「빼앗긴 들에도 봄은 오는가」가 그 한 절정이 된다.

지금은 남의 땅-빼앗긴 들에도 봄은 오는가?

나는 온몸에 햇살을 받고
푸른 하늘 푸른 들이 맞붙은 곳으로
가르마같은 논길을 따라 꿈속을 가듯 걸어만간다.

입술을 다문 하늘아 들아
내 맘에는 내 혼자 온 것 같지를 않구나
네가 끌었느냐 누가 부르드냐 답답워라 말을 해다오

바람은 내 귀에 속삭이며
한자욱도 서지마라 옷자락을 흔들고
종조리는 울타리 너머의 아씨같이 구름 뒤에서 반갑다 웃네.

고맙게 잘자란 보리밭아
간밤 자정이 넘어 나리던 고운 비로
너는 삼단같은 머리를 감았구나 내 머리조차 가쁜하다

혼자라도 가볍게나 가자
마른 논을 안고 도는 착한 도랑이

---

18) 여기서 민중이란 인간해방으로서 자유와 평등에 기초한 바람직한 역사의 방향성을 자각하고 그를 향해 나아가려는 열린 정신을 지향하는 의식화된 소외계층을 의미한다.

19) 김재홍, 『현대시와 역사의식』, 인하대출판부, 1988.

젖먹이 달래는 노래를 하고 제 혼자 어깨춤만 추고 가네.

나비 제비야 깝치지마라
맨드래미 들마꽃에도 인사를 해야지
아주까리 기름을 바른 이가 지심매던 그들이라 다 보고십다.

내 손에 호미를 쥐여다오
살찐 젖가슴과 같은 부드러운 이 흙을
발목이 시도록 밟어도 보고 좋은 땀조차 흘리고싶다.

강가에 나온 아이와 같이
짬도 모르고 끝도 없시 닿는 내 혼아
무엇을 찾느냐 어데로 가느냐 웃어웁다 답을 하려무나.

나는 온몸에 풋내를 띠고
푸른웃음 푸른설음이 어우러진 사이로
다리를 절며 하루를 걷는다 아마도 봄신령이 접혔나보다.
그러나 지금은-들을 빼앗겨 봄조차 빼앗기겠네

—「빼앗긴 들에도 봄은 오는가」[20] 전문

이 시에서 들(땅)이란 농민에게는 농토, 즉 생존권을 뜻하며 국민에게는 영토, 즉 주권을 의미한다. 아울러 땅은 민족이 수천 년 살아온 역사의 표상이자 민족혼의 상징이 된다. 바로 이 점에서 주권을 빼앗기고 생존권마저도 빼앗겨 가는 상황, 마침내는 봄으로 상징되는 자연까지도 완전히 박탈당할 것이라는 위기의식을 날카롭고 섬세하게 형상화함으로써 상화는 이 땅 민중시 또는 저항시의 한 정점을 일구어내게 된다. 바로 이러한 민족의식과 민중적 생명력 그리고 예술의식이 탄력 있게 결합됨으로써 예술적 형상화를 이루어냈다는 점에서 상화의 시는 단순히 계급적 울분을 드러내거나 계급해방을 목표

20)『개벽』 70호, 1926. 6.

로 한 것이 아니라는 점을 분명히 보여준다. 사실 그가 평론 「무산작가와 무산작품」[21]에서 강조하는 것은 노동자의 자각을 촉구하는 내용과 그 실례이며, 그 연장에서 쓴 「세계삼시야」[22]도 궁극적으로는 '인도적 정신'에서의 통찰을 통한 인간해방을 지향한 것이라고 하겠다. 이 시기 상화가 다시 대구로 낙향한 이유도 「빼앗긴 들에도 봄은 오는가」로 인해 일제 당국으로부터 『개벽』이 폐간 조치된 점도 있으나 카프 진영이 목적의식기로 변모하기 시작한 저간의 사정도 작용했던 것이다. 이 무렵 상화는 동경 시절 사귀었던 유보화가 위급하다는 소식을 듣고 함흥으로 달려가 함께 지내기도 하지만 끝내 유보화는 사망을 하고 또다시 그는 절망에 빠지게 된다.

> 애인아 손을 다고 어둠 속에서 보이는 납색의 손을 내 손에 쥐여다고,
> 애인아 말해 다고 벙어리 입이 말하는 침묵의 말을 내 눈에 일러다고,
> 어쩌면 너와 나 떠나야겠으며 아무래도 우리는 나뉘어야겠느냐?
> 우리들이 나뉘여 미치고 마느니 차라리 바다에 빠져 두 마리 인어(人魚)로나 되여서 살자!
>
> — 「이별(離別)을 하느니」[23] 부분

이처럼 개인적 절망과 시 「빼앗긴 들에도 봄은 오는가」로 인한 현실적인 압박과 수난, 그리고 그가 잠시 몸담았던 카프가 목적의식기로 접어드는 데 따른 이념적 좌절감으로 인해 마침내 상화는 다시 고향으로 돌아오게 된다. 「빼앗긴 들에도 봄은 오는가」로 예술적 절정에 이르는 순간 다시 실존적 절망과 사회적 핍박을 겪게 되는 지점에서 낙향으로 심신을 추스르고자 한 것이다.

---

21) 『개벽』 65, 66, 68호, 1926. 1~4.
22) 『개벽』 65, 66, 68호, 1926, 1~4.
23) 『조선문단』 6호, 1925. 3.

(4) 불우한 삶, 암흑시대의 등불로 꺼지다

대구로 돌아온 상화는 옛 고향 친구들을 만나는 것으로 낙백의 쓸쓸한 심사를 달랬다. 20대 초반 마음의 등불이 되어 주었던 『백조』 활동기의 낭만적 열정도, 20대 중반 이념적 기둥이 돼 주었던 프로 문학도 그에겐 하나의 추억에 해당할 뿐이었다. 게다가 비련의 사랑 체험도 그의 가슴에 깊은 상처를 남기고 과거로 사라져 버리고 만 것이다. 이런 쓸쓸함으로 상화는 자신의 집 사랑방을 '담교장'이라 이름 짓고 백기만 등 친구들과 문학, 인생, 시국 등을 얘기하며 심회를 달래야 했다. 게다가 이 시기 설상가상으로 가세가 더욱 기울어 그를 고통스럽게 했다.

20대 후반인 1928년 그는 낙백의 쓸쓸한 심사에도 불구하고 가슴속의 분노와 절망과 쓸쓸함을 달래면서 1925년경 써두었던 시 「저무는 놀 안에서」와 「비를 다고!」 등을 좌익계 잡지인 『조선지광』(1928. 7)에 발표한다.

> 아 그들이 흘리는 땀방울이
> 세상을 만들고 다시는 움즉인다.
> 가지런이 뛰는 네 가슴 속을 듣고 들으면
> 그들의 헐떡이던 거룩한 숨결을 네가 찾으리라.
>
> 땀 찬 이마와 맥풀린 눈으로
> 괴로운 몸 우막집에 쉬러 오는 때다.
> 사람아 마음의 입을 열어 그들을 기리자
> 하나님이 무덤 속에서 살아옴에다 어찌 견주랴.
>
> —「저무는 놀 안에서」 3, 4연

> 더러운 사람놈의 세상에 몹쓸팔자를 타고 나서
> 살도 죽도못해 잘난 이짓을 대대로 하는 줄은
> 한울아! 네가 말은 안해도 짐작 이야 못했겠나

보리도 우리도 오장이 다 탄다 이리지 말고 비를 다고!

—「비를 다고!」 끝연

이 두 편의 시는 각각 노동자와 농민의 고통스러운 삶과 참담한 울분의 심사를 노래한 작품이다. 이 시기 낙백한 상화의 심사를 진즉에 예언한 작품이라고 생각된다. 그러나 이 시기 상화를 더욱 아프게 한 것은 1926년 태어났던 첫아들 용희(龍熙)의 죽음이다. 낙백한 심사에 더하여 아들의 참척은 그야말로 상화를 절망의 구렁텅이로 몰아넣고 만다.

웅히야! 너는 갔구나
엄마가 뉜지 아비가 뉜지
너는 모르고 어데로 갔구나!

불쌍한 어미를 가졌기 때문에
가난한 아비를 두었기 때문에
오자마자 네가 갔구나.

달보다 잘났던 우리 웅히야
부처님보다 착하던 웅히야
너를 언제나 안아나 줄고

그렇게 팔월에 네가 간뒤
그해 십월에 내가 갇히어
네 어미 간장을 태웠더니라

지나간 오월에 너를 얻고서
네 어미가 정신도 못차린 첫칠날
네 아비는 또 다시 갇히었더니라
……중략……

하루 해를 네 곁에서 못 지내 본 것
한가지로 속시원히 못해준 것
감옥방 판자벽이 얼마나 울었든지.

웅히야! 너는 갔구나
웃지도 울지도 꼼짝도 않고
불쌍한 선물로 설음을 끼고
가난한 선물로 몹쓸병 안고
오자마자 네가 갔구나.

하늘보다 더 미덥던 우리 웅히야
이 세상에 하나밖에 없던 웅히야
너를 언제나 안어나 줄꼬-

— 「곡자사(哭子詞)」[24] 부분

이 시에는 상화의 낙백한 시절의 참담한 절망감과 함께 고통스러운 슬픔이 잘 투영되어 있다. 현실적인 면에서 가정에, 처자에 충실하지 못하면서 항일운동에 나름대로 헌신하던 상화의 신산스러운 삶과 비통한 심서가 잘 투영되어 있다는 뜻이다. 그야말로 '설움'과 '가난', 그리고 '고통' 속에서 나날을 보내던 상화의 실존과 그 내면 풍경이 적나라하게 투영되어 있기 때문이다. 실상 이 무렵 1928년에 상화는 항일운동을 하여 대구경찰서에서 고생한 것으로 전해진다.

30대가 되던 1930년에 들어서면서 상화의 문학에 대한 열정은 현저히 식어 간다. 생활고로 인해 『조선일보』 경북 총국을 경영하는 가운데 발표된 시로는 「반딧불」,[25] 「농촌의 집」,[26] 「역천」,[27] 그리고 「나는 해를 먹다」[28] 등

24) 『조선문예』 2호, 1929. 6.
25) 『신가정』 7호, 1933. 7.
26) 『조선중앙일보』, 1933. 10. 10.
27) 『시원』 2호, 1935. 4.

이 있을 뿐이다. 그러나 1934년 그는 차남 충희를 보면서 다시 삶의 의욕을 추스르게 된다. 그의 중국행이 그것이다. 그는 백씨 상정 장군을 만나기 위해 중국에 가서 약 3개월간 머무르다 귀국한다. 그러나 그는 독립군인 그의 형을 만났다는 이유로 다시 약 4개월간 수감이 되었다가 풀려나게 된다. 수감생활로 인해 그의 심신은 더욱 지쳐 버리고 만다.

출감한 후 상화는 대구 교남학교(현 대륜중고교)에서 아무런 보수도 받지 않고 학생들을 가르치는 일에 종사한다. 영어와 작문을 가르치면서 그는 4년여를 보낸다.

그러다가 그는 오랜 신산스러운 삶과 고통스러운 정신생활 속에서 마침내 병을 얻게 되었고 건강은 나날이 악화된다. 그리하여 1943년 상화는 마흔세 살의 아까운 나이로 대구 명치정(현 계신동 2가 84번지)에서 위암으로 세상을 버리고 만다.

> 4월 25일! 잊혀지지 않을 소화(昭和) 계미(癸未) 4월 25일 이 날, 하루 동안에 나는 두 분의 친한 벗을 잃게 되었다. 우연(偶然)이라 하면 너무도 공교롭고, 숙연(宿緣)이라하면 너무도 영절스러운 노릇이다.…… 애당초 내가 상화(相和)를 알 때 빙허(憑虛)(인용자 주-현진건)를 통하여 알았고, 오늘 상화의 부음을 듣기는 또한 빙허의 죽음을 적문(吊問)하러 빙하의 댁으로 갔다가 들었으니, 역시 죽은 빙허를 통하여 상화의 부음을 접한 것이나 마찬가지 일이라. 이 무슨 범상(凡常)치 않은 인연(因緣)인고![29]

참으로 애석한 일이 아닐 수 없다. 오로지 문학과 민족운동에 헌신하며 치열하게 사회·역사적 삶을 살던 한 의인의 생애가 신산스러운 삶과 그 속에서 비롯된 병마로 인해 한 줌 흙으로 스러져 가는 것은 진실로 안타까운 일이 아닐 수 없다.

---

28) 『조광』 2호, 1935. 12.
29) 박종화, 「빙허와 상화」, 『춘추』 제4권 6호, 1943, 114쪽.

하이야튼 해는
떨어지려 하여
헐덕이며
피뭉텅이가 되다.

샛붉던 마음
늙어지려 하여
고라지며
궁벙이집이 되다.

하루 가운데
오는 저녁은
너그럽다는 하늘의
못 속일 멍통일러라.
일생(一生) 가운데
오는 젊음은
복스럽다는 사람의
못감출 설음일러라.

— 「서러운 해조(諧調)」[30] 전문

결국 일제 말 암흑의 하늘 아래에서 빛나던 민족시의 혜성은 해방의 감격도 맛보지 못한 채 어둠 속으로 사라져 가고 만 것이다. 초기 시단 형성기의 낭만적 열정을 1920년대 중반 현실주의 문학에 접합시키면서 작품상의 실천을 통해 문학사의 바람직한 연결 고리로 작용한 이상화의 문학, 그것은 다시 임화를 비롯한 후대의 현실주의 문학에 강력한 충격파를 형성하면서 우리 현대시사에 꺼지지 않는 등불로 타오르게 된다.

상화가 간 후 마침내 그가 그렇게도 갈망하며 애타게 그리워하던 조국의

30) 『문장』 25호, 1940. 4.

해방이 오고 그의 문학은 다시 빛을 보게 되었다. 해방 후인 1948년 김소운 등의 발의로 대구 달성공원에 그의 시 「나의 침실로」가 새겨진 상화시비가 세워지고, 다시 1951년엔 상화의 시들이 친구 백기만에 의해 수습되어 『상화와 고월』로 발간됨으로써 상화와 그의 문학은 현대문학사의 큰 별로 떠오르게 된 것이다. 남과 북의 문학사에서 함께 크게 다루어진 유일한 시인으로서 상화의 문학, 그것은 문학이 아름다운 상상력과 치열한 현실의식이 함께 변증법적으로 접합되고 삶의 문학으로 고양될 때 비로소 참다운 문학이 될 수 있다는 소중한 교훈을 우리에게 던져준다. 살아생전 시집 한 권 내지 못하고 불우한 일생을 살다 간 시인이지만 상화와 그의 문학은 그 치열성과 진정성으로 인해 겨레의 가슴속에 영원한 활화산으로 살아 있을 것이 분명하다.

2. 상화의 문학 세계

"지금은 남의 땅-빼앗긴 들에도 봄은 오는가"라고 절규하던 시인 이상화(1901~1943), 그는 죽는 날까지 식민지의 절망적 현실 아래서 가장 용기 있고 꿋꿋하게 민족혼의 불멸함을 증거하고 온몸으로 일제에 항거하였던 암흑기 최대의 저항시인의 한 사람이다.

지금까지 그에 대한 논의는 주로 「나의 침실로」와 「빼앗긴 들에도 봄은 오는가」 두 편에 한정되어 온 느낌이 없지 않다. 다시 말해, 낭만시 또는 저항시라는 두 측면만을 강조하는 데 많은 노력이 기울여져 온 것이다. 물론 이것은 정당한 시각이고 바람직한 시도라고도 할 수 있다. 그러나 상화의 시에는 휴머니즘 정신이 밑바탕에 가로놓여 있음을 간과해서는 안 된다. 그의 시는 단순한 서정시 또는 투쟁적인 계급시나 단순한 저항시의 측면보다는 없는 자, 빼앗긴 자, 약한 자, 착한 자들에 대해 폭넓고 깊이 있게 옹호하는 정신에 뿌리를 두고 있는 것으로 판단되기 때문이다. 그의 시는 농민, 노동자 등 빈궁한 삶에 대한 깊은 공감과 연대감을 표출함으로써 문학적 휴머니즘의 실천을 지향하고 있는 것이다. 실상 가혹한 일제의 착취와 억압 속에서 당대 이 땅의 민중들은 누구나가 다 집과 땅, 그리고 인격을 빼앗긴 빈궁자가 아닐 수 없었을 것이 분명하다.

그의 치열한 애국사상, 민족사상, 민중사상, 저항사상, 그리고 휴머니즘사상은 사상 자체로서 생경하게 제시되지 않고 예술적 형상성을 성취하고 있다는 점에서 의미가 드러난다. 시의 시다운 품격과 위의를 잃지 않고서도 치열하고 높은 민족혼의 횃불을 어두운 암흑의 하늘 아래 치켜들 수 있었다는 점에서 상화 시 정신의 소중함이 빛을 더하는 것이다.

(1) 낭만적 에로티시즘의 정화

상화의 작품 활동은 그가 동향 친구인 현진건의 소개로 『백조』에 가담하여 그 창간호에 「말세의 희탄」을 발표하면서 시작된다. 그는, 『백조』 3호(1923)에 「나의 침실로」를 발표하여 주목을 끈 이래 작고하기 2년 전인 1941년까지 「서러운 해조」를 마지막으로 하여 약 50여 편의 시와, 「초동」이라는 소설, 「문단측면관」·「문예의 시대적 변이와 작가의 의식적 태도」 등의 평론, 「파리의 밤」 등 번역 소설 및 「출가자의 유서」 등의 수필 등을 남기고 있다. 그의 작품 활동은 대략 초기에는 『백조』 그룹 등과, 이후에는 카프와의 연관하에서 1920년대 약 10년간 집중적으로 전개되었다. 생전에 시집을 발간하지 못했는데 작고 후 대구 동향 친구인 백기만에 의해 『상화와 고월』(청구출판사, 1951), 그리고 김학동에 의해 『이상화작품집』(형설출판사, 1977) 등이 출간되었다.

이상화 시의 표기상 특징은 한글을 주로 쓰고 중요어 또는 난해어를 한자로 쓰는 당대 시의 일반 조류와 대동소이하다. 띄어쓰기도 호흡률에 의해 구분하였는데, 쉼표를 많이 활용한 것이 특이하다. 형태는 매우 길고 유장한 가락의 「나의 침실로」, 「빼앗긴 들에도 봄은 오는가」 등을 제외하면 대부분이 흔히 볼 수 있는 짧은 마디의 율격형 자유시로 짜여져 있다. 그리고 '목거지',

‘다랍다’, ‘햇채’ 등 잘 쓰이지 않는 고어 또는 잊혀진 말, 방언 등이 많이 사용되어 의미 판독이 어려운 경우가 가끔 발견된다.

먼저 「나의 침실로」는 상화의 시단 등장에 있어 출세작에 해당된다.

「마돈나」 지금은밤도, 모든목거지에, 다니노라 피곤(疲困)하야돌아가려는도다,
아, 너도, 먼동이트기전으로, 수밀도(水蜜桃)의네가슴에, 이슬이맺도록달려오느라.

「마돈나」 오렴으나, 네집에서눈으로 유전(遺傳)하든진주(眞珠)는, 다두고몸만오느라,
빨리가자, 우리는밝음이오면, 어댄지도모르게숨는두별이어라.

「마돈나」 구석지고도어둔마음의거리에서, 나는두려워떨며기다리노라,
아, 어느듯첫닭이울고-뭇개가짓도다, 나의아씨여, 너도듯느냐.

「마돈나」 지난밤이새도록, 내손수닥가둔침술(寢室)로가자, 침실(寢室)로!
낡은달은빠지려는데, 내귀가듯는발자국-오, 너의것이냐?

「마돈나」 짧은심지를더우잡고, 눈물도업시하소연하는내맘의촉(燭)불을봐라,
양(羊)털가튼바람결에도실식(窒息)이되어, 얄푸른연기로꺼지려는도다.

「마돈나」 오느라가자, 압산그름애가, 독갑이처럼, 발도업시이곳갓가이오도다.
아, 행여나, 누가 볼는지-가슴이뛰누나, 나의아씨여, 너를부른다.

「마돈나」날이새련다, 빨리오렴으나, 사원(寺院)의쇠북이, 우리를 비웃기전에,

네손이내목을안어라, 우리도이밤과가티, 오랜나라로가고말자.

「마돈나」뉘우침과두려움의외나무다리건너잇는내침실(寢室)열이 도업느니!

아, 바람이불도다, 그와가티가볍게 오렴으나, 나의아씨여, 네가오 느냐?

「마돈나」가엽서라, 나는미치고말앗는가, 업는소리를내귀가들음은-,

내몸에피란피-가슴의샘이, 말라버린듯, 마음과목이타려는도다.

「마돈나」언젠들안갈수잇스랴, 갈테면, 우리가가자, 끄을려가지말고!

너는내말을밋는「마리아」-내침실(寢室)이복활(復活)의동굴(洞窟) 임을네야알년만

「마돈나」밤이주는꿈, 우리가얽는꿈, 사람이안고궁그는목숨의꿈 이다르지안흐니,

아, 어린애가슴처럼세월(歲月)모르는나의 침실(寢室)로가자, 아름 답고오랜거긔로.

「마돈나」별들의웃음도흐려지려하고, 어둔밤물결도자자지려는도다,

아, 안개가살아지기전으로, 네가와야지, 나의아씨여, 너를부른다.

—「나의 침실(寢室)로」

"가장아름답고 오-랜것은 오즉꿈속에만잇서라(내말)"고 하는 단서가 부제처럼 붙어 있는 이 작품은 상화의 초기 대표작으로 일컬어진다. 따라서 이 시는 가장 아름답고 오랜 것으로서의 꿈, 또는 꿈속에 있을 수 있는 것이 무엇인가 하는 문제에 시의 비밀이 놓여지는 것으로 보인다. 1920년대 초의 시인들,

특히 백조파의 시인들에게 등록상표처럼 애용되던 '꿈'의 내용은 과연 무엇일까? 또한 꿈의 상징적 의미는 어떠한 것인가? 이러한 문제의 해명은 상화의 시 세계를 밝히는 데도 긴요한 작업이 되지만 현대시사에 있어 초기 시단의 형성 과정을 이해하는 데도 필요한 일이 아닐 수 없다.

먼저 이 시는 2행이 한 연을 구성하여 모두 12연 24행으로 이루어져 있다. 다시 이것은 3연이 한 묶음씩 묶여져 기·승·전·결 네 단락으로 나뉘어진다. 첫째 단락은 '오너라', 둘째 단락은 '가자', 셋째 단락은 '오려무나', 넷째 단락은 '가자'라는 반복적인 어미를 기본으로 하여 짜여져 있기 때문이다. 그리고 각 연은 '마돈나'를 어두에 반복하면서 띄어쓰기를 쉼표에 따라 구분하고 말줄임표, 느낌표, 물음표, 마침표 등을 활용함으로써 시의 리듬과 템포에 긴장감과 탄력감을 불어넣고 있다. 내용상으로 보아도 이 시는 대략 기·승·전·결로 나뉘어지는데 그 각각은 '몸→불→피→물'이라는 중심 이미지를 핵으로 하여 전개된다. 시간 배경 또한 '밤→깊은 밤→ 한새벽→새벽'으로 전이되는 것으로 보인다.

이렇게 볼 때 문자의 반복과 병렬에 의한 급격한 템포의 형성, 4단 구성에 의한 점층적 전개, 그리고 밤이라는 시간 배경과 '몸→불→피→물'이라는 핵심 이미지가 상징하는 의미 내용 등은 이 시의 주제가 단순하지만은 않으리라는 점을 짐작게 해준다.

그것은 단적으로 말해서 이 시가 성 충동의 개방 또는 성행위의 가상적 체험이라는 의미와 관련되어 있음을 알 수 있게 해준다.[31][32]

그러나 이 시는 단순한 성 충동이나 성행위의 묘사 그 자체에 뜻을 두고 있는 것으로 보이지는 않는다. 그것은 오히려 그러한 것들과 관련하여 사랑의 모습을 드러내 보이고, 나아가서 사랑의 본질이 정염과 허무, 상승과 하강, 생

31) 정한모·김재홍, 『한국대표시평설』, 문학세계사, 1983.
32) 이에 관해서 조창환의 「환상적 관능미의 추구」라는 글이 있다.

성과 소멸, 죽음과 부활이라는 생의 근본 원리와 맞닿아 있음을 말하고자 하는 데 뜻이 있는 것으로 이해된다.

먼저 첫째 단락인 제1~3연은 '마돈나'와 '나'의 상관성에서 시작된다. 마돈나는 이탈리아어로 Madonna, 즉 성모 마리아를 뜻하지만 여기에서는 사랑하는 여인을 지칭하는 것으로 보아도 무방하다. 그것은 마돈나가 "수밀도의네가슴/몸만오느라"와 같이 신성 이미지가 아닌 인간적·관능적 이미지로 표상되어 있기 때문이다. 중요한 것은 마돈나와 내가 "밝음이오면, 어댄지도모르게숨는두별"로 상징화된 점이다. 그것은 밝음으로서의 사랑, 즉 정상적인 애정 관계에 기초한 사랑이 아니라는 점을 암시해 준다. 어둠 속에서만 빛나는 두 별로서의 '마돈나'와 '나'의 관계 설정은 어쩌면 사련, 또는 비련의 사랑 체험에 이 시가 모티프를 두고 있다는 점을 암시해 주는지도 모른다.

사실상 이 시를 쓸 무렵에 상화는 그의 백부의 강요에 못 이겨 결혼하였는데, 이 시기에 이미 사랑하던 또 다른 여인이 있었던 사실에 비추어[33] 이 여인과의 비극적 사랑 체험이 이 시에 투영되어 있을 가능성이 충분히 인정되는 것이다.

특히 "네집에서눈으로 유전하든진주는, 다두고몸만오느라"라는 구절 속에는 인습과 도덕을 초월한 맹목적 사랑, 혹은 사랑의 초월적 가치에 대한 경도가 담겨져 있는 것으로 보인다. 어쩌면 이것은 당대 백조파의 연애 지상주의 혹은 탐미적, 퇴폐적, 감상적 사랑의 열정과도 무관하지 않을 것이다. 그러므로 '나'는 "구석지고도어둔마음의거리에서, 두려워떨며기다리게"되는 것이다. 실상 이러한 시적 퍼스나의 불안과 초조감은 그것이 사련 또는 비련의 사랑 체험과 관련될 때 더욱 정서적 긴장 체계를 형성하게 되기 때문이다. 여기에서 "첫닭이울고-뭇개가짓는"이라는 환청은 바로 이러한 퍼스나의 불안 심리와 강박 관념을 표상한 것이 된다.

---

33) 백기만, 「상화의 시와 그 배경」, 이기철 편, 『이상화전집』, 문장사, 1982.

둘째 단락인 제4~6연에서는 '오너라'가 '가자'라는 청유형 어미로 바뀐다. 특히 여기에서 환청 "낡은달은빠지려는데, 내귀가듣는발자국-오, 너의 것이냐"라는 구절이 중요한 의미를 지닌다. 이것은 마돈나가 나타나서 함께 침실로 가는 모습으로서의 환각과 연결된다. 즉, 마돈나가 나타나서 시의 화자와 함께 침실을 향해 가는 듯한 환상적 동일시(fantastic identification) 현상이 '가자'라는 명령적인 청유형으로 표출되는 것이다. '오너라'의 거리감이 '가자'라는 공동 청유형에 의해 해소되어, 환상 속에서 심리적 충족감을 맛보는 것으로 풀이된다. 그러나 그것은 역시 환상 속에서의 가상적 체험일 뿐이다. 퍼스나의 모습은 어디까지나 "눈물도업시하소연하는촉불"에 불과하다. 따라서 "양털가튼바람결에도실식이되어, 얄푸른연긔로꺼지려는" 애처로운 모습일 뿐인 것이다.

특히 제6연에서의 '그림자'와 '도깨비'라는 상징은 퍼스나의 불안심리와 강박관념을 예리하게 표상한 것이 된다. "아, 행여나, 누가볼는지-가슴이뛰누나, 나의아씨여, 너를부른다"라는 둘째 단락의 마지막 행은 사련 또는 비극적 사랑의 체험에 따르게 마련인, 외부의 시선에 대한 두려움과 심리적 초조감 및 불안감이 뒤엉키는 데서 일어나는 본능적인 죄의식의 발현으로 이해된다. 특히 이 단락에서 문제가 되는 것은 '불'의 이미지이다. 첫째 단락에서의 '몸'의 이미지 또는 사랑의 정염과 연결되면서 '불'의 이미지는 성적인 충동 또는 성욕의 이글거림으로 확대해석된다. '촛불'에서의 불은 그 열과 수직 상승의 속성으로 인해서 성적인 달아오름, 혹은 욕망의 상승과 자연스럽게 유추될 수 있기 때문이다. 이 점에서 이 시가 성 충동의 문제와 전혀 무관하지 않다는 점이 발견된다.

셋째 단락에서는 시적 사건이 절정으로 치닫게 된다. 여기에선 다시 앞에서의 '가자'가 '오려무나'로 변주된다. 이것은 안타까운 하소연과 애원의 심정과 연관된다. 따라서, 환각 또는 환상의 요소가 다시 나타난다. '날이 새기 전에', 즉 이 밤이 다하기 전에 마돈나가 오지 않으면 안 되는 것이다. 와서 "내 목을 안고/오랜나라"로 가야만 하는 것이다. "오랜나라"는 과연 무엇인가.[34][35] 그것은 "뉘우침과두려움의외나무다리건너잇는내침실(寢室)"과 무관한 곳이 아니다. 그렇다면 역으로 '침실'은 무엇을 통해서 이르는 곳인가. 아마도 그곳은 "뉘우침과두려움"을 넘어서서 어렵게 어렵게, 마치 외나무다리를 건너듯이, 도달할 수 있는 그러한 의미심장한 장소임에 틀림없다. 그렇다면 "뉘우침과두려움", 그리고 '침실'이 지니는 내포적 상관관계는 어렵지 않게 유추해 낼 수 있을 것이다. 그것은 사련의 죄의식 혹은 성 충동이 원초적으로 내포하는 원죄의식과 연결된다. '아무도 열 사람'이 없는 외나무다리 건너의 '침실'은 이룰 수 없는 사랑에 괴로워하는 사련 또는 비련의 연인들이 뉘우침과 두려움에 쫓겨야 하는 고통스러운 밀회의 장소이자 현실의 굴레로부터 벗어날 수 있는 "아름답고오랜" 도피의 세계에 해당한다. 그렇기 때문에 그곳은 현실에서는 쉽게 도달할 수 없는 유토피아적 성격을 지니게 된다.

제9연에서의 극도의 환각체험과 성충동의 끓어오름이 그것을 반영한다. "「마돈나」가엽서라, 나는미치고말앗는가, 업는소리를내귀가들음은-"이라는 구절 속에는 꺼지지 않는 사랑의 정염이 담겨져 있다. 동시에 이 구절 속에는 폭발적인 성 충동의 욕망이 환상체험에 의해 클라이맥스에 도달하는 과정이 제시되어 있다. 따라서 "내몸에피란피-가슴의샘이, 말라버린듯, 마음과목이타려는도다"라는 '피'와 '샘', 그리고 '갈증'의 이미지가 함께 제시되는 것이다. 피와 샘, 그리고 목마름의 이미지는 성행위의 그것과 무관하지 않다. 심리적인 불안의식과 강박관념, 그리고 원죄의식이 육체적인 성 충동과 합치면서 더욱 격렬한 리비도(Libido)의 분출로 폭발하게 된 것이다. 이 점에서 둘째 단락에서의 '불'의 이미지는 여기에서 '피'의 이미지로 상승하게 됨으로써 남성

---

34) 차한수, 「이상화 나의 침실로의 분석과 이해」, 『이상화의 서정시와 그 아름다움』, 새문사, 1981.
35) 조동일은 이것을 죽음의 세계로 파악한다.

적인 생명력을 고조시키게 된다.

마지막 연에서는 전체시의 주제가 제시되면서 하강적 국면으로 접어들게 된다. 여기에서 첫 행은 중요한 의미를 지닌다. "「마돈나」 언제들안갈수잇스랴, 갈테면, 우리가가자, 끄을려가지말고"라는 이 구절은 사랑의 운명성을 확인하는 지점에서 새롭게 성취하게 되는 능동적인 사랑의 자세에 대한 비정한 결의이며 다짐이고, 동시에 사랑의 자발성, 주체성 회복에 대한 갈망을 피력한 것으로 해석된다. 따라서 다음 행에서 "너는내말을밋는「마리아」-내침실이복활의동굴임을네야알년만"이라는 절규가 가능하게 되는 것이다. 여기에서 '침실'의 의미는 더욱 구체적으로 드러난다. 그토록 도달하고자 소망하고 몸부림쳤던 영원의 장소, 뉘우침과 두려움을 넘어서 겨우 도달할 수 있을지도 모르는 신비의 장소로서의 '침실'은 "부활의 동굴"로 제시되어 있는 것이다. "아름답고 오랜 나라"로서의 '침실'은 결국 사랑의 성행위를 통해 부활이 성취되는 재생의 터전이자 새 출발의 요람인 것이다.

특히 '부활'이 '동굴'과 은유 관계를 형성하고 있는 것은 의미심장하다. 그것은 여성 또는 모체의 자궁 이미저리와 연관된다. 다시 말해서, 성 충동을 해소하는 장소이면서 원죄의식을 정죄하는 장소이고, 동시에 재생의 장소로서의 상징성을 지니는 것이다. 여기에서 꿈의 의미가 드러난다. 그것은 '밤'과 연결되고 이것은 다시 '침실'로, 다시 '동굴'의 이미지와 연결되는 것이다. 즉, 꿈은 사랑의 꿈이며 사랑의 행위를 통한 거듭남의 꿈, 즉 성애를 통한 부활의 꿈인 것이다. 꿈과 사랑이 지닌 양면적 속성, 즉 생성과 소멸, 상승과 하강, 충만과 소실, 밝음과 어둠, 정염과 허무를 성 충동의 해소와 사랑의 확인이라는 가상적 체험을 통해 분출시킴으로써 삶의 본질을 드러내 보이고자 한 것이다. 따라서 '침실'과 '동굴'은 "아름답고 오랜" 곳으로서, 또한 "어린애가슴처럼세월모르는" 곳으로서, 영원한 사랑 또는 순수 불멸의 아름다운 생명에 도달하는 부활과 재생의 통과과정(initiation)인 것이다. 실상 꿈이 영원한 사랑의 표상 또는 아름다운 사랑의 촉매라는 점은 "「마돈나」 밤이주는꿈, 우리가 얽는꿈, 사람이안고궁그는목숨의꿈이다르지안흐니"라는 구절에서 선명히 제시된다. 세 가지 꿈의 공통점은 그것이 사랑의 문제에 초점이 놓인다는 사실에 있다. 사랑이야말로 모든 인류의 근원적인 꿈이며, 마지막으로 도달하려는 최후의 목표가 아닐 수 없기 때문이다. 마지막 연이 여성과 생성의 의미를 지니는 '물'의 이미지와 연결되면서 정리되는 것도 이 점에서 우연한 일은 아니다.

이렇게 볼 때 이 시는 가상적인 성행위를 통해서 성 충동을 해소하면서, 사랑의 의미를 새롭게 발견하고 그 속에서 삶의 근거를 확인하여 정신의 부활을 성취하려는 노력에 바탕을 두고 있음을 알 수 있다. 사실상 이러한 몸부림은 당대의 절망적 상황, 즉 일제의 질곡 속에서 해방을 갈망하는 열린 의식과 함께 억압된 윤리의식 속에서 사련 또는 비련의 모습을 겪을 수밖에 없었던 낭만파들의 강박관념과 불안 심리, 그리고 성애의 원죄의식이 서로 복합되어 나타난 자기 카타르시스 혹은 자기극복의 상징적 표출로 이해되는 것이다.

(2) 어둠과 울음의 현실인식

① 이 세기(世紀)를물고너흐는, 어둔밤에서
다시어둠을꿈꾸노라조우는조선의밤-
망각(忘却)뭉텅이가튼, 이밤속으론
해쌀이비초여오지도못하고
한우님의말슴이, 배부른군소리로 들리노라
나제도밤-밤에도밤-
그밤의어둠에서씀여난, 뒤직이가튼신령은
광명(光明)의목거지란일홈도모르고

술취한장님이머-ㄴ길을가듯
비틀거리는자욱엔, 피물이흐른다!

—「비음(緋音)」

② 한울을 우럴어
울기는 하여도
한울이 그리워 울음이 아니다
두발을 못뻣는 이땅이 애닯어
한울을 흘기니
울음이 터진다
해야 웃지마라
달도 뜨지마라

—「통곡(慟哭)」

③ 어제나오늘 보이는사람마나 숨결이막힌다.
오래간만에 맛나는반가움도업시
참외꽃가튼 얼골에 선우슴이 집을짓더라
눈보라 모라치는 겨울맛도업시
고사리가튼 주먹에 진땀물이 구비치더라
저한울에다 봉창이나뚜르랴 숨결이막힌다.

—「조선병(朝鮮病)」

우리는 앞에서 「나의 침실로」가 이룰 수 없는 사련의 비극적 사랑에 모티프를 둔 연애시에 속함을 살펴보았다. 이 작품으로 대표되던 초기 시의 세계는 상화의 일본 체험(대략 1922~1924년 무렵) 이후에 급격한 변화를 겪게 된다. 당대 현실에 대한 뼈아픈 인식이 시의 전면에 나타나기 시작한 것이다.

먼저 시 ①에서는 당대 식민지하의 절망적 현실이 '밤'으로 표상되어 나타난다. 첫 행부터 마지막 행까지 밤의 이미지가 지속적으로 나타나서 하나의 '밤의 상징체계'를 형성하고 있다. "어둔밤/조선의밤/이밤/나제도밤/밤에도밤

/어둠/장님" 등의 어사 속에는 당대의 암흑과 같은 현실이 첨예하게 제시되어 있다. 따라서 "해쌀이비초여오지도못하고/광명의목거지란일홈도모르고"라는 구절처럼 어둠밖에는 보이는 것이 없는 당대의 비참한 현실이 생생하게 그려진다. 그러므로 "한우님의말슴이 배부른군소리로 들리노라/비틀거리는 자욱엔, 피물이흐른다"와 같이 울분과 분노가 끓어오르게 된다. 특히 "나제도 밤-밤에도밤"과 "피물이흐른다"라는 두 핵심어 속에는 당대 현실의 참담함에 대한 비통과 함께 강력한 저항의지가 담겨 있는 것으로 보인다.

시 ②에도 비탄과 울분이 제시되어 있다. 하늘은 우러름의 장소도, 꿈과 희망의 표상도 아니다. 그것은 오히려 비탄과 절망 혹은 저주의 대상으로 떠오른다. "한울을 흘끼니"라는 구절 속에는 당대 현실에 대한 참담한 절망으로부터 비롯된 분노와 저주가 담겨 있는 것이다. 이 점에서는 실로 "우리는밝음이 오면, 어댄지도모르게숨는두별"로서의 사랑을 노래하던 『백조』 시대의 상화로부터 코페르니쿠스적 전환이 이루어진 셈이다. 특히 "두발을 못뻣는 이땅이 애닯어"라는 구절에 담긴 국토와 주권, 그리고 자유의 상실에 대한 탄식은 상화의 예리한 현실인식을 반영한 것이 아닐 수 없다. 따라서 "해야 웃지마라/달도 뜨지마라"라는 부정적 세계관을 형성하게 되는 것이다. 상실된 조국과 박탈된 자유의 당대 현실은 해와 달이 없는 것과 마찬가지인 우주의 멸망 혹은 세계의 붕괴와 다를 바 없는 것이다.

시 ③에는 당대 현실의 숨 막히는 상황과 사람들의 비참한 모습이 제시되어 있다. 보이는 사람들은 "숨결이 막히도록" 답답한 모습이며, '참외꽃' 같이 바짝 마르고 초라한 표정인 것이다. '고사리'같이 무력한 주먹에 '진땀'만 흘리는 참담한 모습일 뿐이다. 따라서 숨 막히는 현실을 초라하고 무기력하게 살아가고 있는 식민지하 동족의 비참한 현실을 개탄하고 있는 것이다.

이렇게 볼 때 이 시편들에는 당대 현실의 비참한 모습이 '밤'과 '울음'으로 표상되어 있으며, 이에 대한 울분과 적개심이 강하게 표출되어 있음을 알 수 있다. '조선의 밤'과 '조선병(病)'으로 요약할 수 있는 상화의 이 투철한 현실 인식은 당대 민족시인들에게서 쉬 찾아보기 어려운 준열한 역사의식의 발현일 것이다.

(3) 망국의 한, 유랑의 민족사

아, 가도다, 가도다, 쪼처가도다
이즘속에잇는간도(間島)와요동(遼東)벌로
주린목숨움켜쥐고, 쪼처가도다
진흙을밥으로, 햇채를마서로
마구나, 가적드면, 단잠은얽맬것을-
사람을만든검아, 하로일즉
차라로주린목숨빼서가거라!

아, 사노라, 취해사노라
자폭(自暴)속에잇는서울과시골로
멍든목숨행여갈가, 취해사노라
어둔밤말업는 돍을안고서
피울음을울드면, 셜음은풀릴것을-
사람을만든검아, 하로일즉
차라로취한목숨, 죽여바리라!

—「가장비통(悲痛)한기욕(祈慾)」

"간도이민을 보고"라는 부제가 붙은 이 시에는 몇 개의 난해어가 들어 있다. 첫 행 "쪼처가도다"는 쫓겨 가도다라는 피동의 의미로 쓰였고, ④행의 "햇채"는 하수도·수챗구멍의 물을, ⑤행의 "마구"는 마구간을, ⑥행의 "검"은 신, 또는 조물주의 뜻으로 사용된 것으로 보인다.

먼저 이 시에는 일제의 억압과 수탈에 견디다 못해 북만주로 쫓겨가는 민족의 수난상이 그려져 있다. 한일 합방 이후 일본인들의 대대적인 조선 반도에의 진출 및 수탈로 인해 당대 조선인들의 만주로의 내쫓김이 시작된 것이다. "얼음짱 깔린 강바닥을/바가지달아매고 건너는 밤마다 밤마다 외로이 건너는/함경도 이사꾼"(김동환, 「국경의 밤」·6)의 모습은 바로 제 땅과 고향을 잃고 또 다른 고향을 찾아서 두만강, 압록강을 건너가던 이 땅 서러운 민족의 유랑사를 제시한 것이 된다. 동척을 내세운 일제의 무자비한 경제적 수탈과 그에 따른 농촌의 궁핍화 등으로 인해 소작농과 유랑민이 급격히 증가했던 당시의 식민지적 상황은, 이 시의 배경을 잘 설명해 준다. 당대의 비참한 현실과 그 궁핍상은 "진흙을밥으로, 햇채를마서로"의 지경이며, 단잠을 얽을 '마구' 하나 없는 모습으로 제시된다. 갈아 먹을 땅은 물론 비를 피할 집 하나 없는 거지의 모습과 조금도 다를 바 없는 상황으로 당대 민족의 궁핍한 현실이 묘사된 것이다. 그러므로 차라리 "주린목숨빼서가거라"하는 자학과 저주를 드러내게 된다. 둘째 연에서도 마찬가지이다. 쫓겨가는 간도 이민의 모습도 뼈아픈 것이지만, 이 땅에 살아남아 부질없는 목숨을 이어갈 수밖에 없는 퍼스나의 현실 역시 통탄스러운 것이 아닐 수 없다.

따라서 "자폭(自爆)속"에서 "멍든목숨"으로 살아갈 수밖에 없는 비참한 퍼스나의 모습이 적나라하게 제시된다. 취해서 살 수밖에 없는 참담한 암흑의 현실 상황은 "어둔밤말업는 돕을안고서/피울음"을 우는 비통함 그 자체인 것이다. 그러므로 여기에서도 "차라로취한목숨, 죽여바리라"고 하는 극단적인 자학으로 시를 마무리 짓게 된다. 실상 이러한 '죽음'을 운위하는 극단적인 자학은 그것이 자학 자체로서 머무는 것이 아니라, 일제에 대한 강력한 규탄을 담고 있는 것이라는 점에서 주목하지 않을 수 없다.

이렇게 볼 때 이 시는 당대의 비참한 현실에 대한 통탄과 함께 불요불굴의 항일의지를 구상화한 것이라는 데서 의미가 있다.

(4) 소외계층의 울분과 휴머니즘

① 날마다하는 남붓그런이짓을
너의들은 예사롭게 보느냐고
웃통도버슨구루마꾼이
눈붉혀뜬얼골에 땀을흘리며
안악네의압흠도 가리지안코
네거리우에서 소흉내를 낸다.

—「구루마꾼」

② 네가 주는것이 무엇인가?
어린애게도 늙은이게도
즘생보담은 신령하단 사람에게
단맛뵈는 엿만이 아니다
단맛넘어 그맛을 아는맘
아모라도가젓느니 잇지말라고
큰가새로 목탁치는네가
주는것이란 엇재 엿뿐이랴!

—「엿장사」

상화의 후기작에는 걸인, 노동자, 잡상인 등 빈궁한 소외계층에 대한 옹호의 시선이 두드러지게 나타난다. 이른바 무산계급에 대한 경사가 드러나는 것이다.

시 ①은 "구루마꾼"(수레꾼, 지게꾼)의 비참한 모습을 묘사하고 있다. "웃통도버슨구루마꾼이/눈붉혀뜬얼골에 땀을흘리며"라는 구절 속에는 빈궁한 도시의, 변두리 소외계층의 울분이 담겨져 있다. 특히 "네거리우에서 소흉내를 내는" 모습 속에는 식민지 치하 피폐한 현실 하에서 마치 마소처럼 혹사당하는 이 땅의 소외당한 민중의 잔영이 투영되어 있는 것이다. 이러한 소 흉내를 내는 막노동자의 처절한 모습은 바로 식민지하, 빼앗긴 자로서의 이 땅 민족의 대리 자아의 표상일 수 있기 때문이다.

시 ②도 마찬가지이다. 엿장수라는 하층 막노동자를 소재로 택한 것 자체가 경사된 사회의식을 반영한 것일 수 있기 때문이다. 엿장수는 "즘생보담은 신령하단 사람"에게 단맛만을 선사하는 단순한 노동자가 아니다. 엿장수는 그의 땀과 눈물을 통해서 노동의 신성함과 삶의 소중함을 깨우쳐 주는 '목탁'의 역할을 수행한다는 강조적 의미가 담겨져 있는 것이다. "단맛넘어 그맛을 아는맘"이 바로 그러한 휴머니즘 사상의 발현으로 이해된다. 굳이 이러한 상화의 빈궁자 대상의 시편을 계급의식의 선전선동으로만 이해할 필요는 없다. 물론 상화가 이 무렵 카프에 가입하고 「무산작가와 무산작품」[36] 등의 평론을 발표한 것이 사실이지만, 그의 작품에서 다루어지고 있는 빈궁자의 모습은 그것이 좌경 이데올로기의 측면보다는 휴머니즘의 발현으로 이해하는 것이 옳다고 본다. 이것은 실상 만해의 소설들에서 소작인·농민 등이 당대 조선인의 표상이며, 그들이 저항한 악덕 지주·자본가가 일제를 상징화한 것과 대응되는 사실로 해석할 수 있기 때문이다.[37]

따라서 상화의 시에 나타나는 소외계층의 비참한 생활상과 그 울분은 가진 자, 착취하는 자로서의 일제에 대한 저항의식의 발현이자 민족의식 또는 민중의식의 표출로 이해하는 것이 옳을 듯하다. 실상 그의 자유분방한 기질이나 유복한 가정환경(비교적 부유했던 생활환경, 형 상정 장군이 혁혁한 항일독립투사였고, 아우 상백이 저명한 사회학 교수이자 해방 후 IOC 위원이었다는 사실 등)으로 미루어 볼 때, 그 자신이 전투적인 프로문학의 투사가 되기는 어려웠을 것이 분명하기 때문이다.

---

36) 『개벽』 65, 66, 68호, 1926, 1~4.
37) 졸저, 『한용운문학연구』, 일지사, 1982 소설론 참조.

이 점에서 상화의 시에 하층 소외계층의 빈궁한 삶과 울분이 자주 등장하는 것은 오히려 항일 민족의식 내지는 민중적 휴머니즘 정신의 구현이 아닐 수 없다.

(5) 농민의 고달픔과 민중적 생명력

사람 만 다라워진[38]줄로 알엇더니
필경 에는 밋고 밋든 한울 까지 다라워젓다
보리 가 팔 을 버리 고 달라 다가 달라 다가
이제 는 고라진몸으로 목을 대자나 빠주고 섯구나!

반갑지 도 안흔 바람 만 냅다 부러
가엽게도 우리 보리 가 달증이 든듯이 뇌랏타
풀 을 뽑더니 이장에 손 을 대보너니 하는것도
이제 는 헛일을 하 는가 십허 맥이 풀려만 진다!

거름 이야 죽을판 살판 거루어 두엇지만
비가 안왓서-원수ㅅ놈의비 가 오지안헛서
보리 는 발서 목이 말러 입에 대지도 안는다
이러케 한장 동안 만 더 간다 면
그만-그만 이다 죽을수 밧게 업는 노릇이로구나!

한울 아 한해 열두달 남의일 해주고 겨오사는 이목숨이
고라 죽으면 네맘에 씨원 할께 뭐란 말이냐

---

38) 다라워진 : 다랍다, 더럽고 인색하다.
고라진 : 곯다.
달증 : 황달
이장 : 이랑의 오기

제-발 빌자! 밧헤서 갈닙소리가 나기전에
무슨 수가 나주어야 올해는 그대로 살어나 가보세!

다라운 사람놈의 세상에 몹슬팔자를 타고낫서
살도 죽도못해 잘난 이짓을 대대로 하는 줄은
한울아! 네가 말은 안해도 짐작 이야 못햇겟나
보리도 우리도 오장이 다 탄다 이리지 말고 비를 다고!

—「비를 다고!」

이 작품은 1928년 7월 『조선지광』에 발표된 이상화의 후기작 중의 한 편이다. 여기에서 보리밭은 단순한 정물적인 풍경화의 대상이 아니다. 보리는 우리 한민족의 오랜 역사 속에서 애·원·한이 얽혀 있는 목숨의 표상인 것이다. 이 땅 수천 년의 역사를 통해 보리는 민족의 가난한 삶, 또는 민중의 억센 생명력의 상징으로 받아들여져 왔다. 이 점에서 농민의 피폐한 삶과 보리의 말라비틀어진 모습은 적절히 조응된다. 농민의 억센 생의 의지를 괴롭히는 것은 일제의 강점과 식민지 수탈만은 아니다. 오히려 실제적인 면에서는 가뭄이나 홍수와 같은 천재지변이 더욱 무서운 두려움의 대상이다. "사람 만 다라워진 줄로 알앗더니/필경에는 믿고 믿든 한울 까지 다라워젓다"라는 구절 속에는 사람에게 천대받던 농민이 마침내 하늘에게서도 외면당하는 듯한 한스러운 원망의 애타는 몸짓이 표출되어 있다. 한발에 시달리는 농촌의 피폐한 모습이 바로 그것이다. "고라진 몸으로 목을 대자나 빼주고 섯구나" 하늘 보리들의 메마른 형상은 바로 농민들의 헐벗고 찌든 모습을 반영한 것으로 이해되기 때문이다. 더욱이 "달중이 든듯이 뇌란" 보리의 모습은 식민지하에서 시달릴 대로 시달려서 마침내 숨이 넘어갈 듯한 농민들의 객관적 상관물일 수 있는 것이다. 죽을 판 살 판 거름을 거루고 풀을 뽑고 이랑을 매만져도 입에 풀칠조차 하기 어려운 실정인데도 비마저 내려 주지 않는 비통한 실정이 적나라하게 제시되어 있다. 따라서 "원수ㅅ놈의 비 가 오지 안헛서"라고 죄

없는 하늘을 원망하게 된다. "한해 열두달 남의일 해주고 겨오사는 목숨"으로서의 소작 농민에게 있어 가뭄은 차라리 가혹한 형벌인 것이다. 따라서 하늘에 대한 원망의 심정은 자신에 대한 비탄과 자학으로 변모하게 된다. "다라운 사람놈의 세상에 몹슬팔자를 타고낫서/살도 죽도못해 잘난 이짓을 대대로 하는"이라는 구절 속에는 메마른 이 땅의 황토 속에서 뼈 빠지게 일만 하다가 늙어 가고, 마침내 한 줌 흙으로 돌아가고 마는 이 땅 농민들의 가엾은 운명이 애절하게 피력되어 있다.

특히 이 시에서 주목되는 것은 이 시의 시점이 농민의 그것으로 육화되어 있다는 점이다. 당대의 프로시들이 관념적인 주제와 구호의 도식성으로 가득 차 있음에 비추어, 이 작품은 완전히 농민의 입장에서 농민의 목소리로 피폐한 농촌상과 고달픈 농민의 모습을 생생하게 드러내 주고 있다는 데 의미가 있다. "보리도 우리도 오장이 다 탄다. 이리지 말고 비를 다고"라는 끝부분의 애타는 절규는 시인으로서의 공허한 외침이 아니라, 농민의 육성 그 자체라는 점에서 공감을 더해 준다.

이 점에서 이 시는 민중의 입장에서, 민중의 고통과 슬픔을, 민중의 언어로서 형상화한 민중시의 소중한 전범이 된다. 이 시에서 가뭄에 목타고 가난에 허덕이는 농민의 모습은 막다른 골목으로 치달아 가는 당대 농촌의 절망적 현실이면서 동시에 이 땅 식민지 치하의 극한적 상황을 제시한 것으로 해석할 수 있다.

이렇게 볼 때 이 작품은 당대 농민의 비참한 실상을 예리하게 상징화하는 가운데 이 땅의 험난한 역사와 현실 극복의 저력이 바로 그러한 농민들의 끈질긴 생명력에서 비롯될 수 있음을 제시해 준 소중한 작품으로 이해된다.

(6) 노동사상과 저항정신의 육화

지금은 남의 땅-빼앗긴들에도 봄은오는가?

나는 온몸에 햇살을 밧고
푸른한울 푸른들이 맛부튼 곳으로
가름아가튼 논길을 따라 꿈속을가듯 거러만간다.

입슐을다문 한울아 들아
내맘에는 내혼자온것 갓지를 안쿠나
네가끌엇느냐 누가부르드냐 답답워라 말을해다오

바람은 내귀에 속삭이며
한자욱도 섯지마라 옷자락을 흔들고
종조리는 울타리넘의 아씨가티 구름뒤에서 반갑다웃네.

고맙게 잘자란 보리밧아
간밤 자정이넘어 나리는 곱은비로
너는 삼단가튼머리를 깜앗구나 내머리조차 갑븐하다

혼자라도 갓부게나 가자
마른논을 안고도는 착한도랑이
젓먹이 달래는 노래를하고 제혼자 엇게춤만 추고가네.

나비 제비야 깝치지마라
맨드램이 들마꼿에도 인사를해야지
아주까리 기름을바른이가 지심매든 그들이라 다보고십다.

내손에 호미를 쥐여다오

살찐 젖가슴과가튼 부드러운 이 흙을
발목이 시도록 밟어도보고 조흔땀조차 흘리고십다.

강가에 나온 아해와가티
짬도 모르고 끗도업시 닷는 내혼아
무엇을찻느냐 어데로가느냐 웃어웁다 답을하려무나.

나는 온몸에 풋내를 띄고
푸른웃음 푸른설음이 어우러진사이로
다리를 절며 하로를것는다 아마도 봄신령이 접혓나보다.
그러나 지금은-들을 빼앗겨 봄조차 빼앗기겟네

—「빼앗긴들에도 봄은오는가」

이 작품은 처음 발표될 당시(『개벽』 70호, 1926. 6)에는 모두 10연 29행이었으나 『상화와 고월』(1951)에서는 다소 변형되어 10연 35행으로 되어 있다. 여기에서는 발표 당시의 작품을 논의 대상으로 하기로 한다.

이 작품은 대략 의미상 네 부분으로 나누어 볼 수 있다. 첫째는 제1~3연, 둘째는 제4~6연, 셋째는 제7~9연, 넷째는 제10연이 그것이다.

첫째 단락은 주권 상실의 땅, 동토의 조선에 찾아오는 봄의 정경이 몽상적인 분위기로 묘사되어 있다. 여기에서 "남의 땅/빼앗긴들"이란 역사(주권)와 국토(농토)를 상실한 식민지 상황을 고발한 것이다. 주권과 국토를 빼앗긴 식민지의 동토에 살아있는 것은 아무것도 없을 법한데, 잊어버리고 있던 봄이 살아서 돌아오는 데 대한 환희가 나타난다. 따라서 겨울이 가고 봄이 돌아오는, 어떻게 보면 당연한 자연의 섭리가 설레임과 감동으로 다가오게 된다. "꿈속을가듯 거러만간다"라는 구절이 바로 그러한 감정의 표현이다. 계절은 대자연의 섭리대로 때를 알아 돌아오는데, 인간사(역사, 현실)만은 반드시 그렇지 않은 데 대한 안쓰러움이 또한 표출된다. 3연이 그것이다. '하늘과 들'은 입술을 다물고 침묵으로 일관하고 있다. "입슐을다문 한울아 들아/답답워라 말을해다오"라는 구절 속에는 봄이 와도 회복될 줄 모르는 식민지하의 절망적 현실에 대한 분노와 항거가 담겨 있는 것이다. 봄이 와서 푸른 들이 상징하는 희망의 세계로 나아가지만, 얼어붙은 동토의 현실은 전혀 그렇지가 못하다. 여기에서 "내맘에는 내혼자온것 갓지를 안쿠나/네가끌엇느냐 누가부르드냐 답답워라"라는 심리적 갈등 또는 위화감이 표출될 수밖에 없다.

그러나 둘째 단락인 4~6연에서는 봄을 찾아 앞으로 나아가는 힘찬 모습이 제시된다. 현실은 어둡고 막혀 있지만, 희망을 갖고 앞날을 향해 혼자서라도 나아갈 수밖에 없기 때문이다. "바람은 내귀에 속삭이며/한자욱도 섯지마라 옷자락을 흔들고"라는 구절은, 가만히 있지 말고 무언가 해야 한다고 질책하는 내심의 깨우침이며 역사의 준엄한 명령을 표현한 것으로 보인다. 그럴 때 "종조리는 반갑게 웃을" 수 있으며, 비록 비참한 현실이지만 마지막 남아있는 국토와 민족혼의 상징으로서 자연만은 빼앗기지 않았음을 새삼 확인하게 되는 것이다. 다음 두 연이 이러한 확신의 구체적 표현이다. "고맙게 잘자란 보리밧아"라는 구절이 그 하나이다. 보리(보리밭)는 땀과 눈물로 가득 찬 한민족의 애한의 상징이며, 험난한 역사를 헤쳐 온 이 땅 민중적 생명력의 표상이다. "고맙게 잘자란"이란 표현 속에는 겨울의 모진 시련 속에서도 꿋꿋하게 살아있는 민족혼 또는 민중적 생명력에 대한 깊은 감동이 담겨져 있다. 그러므로 이에 대한 부활의 의지가 솟구치게 된다. "간밤 자정이넘어 나리는 곱은비로/삼단가튼머리를 깜은" 보리의 청명한 모습은 바로 암흑 속에서 절망을 씻어 버리고 새로운 생명으로 부활하는 새 생명, 새 출발의 의지를 표출한 것이 된다. 탄생과 부활 그리고 정화라는 물의 원초적 이미지가 여기에 작용되고 있음은 물론이다. "내머리조차 갑븐하다"라는 구절은 바로 새 출발에 대한 결의와 자신감을 표현한 것으로 보인다. 따라서 다음 연의 "혼자라도 갓부게나 가자"(필자주-갓브게 나가자의 오기로 보인다)라는 확신에 찬 새 출발이 이루어진다. 마치 "마른논"과 같이 궁핍하고 메마른 현실 속에서 "착한도랑"으로서 희망을 간직하며 "제혼자 엇게춤"을 추듯 힘차게 나아가고자 하는 의지가 담겨져 있는 것으로 보인다. 어쩌면 이것은 일종의 새 생명 혹은 부활에의 의지를 담은 선구자 의식의 표현일 수도 있으리라.

셋째 단락에는 앞에서의 부활 의지 또는 선구자 의식이 보다 큰 의미에서의 대지사상, 또는 노동의지로 육화되어 나타난다. 먼저 그것은 "아주까리 기름을바른이"와 연결된다. 민족정서 혹은 토착적인 정감과의 뿌리 깊은 유대감이다. 그러나 퍼스나가 보고 싶은 것은 사람 그 자체가 아니다. 그들의 행위, 즉 삶의 의지가 뿌리내린 생명의 현장인 것이다. 죽어 있는 들이 아니라, 생생하게 삶의 의지인 노동 행위가 물결치는, 살아있는 땅인 것이다. 그러므로 '김매는 이'의 이미지와 연결되는 것이 자연스럽다. "내손에 호미를 쥐여다오/조혼땀조차 흘리고십다"라는 구절이 살아있는 정신 또는 생생한 생명에의 의지가 노동의 의지로 구체화되어 나타난 이 시의 핵심 구절의 하나가 된다. 죽어 있는 땅을 살아나게 하는 것도, 빼앗긴 들을 되찾을 수 있게 하는 것도 생생한 삶의 의지에 뿌리내린 실천적인 노동 또는 능동적인 저항을 통해서만 가능한 것이라는 깊은 깨달음이 표출된 것이다. 오랜 민족의 애환이 담겨온 국토, 모성으로서의 대지에 대한 깊은 신뢰감이 노동의 사상으로 육화되어 나타난 것이다. 비록 일시적으로 주권과 국토를 빼앗긴 것이라 하더라도 영원한 모성으로서의 대지, 즉 민족혼은 불멸한 것이라는 확실한 신념이 담겨져 있는 것이다. "살찐 젓가슴과가튼 부드러운 이 흙"은 바로 이러한 대지사상과 노동사상이 결합된 탁월한 표현으로 이해된다.

마지막 단락에는 다시 빼앗긴 들을 위태롭게 살아가는 데 대한 위기의식과 함께 민족혼이 쉽게 멸하지 않으리라 하는 데 대한 확신이 드러난다. "강가에 나온 아해와가티/짬도 모르고 끗도업시 닷는 내혼", "무엇을찾느냐 어데로가느냐"라는 구절 속에는 현실과 이념의 괴리 속에서 방황하는 자아에 대한 자조가 담겨져 있다. 그렇지만 어떤 겨울도 반드시 봄에 쫓겨갈 수밖에 없다는 대자연의 섭리에 비춰 볼 때 이 땅에 찾아온 새봄은 미래에 대한 희망을 일깨워 주기에 충분하다. "온몸에 풋내를 띄고"라는 구절은 회복의 기운, 부활의 희망으로 충전된 퍼스나의 새로운 모습인 것이다. "푸른웃음 푸른설음이 어우러진사이로/다리를 절며 하로를것는다"라는 구절 속에는 새로운 부활에 대한 희망과 그렇지 못한 현실의 괴리에서 오는 절망감이 서로 교차하고 있는 봄의 들판을, 그런대로 희망과 신념을 간직하며 굳건히 대지를 딛고 서서 부활을 향해 앞으로 나아가려는 굳건한 의지가 담겨져 있는 것으로 보인다. "다리를 절며 하로를걷는" 모습 속에는 절망과 희망의 교차 속에서 시련의 현실과 운명을 이겨 나아가는 민족의 모습이 제시된 것이다. 그러므로 마지막 구절 "그러나 지금은-들을 빼앗겨 봄조차 빼앗기겟네"라는 절규가 나타난다. '빼앗긴 들'은 빼앗긴 주권이며 국토이다. 그러나 아직 삶의 뿌리로서의 땅과 그 속에 아로새겨져 있는 민족혼은 빼앗기지 않았다. 그렇지만 날로 가혹해 가는 일제의 수탈과 폭압은 주권과 생존권은 물론 민족정신과 혼까지도 빼앗아 갈 위협으로 존재한다. 따라서 이 구절에는 조국 상실의 절망적 현실에서 민족혼마저 뺏길 것 같은 위기의식에 대한 강력한 항거의 몸부림이 담겨 있는 것으로 이해된다.

이렇게 볼 때 이 작품은 주권과 국토를 빼앗긴 참담한 식민지 현실 하에서 흔들리지 않는 대지와 변하지 않는 대자연의 섭리를 통해서 민족혼의 살아있음과 그 불멸함을 탁월하게 형상화한 작품으로 이해된다. 당대 식민지 현실을 "남의 땅-빼앗긴 들"이라고 직접적, 저항적으로 부르짖으면서도 대지사상과 노동사상의 아름다운 비유로 육화해서 노래한 것은 이 시를 암흑기 최대 작품의 하나로 평가하기에 손색이 없게 만들어 준다.

(7) 맺음말

생전에 그 흔히들 내는 시집 한 권 남기지 못하고 유명을 달리한 상화, 그렇다면 그의 문학이 오늘날의 문학에 던져주는 교훈은 무엇일까.

먼저 그것은 그가 바람직한 시인의 길이 어떠한 것이며, 참된 시가 어떠해야 하는가를 실천적으로 보여준 데서 드러난다. 그는 항일운동과 연관되어, 여러 차례 영어의 고초를 겪은 바 있다. 그러면서도 그의 시는 설익고 생경한 이데올로기의 나열이나 전투적인 구호로 일관되어 있지 않다. 예리한 현실 인식에 바탕을 둔 확고한 역사의식, 그리고 당대 사회의 구조적 모순과 부조리에 대한 치열한 응전력을 확보하고 있으면서도 이것을 예술적인 차원으로 상승시킴으로써 참된 저항시의 전범을 제시해 준 것이다. 무엇보다도 그의 시는 바람직한 민중시가 어떠해야 하는가를 웅변적으로 보여준 데서 보다 큰 의미가 있다. 그의 시는 소외계층으로서의 노동자·농민 등 빈궁자의 고통스러운 삶을 폭넓게 다루고 있다. 그러면서도 그들을 관념적으로 이해하는 위선적 포즈를 취하거나 연민 혹은 동정심에 연유한 지식인의 센티멘털리즘을 드러내지도 않는다. 농민·노동자의 궁핍하고 고통스러운 삶을 있는 그대로 제시하고, 그들과 하나가 되어 그들의 분노와 울분을 정직하게 표출한 데서 상화 시의 본령이 놓여지는 것이다.

분명, 상화는 당대의 어떤 시인보다도 일제에 대해 치열한 저항의지와 대결 정신으로 살아갔으며, 이것을 탁월하게 형상화할 줄 알았던 훌륭한 시인의 한 사람이다. 현실을 외면하지 않으면서도 역사를 바로 꿰뚫어 보는 가운데 치열한 시대정신과 따뜻한 휴머니즘 정신을 아름다운 예술혼으로 상승시킨 암흑기 최대의 민족시인이자 민중시인이고 저항시인의 한 사람이었던 것이다.

3. 대표 시 감상

나의 침실(寢室)로

「마돈나」 지금은 밤도, 모든 목거지에, 다니노라 파인(波因)하여 돌아가려는 도다,
아, 너도, 먼동이 트기 전으로, 수밀도(水密桃)의 네가슴에, 이슬이 맺도록 달려오너라.

「마돈나」 오려므나, 네 집에서 눈으로 유전(遺傳)하던 진주(眞珠)는, 다두고 몸만 오너라,
빨리 가자, 우리는 밝음이오면, 어댄지도 모르게 숨는 두별이어라.

「마돈나」 구석지고도 어둔 마음의 거리에서, 나는 두려워 떨며 기다리노라,
아, 어느덧 첫닭이 울고-뭇개가 짖도다, 나의 아씨여, 너도 듣느냐.

「마돈나」 지난 밤이 새도록, 내 손수 닦아 둔 침실(寢室)로 가자, 침실(寢室)로!
낡은 달은 빠지려는데, 내 귀가 듣는 발자욱-오, 너의 것이냐?

「마돈나」 짧은 심지를 더우잡고, 눈물도 없이 하소연하는 내 맘의 독(獨)불을 봐라,
양(羊)털같은 바람결에도 실식(室息)이 되어, 얄푸른 연기로 꺼지려는도다.

「마돈나」 오너라 가자, 앞산 그름애가, 독갑이처럼, 발도 없이 이곳 가까이오도다.
아, 행여나, 누가 볼런지-가슴이 뛰누나, 나의 아씨여, 너를 부른다.

「마돈나」 날이 새련다, 빨리 오려므나, 사원(寺院)의 쇠북이, 우리를 비웃기 전에,
네 손이 내 목을 안어라, 우리도 이밤과 같이, 오랜 나라로 가고 말자.

「마돈나」 뉘우침과 두려움의 외나무다리 건너 있는 내 침실(寢室) 열 이도 없느니!
아, 바람이 불도다, 그와 같이 가볍게 오려므나, 나의 아씨여, 네가 오느냐?

「마돈나」 가엾어라, 나는 미치고 말았는가, 없는 소리를 내 귀가 들음은-,
내 몸에 피란 피-가슴의 샘이, 말라버린듯, 마음과 목이 타려는도다.

「마돈나」 언젠들 안 갈 수 있으랴, 갈테면, 우리가 가자, 끄을려 가지말고!
너는 내 말을 믿는 「마리아」-내 침실(寢室)이 복활(復活)의 동굴(洞窟)임을 네야 알건만

「마돈나」 밤이 주는 꿈, 우리가 얽는 꿈, 사람이 안고 궁그는 목숨의 꿈이 다르지 않으니
아, 어린애 가슴처럼 세월(歲月) 모르는 나의 침실(寢室)로 가자, 아름답고 오랜 거기로.

「마돈나」 별들의 웃음도 흐려지려하고, 어둔밤 물결도 자자지려는 도다,

아, 안개가 사라지기 전으로, 네가 와야지, 나의 아씨여, 너를 부른다.

『백조』 3호(1923)에 발표했던 이 시는 이상화 초기 시의 대표작이라고 할 수 있다. 낭만적 열정을 마돈나에 의탁하여 분출함으로써 일제 강점기의 울분과 애상을 극복하려는 노력이 애절하게 표출되어 있기 때문이다.

'몸→불→피→물'로 전이되는 핵심 심상은 이 시가 여성적인 사랑에 의해 정신적 구원을 성취하려는 안타까운 몸부림과 갈망을 보여준다. "영원히 여성적인 것이 우리를 구원한다"(Ewige Weibliche zieht uns hinan)라고 하는 낭만주의적 구원의 명제가 이 시를 관류하고 있다는 뜻이다.

말세(末世)의 욕탄(欲嘆)

저녁의 피묻은 동굴(洞窟) 속으로
아-밑없는, 그 동굴 속으로
끝도 모르고
끝도 모르고
나는 거꾸러지련다.
나는 파묻치련다.

가을을 병든 미풍(微風)의 품에다
아! 꿈꾸는 미풍의 꿈에다
낮도 모르고
밤도 모르고
나는 술취한 집을 세우련다.
나는 속 아픈 웃음을 빚으련다.

이 시에는 일제 강점하 망국민으로서 또 인텔리겐치아로서 느낄 수밖에 없던 절망적 심사가 잘 드러나 있다. '피', '병', '술' 등 강렬한 시어와 "모르고/거꾸러지련다/파묻치련다" 등 부정적 심상들이 빚어내는 슬픔과 아픔, 그리고 절망과 체념이 짙게 깔려있다.

방문거절(訪問拒絶)

아, 내 맘의 잠근 문을, 뚜드리는 이여, 네가 누냐-이 어둔 밤에?
『영예(榮譽)』
방두깨 살자는 영예여! 너거든 오지말어라
나는 네게서 오직 가엾은 웃음을 볼 뿐이노라.

아 벙어리 입으로 문만 두드리는 이여, 너는 누냐-이 어둔 밤에?
『생명(生命)』
독갑이 노래하자는 목숨아, 너는 돌아가거라,
네가 주는 것 다만 내 가슴을 썩힌 곰팡뿐일너라.

아 아직도 문을 뚜드리는 이여-이 어둔 밤에
『연애(戀愛)』
불놀이 하자는 사랑아, 네거든 와서 낚어가거라
내겐 너줄, 오직 네 병(病)든 몸 속에, 누은 넋뿐이노라.

이 시에는 일제강점하의 어두운 현실에서 느낄 수밖에 없는 절망과 부정의 심사가 잘 드러나 있다. 특히 "방문 거절"이라는 제목이 암시하듯이 부정적이고 저항적인 세계인식이 '밤·도깨비·병' 등과 결합되어 효과적인 형상을 성취하고 있음을 본다.

비음(緋音)

이 세기(世紀)를 무라고 너흐는, 어둔밤에서
다시 어둠을 꿈꾸노라 조우는 조선의 밤-
망각(忘却)뭉텅이 같은, 이 밤 속으론
햇살이 비추어 오지도 못하고
한우님의 말씀이, 배부른 군소리로 들리노라

낮에도 밤-밤에도 밤-
그밤의 어둠에서 스며난, 뒤직이 같은 신령은,
광명(光明)의 목거지란 일흠도 모르고
술취한 장님이 머-ㄴ 길을 가듯
비틀거리는 자욱엔, 핏물이 흐른다!

역시 초기 작품으로서 이 시에는 당대 조선의 식민지 현실이 "어둔 밤/술취한 장님"으로 표상되어 있다. 밤과 어둠 그리고 핏물 흐르는 모습으로서 현실 상황을 묘사하고, "술취한 장님/비틀거리는" 모습으로 당대 민족의 실존을 형상화한 것이 특징이라고 하겠다.

가장 비통(悲痛)한 기욕(祈慾)

아, 가도다, 가도다, 쪼처가도다
잇음 속에 있는 간도(間島)와 요동(遼東)벌로
주린 목숨 움켜쥐고, 쪼처가도다
진흙을 밥으로, 햇채를 마서로
마구나, 가젓더면, 단잠은 얽맬 것을-
사람을 만든 검아, 하루일찍
차라리 주린 목숨 빼서가거라!

아, 사노라, 취해사노라
자폭(自暴) 속에 있는 서울과 시골로
멍든 목숨 행여 갈까, 취해사노라
어둔 밤 말 없는 돍을 안고서
피울음을 울드면, 설음은 풀릴 것을-
사람을 만든 검아, 하루일찍
차라리 취한 목숨, 죽여바리라!

이 시에는 일제 강점하 일제의 착취와 수탈로 인해 조국을 버리고 쫓겨난 유이민의 참상이 잘 제시되어 있다. “주린 목숨 움켜쥐고” 만주와 요동벌로 쫓겨가면서 최소한의 의식주 등 생존권을 박탈당한 채 차라리 ‘죽음을 달라’고 하는 처참한 민족의 모습이 애절하게 표출되어 있다. 역시 ‘밤’, ‘주린 목숨’, ‘피울음’, ‘죽음’의 이미저리가 관류하고 있는 것이 특징이라고 하겠다.

조소(嘲笑) 3[39)]

두터운 이불을,
포개 덮어도
아직 추운,
이 겨울 밤에,
언길을 밟고 가는
장돌림, 보짐장사,
재너머마을,
저자보려,
중얼거리며
헐덕이는 숨결이,
아-
나를 보고 나를

39)『개벽』 55호, 1925. 1.

비웃으며 지난다.

이 시는 추운 겨울밤에 삶을 찾아 헤매는 장돌림, 봇짐장수 등 기층민중의 비참한 모습과 그에 대비되는 '나'로서 지식인의 부끄러움을 드러낸다. "언길을 밟고 가는/저자보려/헐덕이는 숨결"이라는 구절 속에는 민중적 삶의 고통이 잘 제시되어 있다.

이별(離別)을 하느니

어쩌면 너와 나 떠나야겠으며 아무래도 우리는 나뉘어야겠느냐?
남 몰래 사랑하는 우리 사이에 우리 몰래 이별(離別)이 올 줄은 몰랐어라.

꼭두로 오르는 정열(情熱)에 가슴과 입술이 떨어 말보담 숨결조차 못쉬노라.
오늘밤 우리들의 목숨이 꿈결같이 보일 애타는 네 맘 속을 내 어이 모르랴.

애인아 하늘을 보아라 하늘이 갈라졌고 땅을 보아라 땅이 꺼졌도다
애인아 내 몸이 어제같이 보이고 네 몸도 아직 살아서 내 곁에 앉졌느냐?

어쩌면 너와 나 떠나야겠으며 아무래도 우리는 나뉘어야겠느냐?
우리 둘이 나뉘어 생각하고 사느니 차라리 바라보며 우는 별이나 되자!

사랑은 흘러가는 마음 우에서 웃고 있는 가벼운 갈대꽃인가.
때가 오면 꽃송이는 고라지며 때가가면 떨어졌다 썩고마는가.

남의 기림에서만 믿음을 얻고 남의 미움에서는 외롬만 받을 너이었드냐.
행복을 찾아선 비웃음도 모르는 인간이면서 이 고행(苦行)을 싫어할 나이었드냐.

애인아 물에다 물 탄듯 서로의 사이에 경계가 없던 우리 마음 우로
애인아 검은 거름애가 오르락내리락 소리도 없이 얼씬거리도다.

남 몰래 사랑하는 우리 사이에 우리 몰래 이별(離別)이 올 줄은 몰랐어라.
우리들이 나뉘어 사람이 되느니 차라리 피울음 우는 두견(杜鵑)이나 되자!

오려므나 더 가까이 내가 삶을 안으라 두마음 한가락으로 얼어보고십다.
자그마한 부끄럼과 서로 아는 미쁨 사이로 눈감고 노는 방임(放任)을 맞이하자.

아 주름접힌 네 얼굴-이별이 주는 애통이냐 이별은 쫓고 내게로 오너라.
상아(象牙)의 십자가같은 네 허리만 더위잡는 내 팔 안으로 달려만 오너라.

애인아 손을 다고 어둠 속에서 보이는 납색의 손을 내 손에 쥐여다고.
애인아 말해 다고 벙어리 입이 말하는 침묵의 말을 내 눈에 일러다고.

어쩌면 너와 나 떠나야겠으며 아무래도 우리는 나뉘어야겠느냐?
우리들이 나뉘여 미치고 마느니 차라리 바다에 빠져 두 마리 인어(人魚)로나 되여서살자!

이 시는 「나의 침실로」와 서로 짝을 이루는 작품이다. 「나의 침실로」가 만남의 시, 열정의 시라면 이 시는 헤어짐의 시, 슬픔의 시라는 점에서 그러하다.

차한수 교수가 「<나의 침실로>와 <이별을 하느니>의 비교고찰」(동아대 『국어국문학』 8집, 1988)에서 잘 밝혀냈듯이 이 두 작품은 이상화의 사랑 체험을 형상화한 자전적이면서도 존재론적 드라마에 해당하는 작품인 것이다. 지상에서 이룰 수 없는 비극적인 사랑과 그 슬픔이 애절하게 드러나 있기 때문이다.

선구자(先驅者)의 노래

나는 남보기에 미친 사람이란다
마는 내 알기에 참된 사람이노라.
나를 아니꼽게 여길 이 세상에는
살려는 사람이 많기도 하여라.

오 두려워라 부끄러워라
그들의 꼭답은 사리가 눈에 보인다

행여나 내 목숨이 있기 때문에
그 살림을 못살까-아 죄롭다.

내가 알음이 적은가 모름이 많은가
내가 너무나 어리석은가 슬기로운가.

아무래도 내 하고자함은 미친 짓뿐이라
남의 꿀듣는 집을 무널지 나도 모른다.

사람이 미친 내 뒤를 따라만오너라
나는 미친 홍에 겨워 죽음도 뵈줄테다.

이 시는 선구자로서의 아픔과 외로움을 "미친 사람/미친 짓" 등의 자조적인 모습으로 드러낸다. 선구자란 남이 미처 생각지 못했던 것, 하지 못했던 일을 하는 모험가이자 개척자이기에 세속적인 눈으로 보면 미친 사람으로 보일 수도 있다. 그러나 역사란, 문화란 바로 이런 창조적인 광기를 지닌 사람들에 의해 진전되어 가는 것이라는 점에서 그 선구자들의 외로움과 아픔, 슬픔이 크고 깊을 수밖에 없다는 데에 이 시의 의미가 드러난다고 하겠다.

-「街相』」 에서-

구루마꾼

「날마다 하는 남부끄런 이 짓을
너희들은 예사롭게 보느냐?」 고
웃통도 벗은 구루마꾼이
눈 붉혀 뜬 얼골에 땀을 흘리며
아낙네의 아픔도 가리지 않고
네거리 위에서 소흉내를 낸다.

엿장사

네가 주는 것이 무엇인가?
어린애게도 늙은이게도
즘생보담은 신령하단 사람에게
단맛뵈는 엿만이 아니다
단맛 넘어 그 맛을 아는 맘
아무라도 가졌으니 잊지말라고
큰가새로 목탁치는 네가
주는 것이란 어찌 엿뿐이랴!

거러지

아침과 저녁에만 보이는 거러지야
이렇게도 완악하게 된 세상을
다시 더 가엽게녀겨 무엇하랴 나오느라.

한우님 아들들의 죄록(罪錄)인 거러지야!
그들이 벼락마질제들을 가엾게겨
한 낮에도 움 속에 숨어주는 네 맘을 모른다 나오느라.

「가상」이란 제목 그대로 현실적인 삶 또는 거리의 모습을 그대로 형상화한 작품이다. 구루마꾼(수레꾼/지게꾼/운전사), 거지, 엿장수 등 노동을 팔아서 그 대가로 살아가는 기층민중들을 리얼리즘의 시각에서 다룬 이 작품들은 그야말로 이상화 민중시의 한 전형을 이룬다고 하겠다.

아울러 그의 문학관이 민족문학, 민중문학적인 세계인식에 자리 잡고 있으며 그러한 문학관은 강도 일제에게 나라를 빼앗긴 상황에서 당위적이면서도 바람직한 방향성을 제시하는 것이 아닐 수 없다.

조선병(朝鮮病)

어제나 오늘 보이는 사람마다 숨결이 막힌다.
오래간만에 만나는 반가움도 없이
참외꽃같은 얼골에 선웃음이 집을 짓더라
눈보라 몰아치는 겨울맛도 없이
고사리같은 주먹에 진땀물이 구비치더라
저 한울에다 봉창이나 뚫으랴 숨결이 막힌다.

이 작품 역시 당대 조선의 상황이 "숨결이 막힌다/진땀물이 구비친다"와 같이 절망적인 모습으로 묘사되어 있다. 현실을 직시하면서도 당대 상황을 '병'으로 진단함으로써 극복하고 타개해 나가려는 열린 정신을 내재하고 있다는 점에서 리얼리티를 더해 준다.

통곡(慟哭)[40]

한울을 우러러
울기는 하여도
한울이 그리워 울음이 아니다
두발을 못뻣는 이 땅이 애달파
한울을 흘기니
울음이 터진다.
해야 웃지마라.
달도 뜨지마라.

이 시에도 절망적·부정적인 현실 인식이 날카롭게 드러나 있다. "두발을 못뻣는 이 땅이 애달퍼/한울을 흘기니/울음이 터진다/해야 웃지마라"와 같이 당대 상황에 대한 예리한 비판과 저항의식이 표출되고 있는 것이다. 특히 「통곡」이라는 제목이 환기하는 정서는 그것이 낭만적 감상에서 비롯된 것이 아니라 현실 인식에서 파생된 것이라는 점에서 의미를 지닌다고 하겠다.

빼앗긴 들에도 봄은 오는가

지금의 남의 땅-빼앗긴 들에도 봄은 오는가?

나는 온몸에 햇살을 받고
푸른 하늘 푸른 들이 맞붙은 곳으로

40) 이 작품은 1925년에 창작되었고 1926년 4월 『개벽』 68호에 발표되었다.

가르마같은 논길을 따라 꿈속을 가듯 걸어만간다.

입술을 다문 하늘아 들아
내 맘에는 내 혼자 온 것 같지를 않구나
네가 끌었느냐 누가 부르드냐 답답워라 말을 해다오

바람은 내 귀에 속삭이며
한자욱도 서지마라 옷자락을 흔들고
종조리는 울타리 너머의 아씨같이 구름 뒤에서 반갑다 웃네.

고맙게 잘자란 보리밭아
간밤 자정이 넘어 나리던 고운 비로
너는 삼단같은 머리를 감았구나 내 머리조차 가뿐하다

혼자라도 가볍게나 가자
마른 논을 안고 도는 착한 도랑이
젖먹이 달래는 노래를 하고 제 혼자 어깨춤만 추고 가네.

나비 제비야 깝치지마라
맨드래미 들마꽃에도 인사를 해야지
아주까리 기름을 바른 이가 지심매던 그들이라 다 보고십다.

내 손에 호미를 쥐여다오
살찐 젖가슴과 같은 부드러운 이 흙을
발목이 시도록 밟어도 보고 좋은 땀조차 흘리고십다.

강가에 나온 아이와 같이
짬도 모르고 끝도 없시 닿는 내 혼아
무엇을 찾느냐 어데로 가느냐 웃어웁다 답을 하려무나.

나는 온몸에 풋내를 띠고

푸른웃음 푸른설음이 어우러진 사이로
다리를 절며 하루를 걷는다 아마도 봄신령이 접혔나보다.
그러나 지금은-들을 빼앗겨 봄조차 빼앗기겠네

이 시는 이상화의 대표작이면서 동시에 일제 강점하 최대의 작품이라고 할 수 있으리만큼 현실 인식이나 예술적 형상성에 있어 높은 성취를 보여준다. 땅(들)로서 생존권(농토·먹이)을 표상하고 아울러 민족적 주권(국토·영토)을 주창하는 것과 함께 민족혼과 민족정서를 탁월하게 결합함으로써 바람직한 문학의 길을 제시했기 때문이다. 그것은 바로 삶의 길이 문학의 길이며 역사의 길이라는 참된 깨달음을 드러내는 모습이며 또한 참된 문학이란 주제와 형식, 내용과 표현, 사상성과 예술성이 서로 탄력 있게 조화되는 데서 바람직한 지평을 열어 갈 수 있다는 인식을 보여주는 것이다.

이 시는 한용운의 「님의 침묵」, 심훈의 「그날이 오면」, 임화의 「우리 오빠와 화로」, 이육사의 「절정」 등과 함께 일제하 저항시의 한 절정을 보여주는 작품으로 평가될 수 있다는 점에서 문학사적 의미를 지니는 것이 분명하다.

저무는 놀 안에서
-노인(勞人)의 구고(劬苦)를 읊조림

거룩하고 감사론 이 동안이
영영 있게스리 나는 울면서 빈다.
하루의 이 동안-저녁의 이 동안 이
다만 하루만치라도 머물러 있게스리 나는 빈다.

우리의 목숨을 기르는 이들
들에서 일깐에서 돌아 오는 때다.
사람아 감사의 웃는 눈물로 그들을 씻자
한울의 하나님도 쫒쳐낸 목숨을 그들은 기른다.

아 그들이 흘리는 땀방울이
세상을 만들고 다시는 움즉인다.
가지런이 뛰는 네 가슴 속을 듣고 들으면
그들의 헐떡이던 거룩한 숨결을 네가 찾으리라.

땀 찬 이마와 맥풀린 눈으로
괴로운 몸 우막집에서 쉬러 오는 때다.
사람아 마음의 입을 열어 그들을 기리자.
하나님이 무덤 속에서 살아옴에다 어찌 견주랴.

거룩한 저녁 꺼지려는 이 동안에 나 혼자 울면서 노래부른다.
사람이 세상의 하나님을 알고 섬기게스리 나는 노래부른다.

이 시는 노동자의 고통스러운 삶을 통해 민중이 역사 전개의 주체이자 추진력이라는 점을 잘 보여준다. "아 그들이 흘리는 땀방울이/세상을 만들고 다시는 움즉인다"라는 구절 속에는 이상화의 민중적 세계관이 잘 드러나 있다고 하겠다.

비를 다고!
-농민(農民)의 정서(情緖)를 읊조림

사람만 더러워진 줄로 알었더니
필경에는 믿고 믿던 한울까지 더러워졌다.
보리 가 팔 을 버리 고 달라 다가 달라 다가
이제 는 곯은 몸으로 목을 대자나 빠주고 섰구나!

반갑지도 않은 바람만 냅다 불러
가엽게도 우리 보리가 달중이 든듯이 뇌랗타
풀을 뽑더니 이랑에 손을 대 보더니 하는것도

이제는 헛일을 하는가 싶어 맥이 풀려만 진다!

거름이야 죽을판 살판 거두어 두었지만
비가 안와서-원수ㅅ놈의비가 오지 않해서
보리는 벌써 목이 말러 입에 대지도 않는다
이러케 한장 동안만 더 간다면
그만-그만이다 죽을수 밖게 없는 노릇이로구나!

한울아 한해 열두달 남의 일 해주고 겨우 사는 이목숨이
곯아 죽으면 네 맘에 시원 할께 뭐란 말이냐
제-발 빌자! 밭에서 갈잎소리가 나기 전에
무슨 수가 나주어야 올해는 그대로 살어나 가보세!

더러운 사람놈의 세상에 몹쓸팔자를 타고 나서
살도 죽도못해 잘난 이짓을 대대로 하는 줄은
한울아! 네가 말은 안해도 짐작이야 못했겠나
보리도 우리도 오장이 다 탄다 이리지 말고 비를 다고!

농민의 고달픈 삶을 형상화하고 있는 이 작품은 시의 화자가 직접 농민의 시점을 택함으로써 시적 리얼리티와 함께 작품의 진정성을 더해 준다는 점이 특징이다. 구호와 선전선동이 아니라 농민적인 삶의 구체성, 현장성에 뿌리를 둔 점에서 성공적인 작품으로 평가된다.

곡자사(哭子詞)

웅히야! 너는 갔구나
엄마가 뉜지 아비가 뉜지
너는 모르고 어데로 갔구나!

불쌍한 어미를 가졌기 때문에
가난한 아비를 두었기 때문에
오자마자 네가 갔구나.

달보다 잘났던 우리 웅히야
부처님보다 착하던 웅히야
너를 언제나 안아나 줄고

그렇게 팔월에 네가 간뒤
그해 십월에 내가 갇히어
네 어미 간장을 태웠더니라

지나간 오월에 너를 얻고서
네 어미가 정신도 못차린 첫칠날
네 아비는 또 다시 갇히었더니라

그런 뒤 오은 한해도 못되어
가진 꿈 온갖 힘 다 쓰려던
이 아비를 버리고 너는 갔구나

불쌍한 속에서 네가 태어나
불쌍한 한숨에 휩싸이고 만것
어미아비 두 가슴에 못이 박힌다.

말 못하던 너일망정 잘 웃기따에
장차는 어려움없이 잘 지내다가
사내답게 한 평생 마칠 줄 알았지

귀여윈 네 발에 흙도 못 무쳐
몹쓸 이런 변이 우리에게 온 것
아, 마른 하늘의 벼락에다 어이 견주랴.

너 위해 얽던 꿈 어디 쓰고
네게만 쏟은 사랑 뉘게나줄고
웅히야 제발 다시 숨쉬어다오

하루 해를 네 곁에서 못 지낸 본 것
한가지로 속시원히 못해준 것
감옥방 판자벽이 얼마나 울었든지.

웅히야! 너는 갔구나
웃지도 울지도 꼼짝도 않고
불쌍한 선물로 설음을 끼고
가난한 선물로 몹쓸병 안고
오자마자 네가 갔구나.

하늘보다 더 미덥던 우리 웅히야
이 세상에 하나밖에 없던 웅히야
너를 언제나 안어나 줄꼬-

이 작품에는 개인의 생애사적인 내용이 담겨 있는 것으로 보인다. 즉 상화는 맏아들을 일찍 여의었는데, 그 비통한 참척의 체험이 바로 이 시에 투영되어 있다. 이 점에서 이상화의 시 세계는 개인과 사회, 실존과 역사가 함께 조화를 이루고 있는 것이다. 개인이 없이 어떻게 사회, 역사가 큰 의미를 지닐 수 있겠는가? 개인적 체험의 진솔함과 사회·역사의식의 바람직한 이념적 당위성이 서로 길항하면서 균형과 조화를 이루고 있는 점이 이상화 문학의 주요한 특징이라고 하겠다.

역천(逆天)

이 때야말로 이 나라의 보배로운 가을철이다

더구나 그림도 같고 꿈과도 같은 좋은 밤이다
초가을 열나흘밤 열푸른 유리로 천정을 한 밤
거기서 달은 마중왔다 얼굴을 쳐들고 별은 기다린다 눈짓을 한다
그리고 실낱같은 바람은 길을 끄으려바래노라 이따금 성화를 하지 않는가.

그러나 나는 오늘밤에 좋아라 가고프지가 않다
아니다 나는 오늘밤에 좋아라 보고프지도 않다

이런때 이런 밤 이 나라까지 복지게 보이는 저편 하늘을
햇살이 못쪼이는 그 땅에 나서 가슴 밑바닥으로 못 웃어본 나는 선듯만 보아도
철모르는 나의 마음 홀아비자식 아비를 따르듯 불 본 나비가 되어
피는 얼굴같은 달에게로 웃는 잇빨같은 별에게로
앞도 모르고 뒤도 모르고 곤두치듯 줄다름질을 쳐서가더니

그리하야 지금 어데서 무엇때문에 이짓을 하는지
그것조차 잊고서도 낮이나 밤이나 노닐 것이 두려웁다.

걸림없이 사는 듯하면서도 걸림뿐인 사람의 세상-
아름다운 때가 오면 아름다운 그때와 어울려 한 뭉텅이가 못되어지는 이 살이-
꿈과도 같고 그림 같고 어린이 마음 우와 같은 나라가 있어
아무리 불러도 멋대로 못 가고 생각조차 못하게 지쳤을 떠는 이 설움
벙어리 같은 이 아픈 설음이 칡넝클같이 몇날몇해나 얽히어 트러진다.

보아라 오늘밤에 하늘이 사람 배반하는 줄 알았다.
아니다 오늘밤에 사람이 하늘 배반하는 줄도 알았다.

이 시에는 이상화 특유의 부정적 세계관, 저항적 세계관, 그리고 비극적 세

계관이 잘 드러나 있는 것으로 보인다. '하늘을 거스른다'(逆天)라는 제목 자체가 이러한 반역으로서 부정적 세계관의 단적인 표현임은 물론이다.

서러운 해조(諧調)

하이야튼 해는
떨어지려 하여
헐덕이며
피뭉텅이가 되다.

샛붉던 마음
늙어지려 하여
고라지며
궁벙이집이 되다.

하루 가운데
오는 저녁은
너그럽다는 하늘의
못 속일 멍통일러라.

일생(一生) 가운데
오는 젊음은
복스럽다는 사람의
못감출 설음일러라.

1941년 『문장』지에 발표된 상화의 말기작이다. 이 시에는 무언가 죽음을 예감하는 듯한 죽음 의식이 "떠러지는 해"로 표상되어 비애미를 더해 준다. 일종의 '절명시'라고 부를 수도 있는 이 작품에는 삶의 비애와 허무감이 잘 투영되어 있다고 하겠다.

김재홍
연보
(1947~현재)

학력사항

1963.3.2.~ 1966.2.28 서울대학교 사범대학 부속고등학교 졸업
1966.3.2.~ 1970.2.26 서울대학교 사범대학 국어교육과 졸업문학사
1970.3.2.~ 1972.2.26 서울대학교 대학원 국어국문학과 석사수료 문학석사
1974.3.2.~ 1982.2.26 서울대학교 대학원 국어국문학과 박사수료 문학박사

경력 및 활동

1969.12. 서울신문 신춘문예 평론 당선 서울신문사
1972.8.~ 1977.8. 육군사관학교 전임강사, 조교수
1977.9.~ 1981.2. 충북대학교 사범대학 국어교육학과 조교수
1980.5.~ 1980.10. 미국 일리노이주립대학 객원교수
1981.3.~ 1984.2. 인하대학교 문과대학 국어국문학과 부교수
1982.2. 제1회 녹원문학상 평론상 대한 불교 조계종 총무원
1984.3.~ 1988.8. 인하대학교 교무부처장 및 교양교육위원장
1988.5. 제33회 현대문학상 평론상 현대문학사
1988.9.~ 2012.2. 경희대학교 문과대학 국어국문학과 교수
1991.3.~현재 계간시전문지『시와시학』창간 및 주간
1991.5. 제1회 편운문학상 평론상 <편운기념사업회>
1991.8. 제1회 대산창작기금 수혜 <대산문화재단>
1993.3.~ 1995.2. 한국시학회/한국문학회 창설
1994.11. 김환태평론문학상 문학사상사
1995.3.~ 1997.2. 한국문학평론가협회 부회장
1996.3.~ 2011.2. 백담사 만해마을 만해문학박물관장 겸 만해학술원장
1996.6.~ 2008.8. 만해사상실천선양회(사) 상임대표 및 설악산 백담사 만해학교장
1996.9.~ 2005.12. 계간『만해새얼』과『님』창간 및 간행
1997.3.~ 2011.2. 만해대상 심사 및 운영위원<(재)만해사상실천선양회>
1999.3.~ 현재 인터넷 시 전문 포털사이트 poemtopia.co.kr 창설 및 운영

2000.11.	후광문학상 <우리문학사, 강원도 평창군>
2002.1.~ 2003.2.	경희대학교 문리과대학장
2002.5.	현대불교문학상 <대한불교조계종/현대불교문인협회>
2003.3.~ 2005.7.	경희대학교 문과대학장
2003.5.~ 2005.5.	한국시학회 회장
2007.3.~ 2015.2.	신간회기념사업회 및 조병화기념사업회 이사
2008.11.~ 현재	INTERNET POEMTOPIA. AC 창설 및 운영
2008.5.~ 현재	한국현대시박물관 설립(서울특별시 등록 83호) 및 운영
2008.8	유심특별상 <만해사상실천선양회(재)>
2009.3.	구상문학상 운영위원
2010.10	서울특별시 문화상 문학부문 <서울특별시>
2010.11	대한민국 보관문화훈장 <대한민국 행정자치부(대통령)>
2010.5~ 현재	한국 시마을예술촌 설립 및 문학박물관 운영
2012.10	대한민국 홍조근정훈장 <대한민국 행정자치부(대통령)>
2012.3.~ 2014.2.	경희대학교 정년연장 명예교수
2012.8	만해대상 문학부문 수상<만해사상실천선양회(재)>
2015.3.~ 현재	백석대학교 석좌교수
2015.6	제26회 김달진문학상 평론상 <서울신문/창원시김달진문학관>

주요 저서

『한국전쟁과 현대시의 응전력』(평민사, 1978)
『한용운 문학연구』(일지사, 1982 - 문공부 추천도서)
『시와 진실』(이우출판사, 1983 - 문공부 추천도서)
『한국 대표시 평설』(문학세계사, 1983 - 문공부 추천도서)
『나도향 선집/평전』(지학사, 1984)
『이장희 선집/평전』(문학세계사, 1984)
『한국 현대시 형성론』(인하대출판부, 1985)
『한국 현대 시인 연구』(일지사, 1986 - 오늘의 책 선정 및 문공부 우수도서)
『현대시와 열린 정신』(종로서적, 1987 - 문공부 추천도서)

『현대시와 역사의식』(인하대출판부, 1988 – 현대문학상 수상)
『카프시인비평』(서울대출판부, 1990 – 서울대 권장도서 및 문화부 추천도서)
『현대불교시선』(민족사, 1990)
『즐거운 명시 감상』(시와시학사, 1991)
『현대문학의 비극론』(시와시학사, 1992)
『그대 왜 그리 허둥대는가』(시와시학사, 1993)
『이육사』(문화체육부, 1995)
『이상화』(건국대출판부, 1996)
『오늘이 그날이라면:통일시대의 남북한 문학』(공저/청동거울, 1999)
『김재홍비평집 : 생명•사랑•자유의 시학』(동학사, 1999 – 후광문학상 수상)
『우리문학 100년』(공저/현암사, 2001 – 방일영문화재단 후원)
『현대시와 삶의 진실』(문학수첩, 2002)
『한국 현대시 100년 명시감상 : 작은 들꽃이 보고 싶을 때』 1권(문학수첩, 2003)
『한국 현대시 100년 명시감상 : 해지기 전 그대가 그리워지면』 2권(문학수첩, 2003)
『현대문학입문』(시학, 2004)
『한국 현대시 100년 명시감상 : 당신은 슬플 때 사랑한다』 3권(문학수첩, 2004)
『한국 현대시 100년 명시감상 : 별 하나 나 하나의 고백』 4권(문학수첩, 2004)
『현대시와 실천비평』(경희대출판부, 2004)
『한국 현대시 100년 명시감상 : 삶, 옷과 밥과 자유』 5권(문학수첩, 2005)
『님의 침묵 외/ 한용운』(편저/범우사, 2005)
『이용악선집』(한길사, 2008)
『한국현대시인연구』(일지사, 2007)
『생명·사랑·평등의 시학탐구』(서정시학, 2014)
『김재홍평론선집』(지만지, 2015)
『어울림의 시학』(시학, 2019)

<역서 및 산문집>

『아리스토텔레스 시학』(고려대출판부, 1998)
『꽃 진 자리에 향기 더 짙다』(문화의 힘, 2012)

김재홍

1947년 충남 천안 출생으로 서울대학교 사범대학 국어교육과를 졸업한 후, 동대학원 국어국문학과에서 박사학위를 취득했다. 1972년 육군사관학교 전임강사를 시작으로 충북대학교, 인하대학교, 경희대학교에서 교수로 재직했으며, 2012년 경희대학교 문과대학에서 정년 연장 명예교수로 퇴직하였다. 현재는 경희대학교 명예교수이자 백석대학교 석좌교수로 있다.

1969년 서울신문 신춘문예에 평론이 당선되면서 본격적인 문단활동을 시작했다. 이후 시인론, 작품론 등의 실제비평 및 문학사와 문학이론 연구 분야에서 독자적인 학문적 영역을 구축했다. 이 과정에서 『한국 현대 시인 연구 1,2,3』, 『카프시인 비평』, 『한국 현대 시인 비판』, 『한국 현대시의 사적 탐구』, 『현대시와 삶의 진실』, 『생명·사랑·평등의 시학 탐구』, 『한국 현대시 시어사전』을 비롯한 40여권의 저서를 발표했다. 이외에도 국내 최장수 시전문지 계간 『시와시학』과 한국현대시박물관을 창간 및 설립, 사단법인 만해사상실천선양회 상임대표와 만해학술원장 등을 역임하며 시의 대중화 작업 및 인문정신의 실천적 활동을 주도했다.

<제1회 녹원문학상>, <제33회 현대문학상>, <제1회 편운문학상>, <김환태문학상>, <후광문학상>, <현대불교문학상>, <유심문학상>, <만해대상>, <서울특별시 문화상> <보관문화훈장> 등을 수상했다.

고월 이장희 평전 / 빈궁문학 또는 비극적세계
한국문학속의 민중의식연구 / 현대불교시선
이상화 저항시의 활화산

김재홍 문학전집 ⑩

초판 1쇄 인쇄일 | 2020년 3월 05일
초판 1쇄 발행일 | 2020년 3월 14일

엮은이 | 김재홍 문학전집 간행위원회
펴낸이 | 정진이
편집/디자인 | 우정민 우민지
마케팅 | 정찬용 정구형
영업관리 | 한선희 최재희
책임편집 | 정구형
인쇄처 | 으뜸사
펴낸곳 | 국학자료원 새미(주)
등록일 2005 03 15 제25100-2005-000008호
경기도 고양시 일산동구 중앙로 1261번길 79 하이베라스 405호
Tel 442-4623 Fax 6499-3082
www.kookhak.co.kr
kookhak2001@hanmail.net

ISBN | 979-11-90476-22-5 *94800
979-11-90476-12-6 (set)
가격 | 300,000원

* 이 도서의 국립중앙도서관 출판예정도서목록(CIP)은 서지정보유통지원시스템 홈페이지(http://seoji.nl.go.kr)와 국가자료공동목록시스템(http://www.nl.go.kr/kolisnet)에서 이용하실 수 있습니다.